第2版

簡易懸濁法マニュアル

編著 倉田なおみ・石田志朗
執筆 日本服薬支援研究会

じほう

執筆者一覧

■編著
倉田　なおみ*　　昭和大学薬学部社会健康薬学講座社会薬学部門客員教授／
　　　　　　　　臨床薬学部門臨床栄養代謝学部門客員教授
石田　志朗*　　　徳島文理大学薬学部医療薬学講座准教授

■執筆（五十音順）
日本服薬支援研究会
青木　学一*　　　北里大学薬学部臨床薬学研究・教育センター薬物治療学Ⅳ講師
秋山　滋男*　　　東京薬科大学薬学部薬学実務実習教育センター講師
天野　学*　　　　兵庫医療大学薬学部医療薬学科臨床薬学分野教授
新井　克明*　　　医療法人渡辺会大洗海岸病院薬剤部長
安藤　哲信*　　　吉美会吉備高原ルミエール病院薬剤科長
飯田　純一*　　　済生会横浜市南部病院入退院支援センター
石田　志朗*　　　徳島文理大学薬学部医療薬学講座准教授
岸本　真*　　　　霧島市立医師会医療センター薬剤部長
熊木　良太*　　　昭和大学薬学部社会健康薬学講座社会薬学部門助教
倉田　なおみ*　　昭和大学薬学部社会健康薬学講座社会薬学部門客員教授／
　　　　　　　　臨床薬学部門臨床栄養代謝学部門客員教授
興石　徹*　　　　東京医科大学八王子医療センター薬剤部
小茂田　昌代**　 千葉西総合病院薬剤科顧問・東京理科大学薬学部嘱託教授
近藤　幸男*　　　東京有隣会有隣病院薬剤科長
座間味　義人*　　岡山大学病院薬剤部長
篠原　久仁子*　　フローラ薬局・恵比寿ファーマシー代表取締役
世良　庄司*　　　武蔵野大学薬学部レギュラトリーサイエンス研究室講師
寺町　ひとみ*　　岐阜薬科大学実践薬学大講座病院薬学研究室教授
橋本　佳奈*　　　兵庫医療大学薬学部
宮川　哲也　　　 上越地域医療センター病院薬剤科
宮本　悦子*　　　NPO法人健康環境教育の会，北陸大学名誉教授
望月　弘彦　　　 相模女子大学栄養科学部管理栄養学科准教授

■執筆協力者（五十音順）
大熊　盛之　　　 元科研製薬株式会社
岡野　善郎**　　 徳島文理大学薬学部名誉教授
岡村　正夫　　　 橘光葉会三条東病院薬局長
北村　佳久　　　 就実大学薬学部薬学科臨床薬学部門教授
高田　慎也　　　 国立病院機構北海道がんセンター薬剤部
林　友典　　　　 近畿大学奈良病院薬剤部
武藤　浩司　　　 新潟市民病院薬剤部
米井　聖子　　　 済生会松山病院薬剤部

*：日本服薬支援研究会幹事
**：日本服薬支援研究会顧問

はじめに

　簡易懸濁法は，第101回薬剤師国家試験（2016年）に出題され，教育すべき基本的な投薬手技となりました。簡易懸濁法の正しい理解を深めるため，2017年に本書を出版しました。しかし，2019年12月以降，以下に示すように簡易懸濁法を取り巻く環境が大きく変化しています。これらに対応するため本書の改訂を行うことにしました。各項目を現状に合わせた内容に修正し，写真もできるだけ国際規格の器具（ISO80369-3）を用いて再撮影しました。

・令和2年度診療報酬「経管投薬支援料100点」の新設

　令和2年（2020年）度診療報酬において経管投与支援料100点が算定できるようになりました。これは経管投薬が行われている患者が簡易懸濁法を開始する場合について，医師の求めなどに応じて薬局が必要な支援を行った場合に算定できるものです。これらは簡易懸濁法が広く普及し，地域医療の一端を担うようになったためと理解しています。

・各医薬品の簡易懸濁法関連情報のインタビューフォームへの掲載

　2019年9月に厚労省は「医薬品の販売情報提供活動に関するガイドラインに関するQ＆Aについて（その3）」により，「製造販売業者が，簡易懸濁，粉砕等を行った際の医薬品の安定性等に関する情報をインタビューフォーム（IF）に記載の上，情報提供することについては，（中略）差し支えない。」としました。同年12月にはIF備考の項目に，「調剤・服薬支援に際して臨床判断を行うにあたっての参考情報」が設けられ，「（1）粉砕」および「（2）崩壊・懸濁性及び経管投与チューブの通過性」が新設されることになりました。"簡易懸濁法の情報がIFに掲載される，夢がかなった！"と思いました。しかし，「（2）簡易懸濁法」ではなく「（2）崩壊・懸濁性及び経管投与チューブの通過性」としたため，実際には粉砕して経管投与した際のAUCやC_{max}等の情報が掲載されている薬品もあり，まだまだ道半ばです。

・栄養関連コネクタの国際規格への変更

　2019年12月より薬剤を注入する注入器などの経腸栄養分野の器具が国際規格（ISO80369-3）への変更が開始され，2022年11月に従来品は販売されなくなる予定です。これは薬の通過性にも影響する大きな変革です。

　このような変化が一度に起こったことは驚くべきことです。経管投薬において，製剤学的知識を持つ薬剤師は一致団結して安全，確実な投薬に取り組むべき時です。さらに，簡易懸濁法は経口投与にも活用されていますので，薬を上手に飲めない患者さんのために薬剤師はもっともっと尽力するようにという社会からのメッセージなのではないでしょうか。

　一方で間違った簡易懸濁法が面白おかしくSNSで紹介されたり，教えている本人が気付いていないまま間違った簡易懸濁法の研修会が開催されていることもあります。正しい簡易懸濁法が普及することを切に願います。そのため日本服薬支援研究会では認定制度を構築し，認定薬剤師，指導薬剤師を輩出しています。自信をもって簡易懸濁法を指導するための認定制度ですので，認定を取得し，正しい簡易懸濁法の普及にご協力いただければ幸いです。本書が認定取得の一助となることを願っております。

　最後に，改訂にあたりご尽力くださいました執筆者の皆様，取りまとめていただきました（株）じほうの阿部様に心より感謝申し上げます。

2021年9月

日本服薬支援研究会代表幹事
倉田　なおみ

目次

第1章 なぜ簡易懸濁法が必要なのか ... 02
第2章 粉砕指示への対応 ... 16
第3章 簡易懸濁法適否基準 ... 23
第4章 簡易懸濁法での投与手順 ... 52
第5章 簡易懸濁法 Q&A ... 63

簡易懸濁法とは
- Q1 簡易懸濁法が**必要なのは，どんな患者**？ ... 64
- Q2 簡易懸濁法を行う際の**留意点**は？ ... 66
- Q3 簡易懸濁法を導入するにあたり，どのような**準備**が必要？ ... 69
- Q4 粉砕法と簡易懸濁法の**法的な位置づけ**は？ ... 77

崩壊・懸濁前の準備
- Q5 処方された薬が**簡易懸濁法で投与できない場合**，どのように対応すればよい？ ... 80
- Q6 簡易懸濁法で**一包化調剤**を行うメリットは？ ... 83
- Q7 **なぜ55℃，10分間**で崩壊・懸濁させるのか？ ... 91
- Q8 懸濁用のお湯（55℃）は**どのように用意**する？ ... 93
- Q9 **ナースステーションの蛇口からの水**をそのまま使ってもよいか？ ... 95
- Q10 55℃の温度に**注意しなければならない薬剤**は？ ... 98

嚥下困難患者が使用する医療機器・医療材料
- Q11 **胃瘻**とは？ ... 100
- Q12 **腸瘻**は胃瘻と何が違うのか？ ... 103
- Q13 **胃瘻チューブの形状**にはどのような種類があるか？ ... 107
- Q14 チューブの「**1Fr.**」とは何か？ ... 111

- Q15 **フラッシュ**とは？ … 114
- Q16 **経鼻栄養チューブ**を使用する際の注意点は？ … 116
- Q17 **経管栄養チューブ**にはどのような材質が使われているのか？ … 119

簡易懸濁法に使われる医療機器・医療材料

- Q18 **注入器**に関して日本ではどのような基準が制定されている？ … 121
- Q19 **注入器**に関する国際基準の内容は？ … 124
- Q20 簡易懸濁法に**必要な機器・医療材料**とは？ … 129
- Q21 使用機器の**洗浄方法**は？ … 135
- Q22 注入器の**交換時期**は？ … 137

投与時の留意点

- Q23 簡易懸濁法に適するのは**どのような製剤**か？ … 139
- Q24 薬剤を崩壊・懸濁する際，**どれくらいの時間まで**であれば，お湯に放置しても問題は生じないか？ … 142
- Q25 一度に懸濁できる**医薬品の数**はいくつか？ … 147
- Q26 錠剤に亀裂を入れる場合，**どの程度の亀裂**を入れればよい？ … 150
- Q27 **カプセルが溶解せずに**注入器に残るが，閉塞の原因になるか？ … 153
- Q28 チューブを詰まりにくくする方法，**清潔に保つ方法**は？ … 155
- Q29 チューブに**詰まりやすい薬剤**を簡易懸濁法で投与する際の留意点は？ … 158
- Q30 注入器に薬剤が残るのは，**注入角度**と関係があるのか？ … 160

薬剤の特徴に合わせた対応と工夫

- Q31 **バイアスピリン®**を経管投与したいが，良い方法はあるか？ … 163
- Q32 **タケプロン®OD錠**をお湯に入れたら固まってしまったが，簡易懸濁はできない？ … 166
- Q33 **ロキソニン®錠**が崩壊・懸濁しにくいが，良い方法はあるか？ … 168
- Q34 **アルロイドG内用液**をチューブに通過させる方法は？ … 171
- Q35 **クレメジン®**をうまくチューブ通過させる方法はあるか？ … 173

- Q36 注入器をチューブに接続する際に，S・M配合散が噴き出してしまったが，なぜか？ ……………… 175
- Q37 重質酸化マグネシウムによるチューブ閉塞の対策はあるか？ ‥ 177
- Q38 タガメット®細粒20%によるチューブ閉塞の対策はあるか？ ‥ 179
- Q39 漢方薬を簡易懸濁法で投与しても問題ないか？ ……………… 184

配合変化

- Q40 配合変化に注意しなければならない薬剤とは？ ……………… 189
- Q41 配合変化がわからないため，**粉砕法から簡易懸濁法踏み切れない**が，どうすればよい？ ……………… 200
- Q42 配合変化の原因を調べる方法は？ ……………………………… 203
- Q43 **タンボコール®錠とマグミット®錠**を一緒に懸濁したら，浮遊物が発生したが，大丈夫か？ ……………………… 208
- Q44 **塩化ナトリウム（NaCl）**を入れると錠剤が懸濁しなくなるが，どうすればよい？ …………………… 211
- Q45 **鉄剤**と同時に懸濁すると問題になる薬剤はあるか？ ………… 214
- Q46 **光に不安定な薬剤**を簡易懸濁法で投与する際の注意点は？ …… 216

注意を要する薬効群

- Q47 **抗悪性腫瘍薬**を経管投与するのに，良い方法はあるか？ ……… 219
- Q48 **テモゾロミド**を懸濁投与する際に注意することは？ ………… 226
- Q49 **麻薬製剤**の内服薬を経管投与するのに良い方法はあるか？ …… 229
- Q50 **抗ウイルス薬**の経管投与の適否は？ …………………………… 232
- Q51 疥癬の患者に簡易懸濁法で**イベルメクチン**を投与できるか？ … 237

簡易懸濁法を用いた服薬支援

- Q52 **軽症嚥下困難**で簡易懸濁法はどのように利用できる？ ……… 242
- Q53 **嚥下補助ゼリー**を用いた服薬時の注意点は？ ………………… 245
- Q54 **小児の投与量調節**に簡易懸濁法は応用できる？ ……………… 247
- Q55 **腸瘻の患者**に在宅で経管投与する際の留意点は？ …………… 250
- Q56 **在宅患者**では簡易懸濁法はどのように行われている？ ……… 252

簡易懸濁法に関する情報の活用

- Q57 簡易懸濁法は**調剤指針**にはどのように記載されている？ …… 257
- Q58 採用薬の**簡易懸濁法リスト**を作成する良い方法は？ ………… 259
- Q59 「**内服薬 経管投与ハンドブック」に掲載されていない**薬の簡易懸濁法適否は，どう判断するのか？ ………………… 261
- Q60 同じ一般名・剤形の薬剤にもかかわらず，**先発品と後発品で**簡易懸濁法の適否が異なるのはなぜか？ ……………………… 262
- Q61 簡易懸濁法が**添付文書や日本薬局方**に掲載される可能性は？ ‥ 265

調剤支援システム・電子カルテでの簡易懸濁法の運用

- Q62 現在使用している**調剤支援システム**で簡易懸濁法の適否を表示する良い方法はあるか？ …………… 269
- Q63 **電子カルテ**に簡易懸濁法の適否を表示させたいが，良い方法はあるか？ ……………………………………… 276
- Q64 簡易懸濁法に適した**調剤支援システム**の機能はあるか？ ……… 278

医療連携

- Q65 **在宅**で簡易懸濁法をスムーズに導入するには？ ………………… 280
- Q66 **老健や特養施設**への簡易懸濁法の導入方法は？ ……………… 282
- Q67 簡易懸濁法は**医師，看護師**にはどの程度普及しているのか？ ‥ 285
- Q68 簡易懸濁法を**開業医**に理解してもらうには？ …………………… 287
- Q69 他の医療スタッフに簡易懸濁法を**説明する際に活用できる資材**はあるか？ ……………………………………… 290

簡易懸濁法の今後の可能性

- Q70 簡易懸濁法の**医療経済上**のメリットは？ ………………………… 295
- Q71 **日本服薬支援研究会**は，どのような活動をしているのか？ …… 301
- Q72 簡易懸濁法の**普及率**は？ …………………………………………… 303
- Q73 簡易懸濁法は**今後どうあるべき**？ ………………………………… 306

付録 …………………………………………………………………………… 309

第1章 → p.02 〜 p.15
なぜ簡易懸濁法が必要なのか

第2章 → p.16 〜 p.22
粉砕指示への対応

第3章 → p.23 〜 p.51
簡易懸濁法適否基準

第4章 → p.52 〜 p.62
簡易懸濁法の投与手順

なぜ簡易懸濁法が必要なのか

簡易懸濁法の意義

1 簡易懸濁法とは [1, 2]

　簡易懸濁法とは，錠剤粉砕や脱カプセルをせずに，錠剤・カプセル剤をそのままお湯（55℃）に崩壊懸濁させて経鼻胃管，胃瘻，腸瘻より経管投与する方法である（52頁，第4章　簡易懸濁法での投与手順参照）。

　粉砕調剤時や経管投薬時は多くの問題が発生するリスクがあるにもかかわらず，慣習により「つぶし（粉砕）」が行われてきた。徐放性などの特殊な製剤を除き，医薬品は消化管内で，錠剤であれば崩壊するように，カプセル剤であれば溶解するように製造されているので，あえて錠剤を粉砕したり，カプセルを開封する必要はない。この考えをもとに，筆者は従来の粉砕調剤に代わる経管投薬法である「簡易懸濁法」を考案した。

2 簡易懸濁法誕生のきっかけ

1 薬剤師が提案した剤形変更でチューブが閉塞

　簡易懸濁法誕生のきっかけは，1997年に筆者が薬剤部で受けた1本の電話であった。

　「パナルジン®細粒を胃瘻から投薬したところ，詰まってしまって……，どうしよう！」と電話の向こうで看護師が必死の様子だった。そこで文献を参考に，消化酵素剤を酸性のシロップに溶かし栄養チューブに注入することを提案したところ，2日目に再開通した。その看護師は喜んで薬剤部に再開通の報告をしに飛んできてくれた。状況を聞いたところ，パナルジン®細粒はいつも詰まって困っているとのことだった。

　「パナルジン®錠"つぶし"」の処方に対し，いつも薬剤師は医師に確認し

たうえで，パナルジン®細粒に変更していた。なんの疑問も感じずに薬剤師によって当然のように変更されている薬がチューブを閉塞させる原因になっていることを知り，愕然とした。

そこで，どの薬剤がチューブを閉塞させるのか，どの太さのチューブなら通過するのかを調べた結果，チューブの閉塞に関する情報に加え，閉塞以外でも問題を生じる薬剤が多いことがわかった。

これらは医療現場での重要な問題であるにもかかわらず，診療にあたる医師にも，調剤する薬剤師にも，投薬する看護師にもそれまで注目されず，問題視されていなかった。

2 粉砕に代わる経管投薬法として，簡易懸濁法誕生

上記症例を経験する以前のことであるが，どうすれば薬剤を上手に経管投与できるのか考えていたところ，ふと「水に懸濁する錠剤なら，粉砕しないでそのまま水に入れればよい」と思いついた。

1997年には簡単に崩壊する錠剤43薬剤について，水に入れて崩壊させてから経管投与する方法を考案して学会で発表した。しかし，前述の胃瘻閉塞を経験したことから，錠剤の懸濁よりも先に顆粒剤，細粒剤やカプセル充填薬によるチューブ閉塞の検討を行った。

1999年には細粒剤と顆粒剤，また脱カプセルしたカプセル充填薬によるチューブ閉塞に関して日本医療薬学会で発表した。その後，錠剤を崩壊させる方法について検討を再開したが，当時は水温を21℃に設定していた。そして，2000年に抗悪性腫瘍薬の検討を行った際，脱カプセルせずにカプセルを溶解させるために水温を55℃に変更し，その後，他のカプセル剤についても55℃で再検討を行った。ここまでの結果より，55℃・10分放置の試験方法が確立し，ここに簡易懸濁法が誕生した。

そして，確立した実験方法により，すべての薬品を再実験し，55℃のお湯に懸濁させたときの経鼻胃管の通過性に関する薬剤の一覧表を作成し，2001年12月31日に「内服薬 経管投与ハンドブック」（じほう）として発刊した。これにより簡易懸濁法が広く普及するようになった。

この簡易懸濁法により，長い間慣例で行われていた「つぶす（粉砕）」調剤を根本から変え，それにより薬剤の品質を保持できるようになり，投与可能な薬品数が増えて薬物治療の幅が広がった。

3 経管投与で水剤を避ける理由

簡易懸濁法の誕生前は，経管投与では水剤が第1選択であった．しかし，簡易懸濁法実施後，看護師より水剤を錠剤に変更できないかとの相談があった．経管投与に水剤を使用する際の看護師から聞いたデメリットを表1に挙げる．

錠剤を使用する場合は表1のような問題は起こらない．したがって，簡易懸濁法を実施する場合は，経管投与であっても水剤ではなく，錠剤を選択する．

表1　経管投与に水剤を使用するデメリット

①水剤は冷蔵庫から出すため，手間がかかる
②冷蔵庫からの出し忘れにより，投与忘れが生じる
③計量する手間がかかる
④秤量誤差により，残薬量が不足する(最後の1回分が足りなくなる)
⑤秤取量の計量ミスが間違った量の投薬となり，重大な事故を招くリスクが高まる

粉砕法の問題点

経管投与では慣例により，散剤や水剤が選択されるが，散剤や水剤がない医薬品の場合は錠剤を粉砕したり，カプセルを開封して粉末状の薬を水に懸濁させて投与する方法（以下，粉砕法）が実施されてきた．しかし，薬剤師が製剤的な知識をもとに粉砕法を実施するだけではなく，薬剤師以外の医療従事者や患者家族，介護者などが製剤特性を考慮せずに錠剤をつぶしたり，カプセルを開封して経管投与を行ってきたのが現状である．

粉砕法は多くの問題を発生させる原因になっており，製剤的特徴を考慮せずに粉砕することはできる限り避けるべきである．しかし，このような問題点が明確化されないまま粉砕法が実施されてきた．粉砕法の問題点を粉砕調剤時（表2）と投与時（表3）に分けて示す．また，粉砕調剤時に発生する問題点が簡易懸濁法で投与する際に問題となるのかを表4にまとめた．

表2　粉砕調剤時に発生する問題点

①製剤の物理化学的安定性に対する影響
- 光に対する安定性（酸化分解など）
- 温度，湿度に対する安定性（吸湿による湿潤など）

②薬物動態，薬効・副作用に対する影響
- 腸溶性・徐放性の破壊
- 吸収，バイオアベイラビリティの変化

③感覚器への影響
- 味，におい（苦味，酸味，不快臭など）
- 刺激感，しびれ感，収斂性

④調剤上の影響
- 粉砕・分割包装によるロス（粉砕機や乳鉢への付着）
- 混和，混合による配合変化（賦形剤，他剤との配合変化）

⑤調剤者への影響
- 接触，吸入などによる健康被害

⑥調剤業務の煩雑化，調剤時間の増大

〔倉田なおみ：簡易懸濁法の誕生から今後の課題まで．月刊薬事，48（1）：80，2006より引用〕

表3　粉砕調剤した薬剤を投与するときに発生する問題点

- 薬剤が疎水性のため，水に懸濁しない〔例：グラマリール®細粒，ポンタール®カプセルの充填薬など（91頁，**Q7**参照）〕
- 粒子径の大きい薬剤は注入器（注射筒類似の経口用器具）で吸い取れない
- 注入器内に薬剤が残留するため，全量が注入できない
- 懸濁や注入に多量の水が必要となる
- 注入した薬剤によってチューブが閉塞する
- 投与者への影響（接触，吸入などによる健康被害）が生じる
- チューブ閉塞を避けて太いチューブを使用するため，患者のQOLが低下する

表4 粉砕調剤時の問題に対する投与時における粉砕法と簡易懸濁法との比較

調剤時の問題点		粉砕法 錠剤粉砕カプセル開封	簡易懸濁法 錠剤のままカプセルのまま	簡易懸濁法 錠剤に亀裂を入れるカプセル開封
①物理化学的安定性への影響	光の影響	問題あり	問題なし	多少問題あり
	温度・湿度の影響	問題あり	問題なし	多少問題あり
	色調変化	問題あり	問題なし	多少問題あり
②薬物動態,薬効・副作用への影響	腸溶性・徐放性の破壊[*1]	問題あり	問題あり	問題あり
	吸収・バイオアベイラビリティの変化[*1]	問題あり	多少問題あり	問題あり
③感覚器への影響	味・においの影響[*2]	問題なし	問題なし	問題なし
	刺激感,しびれ感,収斂性[*2]	問題なし	問題なし	問題なし
④調剤上の影響	粉砕・分割分包によるロス	問題あり	問題なし	問題なし
	混和・混合による配合変化	問題あり	多少問題あり	多少問題あり
	他患者薬へのコンタミネーション	問題あり	問題なし	問題なし
⑤調剤者への影響	接触・吸入による健康被害	問題あり	問題なし	多少問題あり
⑥調剤業務	煩雑化	問題あり	問題なし	多少問題あり
	調剤時間増大	問題あり	問題なし	多少問題あり
	調剤過誤の発見	問題あり	問題なし	多少問題あり

＊1：インタビューフォーム調査により,影響する可能性のある薬品を除外することで回避可能
＊2：経口投与でないため影響なし

〔倉田なおみ：内服薬経管投与ハンドブック 第3版(藤島一郎・監),じほう, p.12, 2015 より改変〕

粉砕・脱カプセルによる製剤設計への不利益と医療従事者における安全性

1 製剤特性の損失

　錠剤の粉砕やカプセルの開封は，医薬品の特性に従い処方設計された製剤の設計意図を損なう可能性がある。筆者らが6,387薬品の錠剤粉砕とカプセル開封可否を調べたところ，粉砕法が可能な薬品は5,340薬品（83.6%）であったのに対し，簡易懸濁法での投与可能薬品は5,880薬品（92%）であった。例えば，腸溶性のプロトンポンプインヒビター（PPI）で粉砕して経管投与できる医薬品はないが，タケプロン®OD錠を水に入れて崩壊・懸濁すれば，経管投与することができる（図1）。15分以内に投与すれば生物学的に同等であることが，FDAの申請データで示されている。

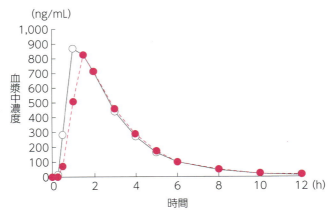

図1　タケプロン（Prevacid：米国の商標）OD錠の服用方法による体内動態の比較

〔Freston JW, Kukulka MJ, Lloyd E, Lee C: A novel option in proton pump inhibitor dosing; lansoprazole orally disintegrating tablet dispersed in water and administered via nasogastric tube. Aliment Pharmacol Ther, 20（4）：407-411, 2004 より引用〕

2 医療従事者の健康被害のリスク

　粉砕法では，細胞毒性のある薬剤の調剤時や投与時に，医療従事者が薬剤を吸引したり接触したりすることで，健康被害が発生する可能性がある．それに対し簡易懸濁法では，錠剤やカプセル剤に触れることなく投与できるため，細胞毒性がある薬品であってもリスクを抑えることができる．

3 調剤時の投与量ロス

1 粉砕・分割分包時のロス

　処方箋に書かれた処方量と患者への投与量は当然等しくなくてはならないが，粉砕法では，錠剤の粉砕・分割分包による医薬品のロスが生じ，投与量が減ってしまう（表5）．

表5　粉砕調剤時の投与量ロス

①物理化学的安定性に対する影響
　・光，温度，湿度に対する安定性損失によるロス

②薬物動態，薬効・副作用に対する影響
　・吸収・バイオアベイラビリティの変化によるロス

③調剤上の影響
　・粉砕・分割分包によるロス（粉砕機や乳鉢，分包機への付着）
　・混和・混合での配合変化によるロス（賦形剤，他薬との配合変化）

2 投与時のロス

　粉砕後の錠剤，または錠剤から変更された散剤を水に入れたときの物性に関する情報はどこからも得られないため，それらの薬剤が疎水性で水に混ざり合わなくても，薬剤師はそのことを知らずに繰り返し調剤していることがある（例：グラマリール®細粒，ポンタールカプセル®充填薬，ドグマチール®など）．薬剤が疎水性で水に懸濁しないと，投薬時に薬剤を注入器に全量吸い取れなかったり，吸い取っても注入器内に残ってしまい，処方通りの用量が患者に投薬されていないことがある．大きめの顆粒剤でも同様のことが起こる（表6）．投与する際，看護師や介護者などは，吸い取れた薬のみ投与を繰り返すことに

表6　経管投与時の投与量ロス

①薬剤が疎水性で水に懸濁しない（下写真）
②注入器に吸い取れない
③注入器内に薬が残り，チューブに注入できない
④チューブの閉塞（6～38％）

グラマリール®細粒

ポンタール®カプセル充填薬

なる．薬剤の変更でこの問題が解消される．

4 粉砕した薬剤同士の配合変化

　粉砕法では，処方薬のうち，用法が同じ複数の薬剤を一緒に粉砕・混合して分包する方法をとることが多い．しかし，粉砕した薬剤同士の配合変化については問題視されないまま粉砕法が実施され，配合変化の研究はほとんど行われてこなかった．

　錠剤を1品目ごとに粉砕して混合せず別々に分包することもあるが，この方法は，服用包数や賦形剤の添加によって服用量が多くなるというデメリットがあり，あまり行われていない．また，この場合，配合変化は考慮されているものの，錠剤を粉砕したときの薬効の変化については，一部の薬剤を除き十分なエビデンスをもたずに行われている．

5 チューブ閉塞

　薬剤の注入によりチューブが閉塞するという問題があり，その閉塞発生率は6～38％といわれている[3,4]．イトリゾール®カプセルのようにコーティングされたカプセル充填薬や，パナルジン®細粒のように特殊な加工が施されている薬品などは，特にチューブを閉塞させやすい．

6 経済的なロス

　粉砕法では粉砕・秤量・監査などに時間がかかるため，薬剤師の人的コストがかかる。また，投与時には，チューブの閉塞によるチューブ交換や，急な処方変更による薬剤破棄などで経済的ロスが生じることがある。

7 患者への不利益

　嵩を増やすために賦形した乳糖や澱粉は水に難溶性であるため，介護者は何度も水で洗い流す操作を繰り返し，投薬のために多量の水が必要となる。これは介護者の手間を増やすばかりでなく，水分制限のある患者では問題となる。

簡易懸濁法のメリット

　簡易懸濁法は，粉砕法でみられる多くの問題点を解決し，さらに表7のようなさまざまなメリットをもつ。

表7　簡易懸濁法のメリット

① GMPで保証された剤形を投与直前まで保持できる
② 調剤時の問題点の解決
③ 投与時の問題点（経管チューブ閉塞など）の回避
④ 配合変化の危険性の低下
　［粉砕法］粉砕して混合したあと投与日数期間，配合変化の危険性がある
　［簡易懸濁法］投与前水に入れる10分間のみ
⑤ 投与可能薬品の増加
　・錠剤・カプセル剤全 4,118 薬品中
　　　粉砕法：2,389 薬品（58％）
　　　簡易懸濁法：3,736 薬品（91％）
⑥ 投与直前の薬剤確認が可能 ➡ リスクの回避
⑦ 処方中止・変更時の対応が容易 ➡ 経済的ロスとリスクの回避
⑧ 細いチューブの使用可能 ➡ 患者QOLの向上

1 GMPで保証された剤形を保持できる

錠剤は GMP（製造品質基準：Good Manufacturing Practice）のもとで製造された適切な品質の剤形であるが，粉砕するとその品質ではなくなる。その点，簡易懸濁法では，適切な品質のまま（錠剤のまま）患者に薬を渡すことができる。

2 調剤時の問題点の解決

簡易懸濁法に変更することにより，前述の粉砕法による①医薬品の安定性や製剤特性の損失，②接触・吸入による健康被害，③粉砕・分包による投与量ロス，④配合変化の危険性――など調剤上の問題点が解決できる。

また，粉砕法と簡易懸濁法による調剤時間に関する筆者らの調査では，粉砕法と同じ処方を簡易懸濁法で調剤すると，粉砕法の約2割の時間で終了する結果となった（図2）。「薬を経管投与する」という点は粉砕法でも簡易懸濁法でも同じであるから，粉砕法では8割の無駄な調剤時間を要していることになる。

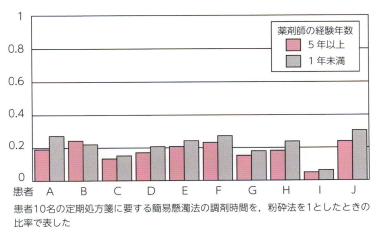

患者10名の定期処方箋に要する簡易懸濁法の調剤時間を，粉砕法を1としたときの比率で表した

図2 粉砕法と簡易懸濁法の調剤時間の比較

3 投薬時の問題点（チューブ閉塞など）の回避

例えば，重質酸化マグネシウム細粒はチューブを閉塞させやすい代表的な細粒剤であるが，同じ成分（酸化マグネシウム）のマグミット®錠はお湯に入れれば直後に崩壊・懸濁し（図3上），しかも粒子径が小さいためチューブを詰まらせる心配がなく，安心して注入できる。また，カプセルはゼラチンやヒプロメロースなどでできているため，お湯に入れれば溶解するので，脱カプセル

マグミット®250mg錠　お湯に投入直後

ユベラN®カプセル100mg　お湯に投入2分後

図3　錠剤・カプセルのお湯での崩壊・懸濁の様子

する必要はない（**図3下**）。

　簡易懸濁法は，新たに確立された実験法（39頁，**崩壊懸濁試験**，41頁，**通過性試験**参照）により，1薬剤ずつ実験することで薬品の崩壊性や通過性を確認している。そのため，簡易懸濁法「適」となった薬剤では，チューブ閉塞を回避できる。

4　配合変化の危険性の低下

　粉砕法では何種類かの錠剤を粉砕した後，混合して一包化することが多い。そのため粉砕後は，混合された薬剤が投薬日数期間保管され，その期間中，配合変化の起こる危険性に曝されていることになる。一方，簡易懸濁法では，投与直前まで錠剤のままであり，配合変化の危険性はお湯に崩壊懸濁させる投与前の約10分間に限られる。

　ただし，その10分間の崩壊時間中に起こる変化については未知であり，今後十分に検討する必要がある。特に重質酸化マグネシウムは，他剤と一緒に処方される可能性が高い薬剤であり，しかもその水溶液はアルカリ性（pH10前後）を示す。そのため，レボドパ製剤などアルカリ性で配合変化を起こしやすい薬剤とはお湯に一緒に入れず，別々に懸濁するなど十分な配慮が必要となる[6,7]。

5　投与可能薬品の増加

　簡易懸濁法では粉砕法に比べ経管投与に使用できる薬剤数が多いことから，経管栄養患者の疾病に対する薬物治療の幅を広げることが可能になった。

　調剤者や，薬を投与する介護者への健康被害が論じられている抗悪性腫瘍薬，免疫抑制薬，女性ホルモン薬などの薬剤では，マスクや手袋の使用による防護以外の解決策がなく，ケミカルハザードの問題により粉砕はできない。簡易懸濁法によって，それらの薬品に直接触れなくても経管投与できるようになった。

6　投与直前の薬剤確認が可能─リスクの回避─

　粉砕してしまうと，どの薬も同じような白い粉になってしまい，薬剤の確認ができなくなる。しかし，簡易懸濁法では錠剤のままなので投与直前に識別

コードで薬剤名を確認でき，薬剤の誤投与のリスクが回避できる．

　数種類の白い散剤が一度に投与されることも珍しくないが，これらの散剤を識別するためマジックで色を付けることがよく行われる．このとき，例えば処方箋には「A薬が赤，B薬が青」となっていて，もし間違えて逆の色が付いていても間違いを見つけることが困難となる．実際にこのようなアクシデントは発生しており，常にその危険性を秘めている．

　こういったリスク回避の面からも，簡易懸濁法の実施により，投与時に錠剤の識別コードを確認できることは大きなメリットである．

7 処方中止・変更時の対応が容易—経済的ロスとリスクの回避—

　粉砕法では，1薬剤の中止・変更ができず，混合されたすべての薬剤を破棄して再調剤する必要がある．それに伴う業務量の増大は薬剤師だけでなく，医師，看護師，事務員ら関係する各々の業務に及び，また，それによる経済的ロスも無視できない量となる．

　さらに，同じような色の散剤数種類がそれぞれ別に分包されていると，例えば5種類の白い散剤のうち1種類の散剤が中止となった場合に，見た目に似ている違う薬剤を中止してしまうというミスも実際に起こっている．

　その点，簡易懸濁法では錠剤やカプセル剤のまま調剤するため，処方薬の中止・変更への対応が容易で，しかも識別コードにより確認することができる．廃棄する薬剤も少なく，再処方・再調剤する必要がないことから，経済的ロスを減らし，リスクを回避できる．

8 細いチューブが使用可能—患者QOLの向上—

　薬剤がチューブに詰まるからという理由で，患者に太いチューブが挿入されているケースは少なくない．チューブに薬が詰まるから細いチューブを使用しない，ということも現実に起こっている．常に鼻からチューブが挿入されている違和感は耐えがたいものであり，少しでもそのストレスを緩和して患者QOLを向上させるためにも，できるだけ細いチューブを使用すべきである．太い口径のチューブは長期間留置すると鼻腔，咽頭，食道，胃など，チューブが当たる部分の粘膜に潰瘍ができたり，胃内に流入した栄養剤が逆流して誤嚥性肺炎を起こす危険性がある．一方，細いチューブを使用することで患者の不

快感は著しく減少し安全性も向上[5]するが，閉塞する可能性は高くなり，チューブの交換によって患者のQOLを著しく低下させる結果となる。

　簡易懸濁法では，薬剤ごとに何フレンチのチューブを通過するかのデータが明らかになっているため，安心して細いチューブを使用することができる。

文献

1) 倉田なおみ：簡易懸濁法の誕生から現在まで，薬事新報，2393（10月27日号）：9-13，2005
2) 藤島一郎，倉田なおみ：ナースのための摂食・嚥下障害ガイドブック，中央法規，pp.206-212，2005
3) Hofstetter. J, Allen LV Jr.：Causes of non-medication-induced nasogastric tube occlusion, Am J Hosp Pharm，49：603-607，1992
4) Nicholson LJ：Declogging Small-Bore Feeding Tubes，JPEN，11（6）：594，1987
5) 藤島一郎：脳卒中の摂食・嚥下障害第2版；経管栄養による補助栄養，医歯薬出版，pp.121-123，1998
6) 賀勢泰子：簡易懸濁法の留意点―配合変化を中心に，月刊薬事，48（5）：89-96，2006
7) 石田志朗・他：経管投与時における内服薬の配合変化，月刊薬事，48（6）：103-107，2006

（倉田 なおみ）

第2章 粉砕指示への対応

投与経路の把握

1 経管投与

　患者がすでに経鼻胃または胃瘻・腸瘻での経管栄養チューブ（以下，チューブ）を設置している場合は，チューブを通した投与方法が必要になる。経管投与が適応となる場合は「第3章　簡易懸濁法適否基準」（23頁）を参照されたい。

2 経口投与

　経口投与であれば，患者の状態を把握したうえで，患者の状況に合わせた最適な剤形が選択される必要がある。患者の状態により錠剤を粉砕して調剤しなければならない場合があり（表1），そこで初めて「つぶし（粉砕）」の調剤が発生する。また，必要に応じて散剤や液剤を用いて調剤を行う。さらに患者の嚥下能力に応じて，とろみをつけた水を用いたり，オブラートやゼリーに包むなど服薬補助の工夫が必要となる。
　すなわち，経管投与の場合はチューブを通過するかが重要な視点となるが，

表1　錠剤の粉砕・カプセル剤の開封を必要とする理由

①疾病により嚥下障害をきたした場合
②経管などの処置のため，固形物が嚥下不可能な場合
③小児，高齢者で嚥下能力がない場合
④薬用量が含量（1錠または1カプセル）に合わない場合

（日本薬剤師会 編：第14改訂調剤指針，薬事日報社，p.34，2018 より引用）

経口投与の場合は患者が服薬しやすい剤形を選択する必要がある（**図 1**）。

本章では，経口投与時に粉砕法を用いる際の注意点を紹介する。また，筆者が委員を務めた 2013 〜 2014 年度日本病院薬剤師会学術第 6 小委員会では経管投与患者に対する薬学的管理チェックシート（**22 頁，資料**）を作成したので，併せて参考にされたい（https://www.jshp.or.jp/gakujyutu/houkoku/h26gaku6.pdf を参照）。

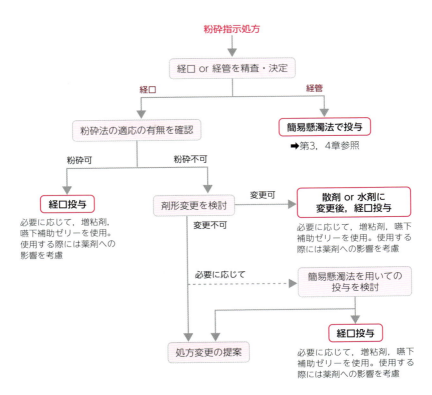

図 1　粉砕指示処方応需からの対応の流れ

粉砕の可否
──錠剤の粉砕？ 散剤への剤形変更？

　錠剤のなかには，①有効成分の薬効発現に不利な物理化学的性質に対するバイオアベイラビリティ（生物学的利用能）の向上，②副作用の軽減，③服用性の向上，④有効成分の安定化など品質確保──などを目的として種々の製剤学的技術を施している製剤が多数存在する。

1 味，におい，刺激などのマスキングを確認

　服用性の向上を狙って製剤工夫（マスキング）が施されている錠剤の場合，粉砕は，マスキングを損なうことになるので薬の味やにおい，刺激などに十分留意する必要がある。注意を要するフィルムコーティング錠や糖衣錠を表2に示す。

2 DDS（ドラッグデリバリーシステム），有効成分の安定性を確認

　吸湿性の薬剤や徐放性製剤，光に対して不安定な薬剤など，粉砕自体が適さない薬剤である場合は，投与不可であることは言うまでもないが，これらの粉砕指示処方を受け取った際は，処方変更など薬学的観点から処方提案を行うべきである。

嚥下障害患者の服薬支援

1 白湯での服薬が困難

　経口投与する場合，健常者のように白湯を用いて服薬できればよいが，粉砕処方を行わなければならない患者では，嚥下機能に問題がある場合が多く，白湯での服薬は誤嚥の可能性が高い。そのため，必要に応じて嚥下補助ゼリーを用いたり，とろみ水や粥に混ぜるなどの工夫をして投与する。とろみ剤の特徴

表2 粉砕しての経口投与で問題となる薬剤特性と薬剤例

特性	商品名	成分名
苦味	アストミン錠	ジメモルファンリン酸塩
	アモバン錠	ゾピクロン
	インデラル錠	プロプラノロール塩酸塩
	エリスロマイシン錠	エリスロマイシンステアリン酸塩
	キニジン硫酸塩錠	キニジン硫酸塩
	グラマリール錠	チアプリド塩酸塩
	クラリス錠	クラリスロマイシン
	セレキノン錠	トリメブチンマレイン酸塩
	ソランタール錠	チアラミド塩酸塩
	タンボコール錠	フレカイニド酢酸塩
	チアトンカプセル	チキジウム
	ドグマチール錠	スルピリド
	トリプタノール錠	アミトリプチリン塩酸塩
	ノリトレン錠	ノルトリプチリン塩酸塩
	パナルジン錠	チクロピジン塩酸塩
	ブルフェン錠	イブプロフェン
	ベネシッド錠	プロベネシド
	メタルカプターゼカプセル	D-ペニシラミン
	リスパダール錠	リスペリドン
刺激性	サンリズムカプセル	ピルシカイニド塩酸塩
	シベノール錠	シベンゾリンコハク酸塩
	セレキノン錠	トリメプチンマレイン酸塩
	ソレトン錠	ザルトプロフェン
	トラベルミン配合錠	ジフェンヒドラミン・ジプロフィリン
	トリプタノール錠	アミトリプチリン塩酸塩
	パナルジン錠	チクロピジン塩酸塩
	ブルフェン錠	イブプロフェン
	メキシチールカプセル	メキシレチン塩酸塩
におい	エビプロスタット配合錠	オオウメガサソウエキス・ハコヤナギエキス
	センノシド錠	センノシド
	タチオン錠	グルタチオン
	メタルカプターゼカプセル	D-ペニシラミン

〔岸本真:安全な内服・服薬管理のために—薬剤と嚥下の相互作用を中心に.臨床栄養,124(7):926, 2016 より改変〕

2 嚥下補助ゼリーの味・組成の情報

　嚥下補助ゼリーを使用する場合は，まず，その組成を確認する必要がある。嚥下補助ゼリーは，市販される種類が年々増え，その組成や味もさまざまである。各商品には，増粘剤，甘味料，酸味料，香料などが含まれ，味は，イチゴ，ピーチ，ブドウ，リンゴ，チョコレートなどがある。

　酸味料が含まれている嚥下補助ゼリーの pH は 3～4 を示し，酸味料を含まない嚥下補助ゼリーの pH は 7～8 を示す。嚥下補助ゼリーの組成や pH などの情報は「付録1　嚥下補助ゼリー一覧」（310頁）を参照されたい。また，SAFE-DI ホームページ（https://www.safe-di.jp/service）の Q&A などからも入手可能である（要登録・無料）。

3 酸性下で不安定な薬剤と嚥下補助ゼリーの pH

　酸味料を含む嚥下補助ゼリーは，pH3～4 の酸性を示すため，酸性下で不安定なマクロライド系抗菌薬のドライシロップなどを投与する際には注意が必要である。

　マクロライド系抗菌薬のクラリスロマイシンやアジスロマイシン水和物は苦味があるため，これらのドライシロップは剤皮で覆われているが，この剤皮は酸性下で溶解する。したがって，服薬指導時には「オレンジジュースやスポーツドリンクとは一緒に飲まないでください」と患者に伝える必要がある。同様に，酸味料を含む嚥下補助ゼリーにこれらの薬剤を混ぜた場合も，酸性下において剤皮が溶解し主薬が溶出するため，強い苦味を感じる。

　苦味官能試験の結果を図3に示す。60秒程度ならば苦味を感じさせない嚥下補助ゼリーもあるが，これはゼリーに甘味料が含まれているためで，その後は苦味を感じるようになり，後味は悪くなる。また，嚥下補助ゼリーの種類によっても苦味の強さは大きく異なる。したがって，クラリスロマイシンやアジスロマイシン水和物のドライシロップ服用時には，酸味料を含まない嚥下補助ゼリーの選択を勧める。

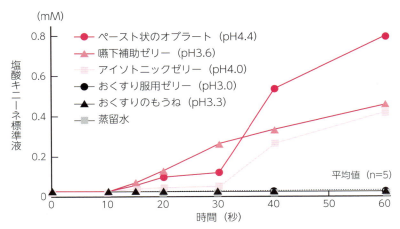

[方法] 全口腔内法にて判定。健常者はクラリスロマイシンドライシロップ0.5gと服薬補助剤または蒸留水30mLを口腔内に含み、塩酸キニーネ標準液の苦味に相当する濃度で評価。
[評価] 60秒後，●，▲，は苦味を感じる。●，▲，は苦味を感じない。

図3　嚥下補助ゼリーによるクラリスロマイシンドライシロップ服用時の苦味官能試験
（石田志朗，他：簡易懸濁法Q&A　Part2―実践編，じほう，pp.40-41，2009 より引用）

文献

1) 倉田なおみ・編，藤島一郎・監：内服薬 経管投与ハンドブック，じほう，2015
2) 日本薬剤師会・編：第13改訂調剤指針 増補版，薬事日報社，2016
3) 石田志朗，他：Q14 嚥下困難患者に嚥下補助ゼリーを用いて投与する際に注意が必要な医薬品は？．簡易懸濁法Q&A part2―実践編（倉田なおみ・監），じほう，pp40-41，2009
4) 岸本　真：安全な内服・服薬管理のために―薬剤と嚥下の相互作用を中心に．臨床栄養，124：(7)，823-930，2016

（宮川 哲也）

資料　経管投与患者に対する薬学的管理チェックシート

●チェックの際の留意点
薬剤師の視点で見たときの気づきが重要なので、他職種の記録からではなく、薬剤師自身が確認します。

チェックシート
I．嚥下障害を有する患者の初回チェックシート
1．薬剤の投与方法
- □ 経口投与 ‥‥→ 2 へ
- □ 経管投与 ‥‥→ 3 へ

2．経口投薬
- 薬の味や匂い、刺激などに十分に留意する

投薬方法
- □ 薬をゼリーなどに混ぜる（□そのまま　□粉砕して　□懸濁して）
- □ とろみをつける　　　　（□そのまま　□粉砕して　□懸濁して）
- □ お粥等の食事に混ぜる　（□そのまま　□粉砕して　□懸濁して）
- □ その他

3．経管投薬
- □ 経管投薬開始日（20　年　月　日）
- □ 経管栄養チューブの挿入部位
  （□鼻、□頸部、□胃、□その他（　　））
- □ 経管栄養チューブの先端位置（□食道、□胃、□十二指腸、□空腸、□回腸、□その他（　　））
- □ 経管栄養チューブのタイプ（1Fr = 0.33 mm）
  - □ 経鼻：5.5Fr（小児）・8Fr・10Fr・12Fr・14Fr
    - □ チューブの長さ：□75cm　□80cm　□100cm　□120cm
  - □ 食道瘻（PTEG）：
    - □ チューブタイプ　　□12Fr 115cm バルーン付
    - 　　　　　　　　　　□15Fr 90cm バルーン無し
    - □ ボタンタイプ　　　□15Fr：□30cm、□45cm、□70cm、□90cm
  - □ 胃瘻（PEG）：12Fr・14Fr・16Fr・18Fr・20Fr・22Fr・24Fr・26Fr・28Fr
    - □ チューブの形状
      - □ バンパー・ボタン型　□ バンパー・チューブ型
      - □ バルーン・ボタン型　□ バルーン・チューブ型
  - □ 胃瘻（PEG）＋チューブ（挿入部は胃瘻で先端は腸内）
    - □ 胃瘻に挿入したチューブの外径：8.5Fr・12Fr
    - □ 胃瘻チューブ形状
      - □ バンパー・ボタン型　□ バンパー・チューブ型
      - □ バルーン・ボタン型　□ バルーン・チューブ型
  - □ PEG-J：12Fr・14Fr・16Fr・18Fr・20Fr・22Fr・24Fr・26Fr・28Fr
    - □ チューブの形状
      - □ バンパー・ボタン型　□ バンパー・チューブ型
      - □ バルーン・ボタン型　□ バルーン・チューブ型
  - □ 腸瘻：8.5Fr・12Fr・14Fr・16Fr・18Fr・20Fr・22Fr・24Fr・26Fr・28Fr
- □ 経管栄養チューブの汚れ（□あり　□なし）
- □ 現在使用の経管栄養チューブ挿入日
  （使用期限目安　バンパー型：6か月　バルーン：1か月）
  挿入日 20　年　月　日から
- □ 次回交換予定日　交換日 20　年　月　日まで

4．薬学的管理
1) 処方薬の確認
   - □ 持参薬および処方薬の確認
     → 多施設から薬が出ている場合も多いので、できるだけ診療情報提供書、お薬手帳、持参薬など、全てを見て確認する
     - □ 持参した薬は現在も飲んでいるか？
     - □ 他にも飲んでいる薬があるか？
   - □ 経管投薬に注意を要する薬はないか
     （添付文書、インタビューフォーム等の確認）
     - □ 徐放性？　□ 腸溶性？　□ 疎水性？（散剤）　□ 細胞毒性？
2) 処方薬の簡易懸濁可否の判断
   - □ 錠剤等のままで簡易懸濁できる（○薬品）
   - □ 錠剤等のままでは簡易懸濁できない（○薬品）
     - □ 代替え薬がある　→　代替え薬の選択
     - □ 代替え薬が無い
       - □ フィルムを破壊すれば簡易懸濁できる
         - □ 破壊のタイミング（□調剤時、□鑑査時、□投与直前など）
         - □ フィルム破壊の方法（□粉砕調剤、□半錠、□分包後亀裂）
3) 配合変化・相互作用の検討
   - □ 薬物−薬物間配合変化の検討（別紙1）
     → 配合変化のある場合の対処法
       - □ 別包で調剤、別々に懸濁して投与
       - □ 他薬への変更
   - □ 薬物−栄養剤間相互作用の検討（別紙2）
     → 相互作用のある場合の対処法
       - □ 栄養剤と別々に投与、場合によっては前後フラッシュ
       - □ 他薬への変更

5．投与時
- □ 投与状況の観察など　→　次のコーナー II-2 へ
- II．経管投薬時の定期チェックシートの　2．投与時の確認　を参照
  （漏れ、つまり、投与時の状況、懸濁時間、フラッシュ法、経管栄養チューブの汚染など）

II．経管投薬時の定期チェックシート
1．投与方法・器具の確認
- □ 使用器具の確認
  → 注入器、懸濁用容器、温度計、ポットなど
- □ 破壊のタイミング（投与前破壊の場合）
- □ フィルム破壊の方法（投与前破壊の場合）
- □ 約55℃の温湯の調整方法
- □ お湯の温度と量
  → 55℃　20mL（飲水制限のある場合は別に考慮する）

2．投薬時の確認（投薬時の状況、懸濁時間、フラッシュ法、経管栄養チューブの汚染など）
- □ 体位の確認（ベッドアップ30度など）
- □ 投薬状況の観察（漏れ、つまりなど）
  → 患者の様子を見ると同時に、看護師の手技や医薬品通過性の確認
- □ 薬剤懸濁から投与までの時間
  → 10分とするのが原則（配合変化、徐放性の損失等の危険性が高まる）
- □ 注入時のシリンジの向き
  → 筒先が横口の場合は斜め下向き、筒先が中央口の場合は真下を向けて注入
- □ フラッシュ方法の確認
  → フラッシュが十分に行われていないと、経管栄養チューブの詰まりや汚染の原因となる
- □ フラッシュ時の水の量
- □ 経管栄養チューブの汚染防止方法
  - □ 食酢（約4%）を10倍程度に希釈して充填
    - □ 禁忌：局方酢酸（30%）ではないことを確認。
      → 局方酢酸（30%）は食酢より10倍近く高濃度のため使用を避ける。
  - □ 汚れる前の経管栄養チューブに充填し、汚れないようにする
    → 汚れた経管栄養チューブをきれいにすることはない
  - □ 閉塞した経管栄養チューブの再開通のためには用いない

3．同一施設内での経管投薬法の周知徹底
- □ 経管投薬法の定期的研修会開催による院内統一（全職員対象）
  → 院内で統一した経管投薬法の共有と正しい手法の継続
    新人職員（医師、薬剤師、看護師等）への研修会（毎年）など
  → 医療安全講習会の一環として研修会を実施する

4．薬−薬・医療連携体制
- □ 地域薬局・介護施設との経管投薬法に関する合同講習会（　回/年）
  → 統一した経管投薬法を共有するため
- □ 新人職員採用時などの定期的な院内講習会の開催など（毎年）
  → 院内で統一した経管投薬法の共有と正しい手法の維持
- □ 適時、実技研修会の開催（　回/年）

（平成26年度日本病院薬剤師会学術委員会学術第6小委員会報告より引用）

簡易懸濁法適否基準

摂食・嚥下障害患者への薬剤投与

　摂食・嚥下障害がある患者に経鼻や胃瘻，腸瘻のチューブを介して投薬する場合，錠剤から振り替える散剤や水剤がなければ，錠剤を粉砕したり，カプセルを開封して充填薬のみを水に懸濁させて投与する方法が，以前から慣例的に実施されてきた。しかし，その際，薬剤が水に懸濁するか否かの情報さえ全くないまま一連の作業が行われていたため，多くの問題が発生していた（**2頁，第1章**参照）。

　その経管投薬上の問題点を解決する方法として，薬剤をそのままお湯に崩壊・懸濁して投与する「簡易懸濁法」が誕生した。すなわち簡易懸濁法は，決して薬剤師が手を抜くための方法ではなく，経管投薬される患者にとって，また，投薬する看護師，介護者にとって有用で安全な方法であるからこそ推奨されるものである。

　簡易懸濁法は，医師・看護師などの職種を超えた協力体制があってこそ成立するものであり，その協力体制の結果，患者へ最良の医療が提供できるようになると考える。

嚥下障害患者の処方箋応需時の確認ポイント

　処方箋に"つぶし"の指示がある場合，多くの情報を得ないと調剤はできない。まずは，なぜつぶす必要があるのか，その理由がわからないと適切な剤形は選択できない。理由が摂食・嚥下障害患者であることがわかったら，次に，経口投与なのか経管投与なのかを確認する。経口投与の患者の場合，食事も食形態を工夫して何とか食べていることが多いため，服薬方法もさまざまで，例えば，ゼリーやプリンで包み込む，水に懸濁してとろみをつける，お粥にかけ

て食べるなどが考えられる。その際は，薬の味・においに十分に注意する必要がある。錠剤をつぶすと，想像できないほど苦かったり，しびれ感がある場合がある。味の心配がない剤形は口腔内崩壊錠や速崩錠である。これらは，もともと口腔内で崩壊させるように作られているため，耐えがたい味はマスキングされている。また，細粒剤も水に溶けないコーティングにより味がマスクされているものが多いので選択肢の一つとなる。

　経管投与の患者の場合は，簡易懸濁法に適する剤形を選択する。簡易懸濁法では約55℃の温度設定と10分の待ち時間が必要だが，それらがなければより簡便な方法となる。つまり，水ですぐに懸濁する錠剤が最適な剤形であり，口腔内崩壊錠や速崩錠がこれに該当する。すべての錠剤が口腔内崩壊錠であれば，ほとんどすべての錠剤が簡易懸濁でき，嚥下障害の対応として錠剤をつぶす必要はなくなる。

　嚥下障害患者の処方箋を応需したら，口腔内崩壊錠や速崩錠を積極的に使用することが患者のメリットとなる。ただし，とろみ剤で服薬する際のOD錠の使用は例外となる。

とろみ剤を用いる場合の注意点

　簡易懸濁法でとろみ剤を用いることもあるが，症例は少なく，問題となった報告例は耳にしない。しかし，とろみ剤を使って内服する場合についての質問が最近多いことから，ここではその際の注意点を解説する。

　摂食嚥下障害により薬の服用が困難な場合，薬をとろみ調整食品（とろみ剤）で包み口腔内に入れる方法が実施されている。とろみ剤は当初でんぷん系が用いられていたが，とろみの安定まで時間がかかるなどの欠点もあり，グアガム系が用いられるようになった。少ない量で高粘度が得られ安価であるが，特有の風味や濁りがあるため，現在では風味，透明感，テクスチャーが大幅に改善されたキサンタンガム系が多く使用されている。キサンタンガムは，微生物（*Xanthomonas campestris*）から生産される増粘多糖類で，グルコースの主鎖にマンノース，グルクロン酸からなる側鎖が付いた構造で，分子量は約200万，低濃度で高い粘度を有し，酵素によって分解されない。

2014年，糞便中にとろみ剤に包まれた速崩性の錠剤が排泄された事例が学会発表[1]され，2017年には筆者らが，お湯に薬を懸濁してからとろみを付ける場合と，とろみを付けてからつぶした同じ薬をとろみ剤に混ぜるという順番が異なるだけでとろみの形状が異なること[2]を報告した。また，口腔内崩壊錠（OD錠）をとろみ剤で服用すると錠剤の崩壊や溶出が遅延するといういくつかの研究発表が論文化されている[3〜6]。

昭和大学薬学部薬剤学部門では，とろみ剤によりOD錠の崩壊が遅延する要因は，OD錠は崩壊剤の膨潤が早いことから，水の少ない状況で崩壊剤が膨潤すると錠剤内に水が浸透できなくなるためと考えた。そこで，OD錠とフィルムコーティング錠を作成してキサンタンガム系のとろみ剤で包み，崩壊試験，溶出試験を実施したところ，OD錠の崩壊，溶出ともに遅延することを確認した。一方，フィルムコーティング錠では崩壊，溶出の遅延は認められなかった（図1）。この結果より，キサンタンガム系のとろみ剤を使用する際には，キサンタンガム系とろみ剤の錠剤への直接的な接触を防げば崩壊，溶出遅延を軽

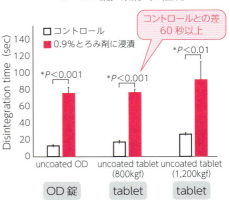

図1 とろみ剤に1分間浸漬後の崩壊時間
水溶性フィルムコート錠，OD錠，素錠（2種類）を作成し，とろみ剤（つるりんこQuickly®，クリニコ製）に包んで崩壊試験を実施した。A：フィルムコート錠は，とろみ剤に浸漬しても浸漬しない場合との差は小さい（14秒）が，B：OD錠・素錠では，その差は大きく（60秒以上）崩壊が遅れた
〔Jpn J Pharm Care Sci 45（4）：187, 2019より引用〕

減できることが示された[7]。そのため OD 錠の使用は避け，可能ならフィルムコーティング錠を使用することを推奨する。フィルムコーティング錠がなければ，OD 錠を先に崩壊させてからとろみを付けるなど，崩壊ととろみの順番を検討するとよい。

なぜ錠剤を水に入れると崩壊するのか？

図 1 に示すように錠剤を製造する際には，添加物として崩壊剤を添加する。徐放錠などの特殊な錠剤は除き，錠剤は有効成分が体内で吸収されなくてはならないから，崩壊するように製剤設計されている。つまり，崩壊剤が錠剤への水の浸透を促すことにより，消化管内での錠剤の崩壊を促進する（図 2）。崩壊剤は，添付文書に添加剤として記載されており，カルメロースカルシウム，クロスカルメロースナトリウム（クロス CMC-Na），低置換度ヒドロキシプロピルセルロース（L-HPC），デンプンなどが用いられている。

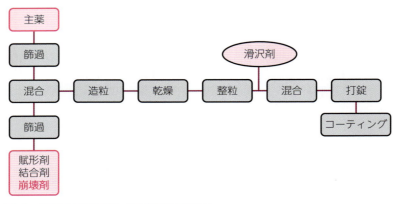

図 1　錠剤の製剤工程（湿式顆粒圧縮法）

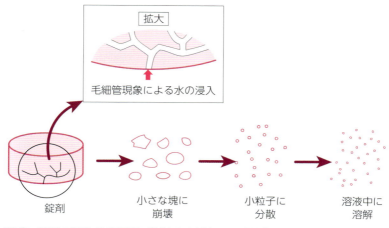

図2 錠剤の薬物放出過程(崩壊から溶解への過程)

簡易懸濁法の適否判断に必要な薬学・製剤学的知識

各薬剤の簡易懸濁法の適否は,薬剤師が薬学的知識を活用してしっかりと判定する。腸溶性製剤,徐放性製剤はもちろん,一般的なフィルムコーティング錠,糖衣錠,カプセル剤,散剤,顆粒剤,水剤などすべての製剤において注意すべき点がある。また,簡易懸濁法を実施するには,水に入れた錠剤が崩壊するか,薬剤が懸濁するかなど,薬剤を水に入れたときの物性情報が不可欠である。本項では,簡易懸濁法の適否判定に必要な薬学・製剤学的知識について解説する。

1 速放性製剤

1 速崩錠と口腔内崩壊錠の違い

速崩錠と口腔内崩壊錠はどちらも崩壊の速い錠剤だが,添付文書上の用法は異なる。速崩錠の用法は「水とともに服用する」だが,口腔内崩壊錠は「服用時,舌の上にのせ唾液を浸潤させ舌で軽くつぶし,崩壊後唾液のみで服用可能

である」で，「水で服用することもできる」と記載されている。これは速崩錠と口腔内崩壊錠の承認申請区分（申請資料）の違いによる。

　速崩錠の申請時には，通常の後発医薬品と同様に，水とともに服用したときの同等性試験結果が資料として求められ，添付文書の用法も通常の錠剤同様に「水とともに服用」となる。

　一方，「剤形が異なる製剤の追加のための生物学的同等性試験ガイドラインQ＆A」（2013年）において，口腔内崩壊錠の食後投与試験は，原則として水なしで服用する試験のみを実施するとなっている。つまり，水なしで服薬したときに同等かどうかが確認されているため，水なし服用が承認されている。

2 両剤とも口腔粘膜からは吸収されない

　口腔内で吸収される薬剤は，薬局方で「口腔内に適用する製剤」に指定される。速崩錠は経口から投与する薬剤であり，口腔内での吸収は目的としない。

　口腔内崩壊錠では，口腔粘膜からの吸収に関して申請時に口腔粘膜で吸収されないことを示す資料を提出する。つまり口腔内崩壊錠も口腔粘膜からは吸収されず，添付文書にも「本剤は口腔内で崩壊するが，口腔粘膜からの吸収により効果発現を期待する製剤ではないため，崩壊後は唾液又は水で飲み込むこと」と記載されている薬剤もある。速崩錠であっても口腔内崩壊錠であっても，口腔内に残らないように飲み込むことが重要である。

3 日本薬局方の分類

　口腔内崩壊錠は，第十六改正日本薬局方（2011年）に錠剤の1種類として初めて掲載された。以下は第十七改正日本薬局方（2016年）製剤総則の抜粋である。

1.1.　錠剤
　　　Tablets
　　　（1）錠剤は，経口投与する一定の形状の固形の製剤である。本剤には，口腔内崩壊錠，チュアブル錠，発泡錠，分散錠及び溶解錠が含まれる。
1.1.1.　口腔内崩壊錠
　　　Orally Disintegrating Tablets/Orodispersible Tablets
　　　（1）口腔内崩壊錠は，口腔内で速やかに溶解又は崩壊させて服用できる錠剤である。
　　　（2）本剤は，適切な崩壊性を有する。

2 放出調節製剤

1 徐放性製剤

　徐放性製剤の特徴は，体内に入った後，有効成分が少しずつゆっくりと溶け出すように製剤化されていることである。このため，血中の有効成分濃度を治療域に長時間維持できる。また服用回数を減らせたり，有効成分濃度が徐々に上昇するため副作用発現が少なくなったりするという利点がある。治療効果の点だけでなく，患者のQOLを高めるためにも広く用いられる。

　徐放性製剤は，上記のように徐々に有効成分が溶け出すよう特殊加工がされているため，加工の仕方によっては簡易懸濁法に向かないことがある。

2 徐放性製剤の構造上の特性

　徐放性製剤には，簡易懸濁法が適用できる医薬品とできない医薬品があり，徐放性のシステムがシングルユニットタイプかマルチプルユニットタイプかによって異なる。

(1) シングルユニットタイプ（図3）

　剤形全体で徐放性をもつ構造になっている。胃や腸の中で形状が長時間保持されて徐々に有効成分を放出する。

　そのためシングルユニットタイプの徐放性製剤は，徐放性の構造を破壊することになるため，簡易懸濁法はもとより粉砕調剤もできない。

(2) マルチプルユニットタイプ（図4）

　内服後，通常の錠剤やカプセルと同じように剤形が崩壊するが，崩壊した後に生じる一つひとつの顆粒が徐放性をもつ構造になっている。製剤によっては，異なる徐放性をもつ顆粒を配合した製剤もある。

　つまりマルチプルユニットタイプの徐放性製剤は，徐放性の小さな顆粒を破壊することなく錠剤を崩壊・懸濁することが可能で，なおかつその懸濁液がチューブを通過するのであれば，簡易懸濁法で経管投与可能となる。粉砕すると徐放性の顆粒がつぶれてしまうため，粉砕することはできない。

3 徐放性製剤の崩壊・懸濁時の注意点

　徐放性製剤をお湯内に放置する時間には注意が必要である。日本薬局方の崩壊試験第2液のpHは約6.8だが，水のpHは7付近である。徐放性製剤をお湯に放置する時間が長くなると，消化管に入ったときと同様にお湯の中で薬物

剤　形	構　造	製品例（一般名）
グラデュメット型 薬剤を多孔性プラスチックに封入し，薬剤を徐々に放出させるようにしたもの。プラスチック格子はそのままの形で便中に排泄される	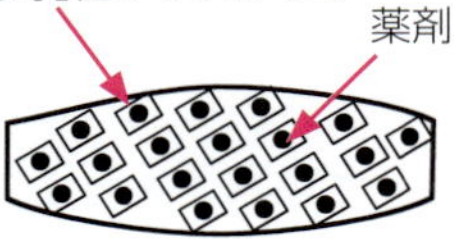 多孔性プラスチック／薬剤	フェロ・グラデュメット（硫酸鉄）
ワックスマトリックス型 薬剤をワックス格子に封入し，薬剤の放出速度を制御するようにしたもの。ゴーストタブレット（有効成分放出後の殻錠）が便中に排泄されることがある	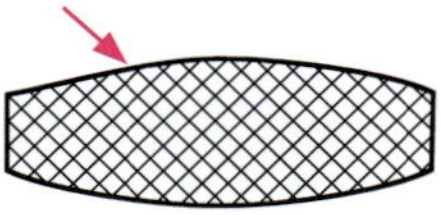 ワックス格子	スローケー（塩化カリウム） ヘルベッサー（ジルチアゼム塩酸塩）
ロンタブ型（有核錠） 薬剤を徐放性にしたものを外層とし速放性のものを芯錠として圧縮成型した有核錠	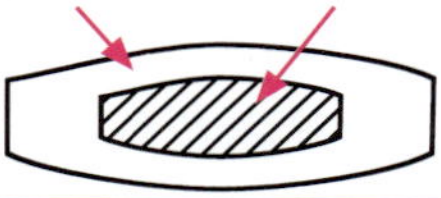 徐放性部　速放性部	アダラートCR（ニフェジピン）

図3　シングルユニットタイプ徐放性製剤

〔座間味義人，天野 学，倉田なおみ：簡易懸濁法Q＆A Part 1―基礎編　第2版（倉田なおみ・監），じほう，p.114，2009より引用〕

剤　形	構　造	製品例（一般名）
スパンスルタブ型 放出性の異なる顆粒を打錠して錠剤にしたもの（スパンスルを錠剤化したもの）	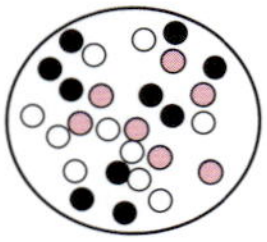 ○速放性顆粒 ●徐放性顆粒A ●徐放性顆粒B	ハルナールD（タムスロシン塩酸塩） テオロング（テオフィリン）
スパンスル型 放出性の異なる顆粒（被膜の厚さを変えたもの）を混合してカプセルに充填したもの	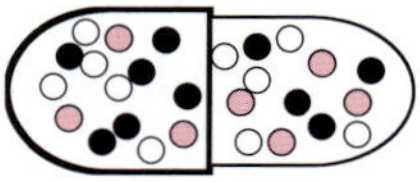 ○速放性顆粒 ●徐放性顆粒1 ●徐放性顆粒2	インテバンSP（インドメタシン） ペルサンチン-L（ジピリダモール）

図4　マルチプルユニットタイプ徐放性製剤

〔座間味義人，天野 学，倉田なおみ：簡易懸濁法Q＆A Part 1―基礎編　第2版（倉田なおみ・監），じほう，p.116，2009より引用〕

が放出し始める可能性があり，体内動態に影響しかねない。ごく一部の医薬品であるが，60分間お湯に放置した場合，徐放性の構造が一部壊れることが示されている。

簡易懸濁法では，お湯での懸濁時間は10分としている。水に入れている時間が長くなると，錠剤の構造の変化だけでなく，配合変化が生じる可能性も高くなる。崩壊する時間が長くなりすぎないように，投与者と一緒に手順を考えることが重要である。

4 腸溶性製剤

錠剤のまま崩壊・懸濁する腸溶性製剤はない。しかし，一部の腸溶性製剤は，亀裂を入れると崩壊・懸濁し，条件付きで簡易懸濁法での投与が可能となる。

(1) 薬剤を腸溶性製剤にする主な理由

薬剤を腸溶性製剤とする理由は，3つある。1つ目は，胃液で分解されやすい有効成分を含む場合（胃液はpH1～3と強い酸性である），2つ目は胃粘膜に炎症や潰瘍を起こしやすい有効成分を含む場合，3つ目は消化管内ターゲティングを目的とする薬剤の場合である。いずれの理由であっても，胃では崩壊せずに腸で崩壊するような構造になっている。

(2) 簡易懸濁法「適」となる条件

腸溶錠においては，患者のチューブの先端がどこに入っているかによって，簡易懸濁法の適否が決まる。

腸溶錠は，胃では崩壊せずに腸に到達してはじめて崩壊するという特性が損なわれることから，口から服用する場合には粉砕できない。しかし，経管投与の場合には，チューブの先端が腸にあれば，崩壊・懸濁あるいは粉砕してもその特性は損なわれない。簡易懸濁法は，チューブの先端が腸に入っている場合や，腸瘻を使用している場合には「適」となる。

3 剤形ごとの特性と簡易懸濁法

1 フィルムコーティング錠，糖衣錠

フィルムや糖衣によって錠剤内に水が浸透しにくい場合には，錠剤はお湯に入れて10分間では崩壊・懸濁しない（図5）。そこで，水を浸透させるために錠剤のコーティングに亀裂を入れると崩壊・懸濁して経管投与できるようになる。これは，錠剤内に水が入りやすくなるように導水路をつくるための亀裂で

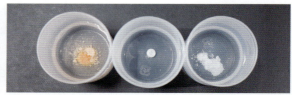

バイアスピリン®錠（右）とバファリン配合錠（左）

バイアスピリン®錠（中央）はそのままお湯に入れても腸溶性コーティングのため崩壊・懸濁しない。バファリン配合錠（左）との違いは一目瞭然。バイアスピリン®錠を使用する場合には，吸湿性のため，お湯に入れる直前にコーティングを破壊するが（右），残渣が残るため少し細かく破壊する必要がある。

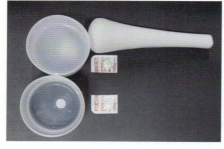

チクロピジン®錠のコーティングに亀裂あり（上）と亀裂なし（下）。亀裂ありの錠剤は，お湯を吸引すると，直後から崩壊が始まり，10分後にほぼ崩壊する。

図5 フィルムコーティング錠のコーティング破壊有無による崩壊・懸濁の違い

あり，粉砕とは異なる。しかし，成分が吸湿性の錠剤のコーティングに亀裂を入れて投与日数期間放置しておくことは安定性の面から問題が生じる可能性がある。そこで，投与直前にコーティング破壊すれば簡易懸濁法で投与可能となる。簡易懸濁法では「適3」となる（後述 **35 頁参照**）。

2 カプセル剤

硬カプセルの残査が注入器に残ることがあるが，脱カプセルするときには捨てているものであり，気にする必要はない。

(1) 充填薬が疎水性粉末のカプセル剤

充填薬が粉末の場合は，その粉末の物性を調べる必要がある。1カプセルの質量を計れば添加物の量がわかる。例えば，成分量 250mg のカプセルの充填薬の重さが 330mg であれば，添加物は 80mg であり，充填薬は有効成分の物性に近いことがわかる。有効成分の物性については，インタビューフォームでは「水にほとんど溶けない」などと記載されているが，日本薬局方の通則を見

■ 簡易懸濁法の適否判断に必要な薬学・製剤学的知識

図6　ポンタールカプセル

崩壊・懸濁10分後

180°反転15往復横転後

図7　注入器に残った軟カプセル（アミティーザ®カプセル）

れば「水にほとんど溶けない」は，1gを溶かすのに要する溶媒量が100,000mL以上であることがわかる。このような疎水性粉末は水とまったく混ざり合わないため，カップ内で崩壊・懸濁させてから注入器で吸おうとしても薬剤が吸いとれない（図6）。カプセルのまま注入器に入れても，水に混ざりあわないため，粉末がうまくチューブ内に入っていかず，注入できない，などの問題が起こる。つまり，粉末であっても経管投与には適さないため，必ず物性を確認することが重要である。

(2) 軟カプセル剤

　軟カプセル剤はお湯に入れても硬カプセル剤より溶けにくく，また，カプセルの一部が残ることが多い（図7）が，カプセルの残渣もそのまま注入してチューブを通過すれば，簡易懸濁法で投与可能である。ただし，充填薬が油状または油に溶解している薬剤が多いため，注入後は十分にフラッシュを行う必

要がある。フラッシュしても全量が投与できない可能性があることも留意する必要がある。

3 細粒，顆粒剤

　グラマリール®細粒のように疎水性で水に混ざり合わない細粒剤は，カップに入れると発泡スチロールのように水に浮いてしまい，注入器に吸い取れない（図8）。直接注入器に入れても注入器内に薬剤が残り，全量が注入できない。以前は粉砕の指示がある場合，細粒・顆粒剤があれば優先的に振り替えていたが，細粒・顆粒剤は味をカバーするなど飲みやすくするために製剤的工夫が施されていることが多く，水に入れても水に混ざらないことや固まることがある。実際，パナルジン®細粒や重質酸化マグネシウム細粒が原因のチューブ閉塞は，臨床の現場ではよく経験することで，これらの薬剤が経管投与の患者に処方されている場合には，チューブを詰まらせない代替薬を提案することが薬剤師としての役割である。

4 水剤

　経管投与の場合は水剤を優先して使用していたが，簡易懸濁法を導入してからは看護師に「錠剤はないか」と聞かれるようになった。水剤は，冷蔵庫に入っているため投与忘れを起こしやすく，計量ミスの危険性があり，最後の1回分が不足するなどのデメリットがあるためである（4頁，表1参照）。確かに錠剤を簡易懸濁させるほうが，安全で簡便である。

　また，水剤でのみ投与される薬剤としてアルロイドGがあるが，アルロイ

図8　グラマリール®細粒

ドGは粘稠度が高く，チューブを通過させるのに強い力が必要になる。チューブを通過させるために水を加えて粘稠度を下げると粘膜保護効果が減弱してしまうため，水剤であっても経管投与には適さない（第5章Q34参照）。

これらのことは，投与の実際をできる限り見ることによって知り得る情報であり，やはり投与の現場をできるだけ見る努力をすることが重要である。

簡易懸濁法適否基準

1 適否基準

簡易懸濁法では適否基準（表1）を設け薬剤を分類している。現在7,200品目の薬剤の簡易懸濁法適否基準が「内服薬 経管投与ハンドブック　第4版」（じほう）に掲載されているので，個々の薬剤についてはそちらを参照されたい。

2 代替薬の選び方

代替薬を選択するときにも，温度と崩壊時間を念頭に置くとよい。

1 簡易懸濁法に適した代替薬

錠剤は，口に入れて水とともに服用することを前提に製造承認されているため，粉砕することはもちろん適応外使用であり，また簡易懸濁法も，55℃のお湯に入れて崩壊・懸濁させるので適応外使用となる。適正使用である"錠剤の

表1　簡易懸濁法適否基準

適1：10分以内に崩壊・懸濁し，8Fr. チューブまたはガストロボタンを通過する
適2：錠剤のコーティングを破壊，あるいはカプセルを開封すれば，10分以内に崩壊・懸濁し，8Fr. チューブまたはガストロボタンを通過する
適3：投与直前にコーティング破壊を行えば使用可能
条1：条件付通過―チューブサイズにより通過の状況が異なる
条2：条件付通過―腸溶錠のためチューブが腸まで挿入されていれば使用可能
条3：条件付通過―備考欄参照
不適：簡易懸濁法では経管投与に適さない
―：実験未実施

まま服用する"ことができない患者に対し，いたしかたなく適応外使用を実施しているが，できるだけ適正使用に近づける努力が必要である。

したがって簡易懸濁法に適した代替薬を選択するときにも，できるだけ低い温度で崩壊・懸濁し，お湯に入れる時間ができるだけ短い医薬品を念頭に選択する。口腔内崩壊錠は，短時間に水で崩壊・懸濁するため，簡易懸濁法の薬剤選択基準に適した剤形である。水温や崩壊・懸濁時間を気にせずに，水に入れてすぐに投与することができる。

2 剤形ごとの注意点

細粒，顆粒剤は苦味などをマスクする目的でコーティングされているケースが多いので，選択するときには必ず水に入れて崩壊・懸濁の状況を確認する必要がある。散剤やカプセル内の粉末も疎水性で水と混ざり合わないことがあるので，お湯に入れた状況を確認せずに調剤することは危険である。また，水剤は投与者の手間や冷所保存などを考えると，優れた代替薬とはならず，水剤よりも錠剤のほうが投与者に好まれる。

3 「内服薬 経管投与ハンドブック」に掲載されていない薬剤の適否判断

1 粉砕できない錠剤

10分間放置しても錠剤が崩壊・懸濁しない場合，当初の「内服薬 経管投与ハンドブック」では粉砕ができない錠剤については安定性を考慮して，コーティングに亀裂を入れてからの崩壊懸濁試験はせずに，「不適」としていた。しかし，コーティングへの亀裂は，いつ，どこで入れるかによって，結果は変わってくる。第3版からは投与直前にコーティングに亀裂を入れるのであれば，「不適」ではなく「適3」（投与直前にコーティングに亀裂を入れれば使用可能）とした。判定は各施設の実施状況によって違ってくることに留意する必要がある。

2 腸溶性製剤

腸までチューブが入っていれば使用可能となる。簡易懸濁法の適否基準だけでなく，チューブの先端がどこにあるのかによって投与できるかどうか決まる。

③ 原薬水溶液のpH

配合変化にも注意する必要がある。インタビューフォームの原薬のpHを確認し，アルカリ性，酸性に傾いている薬剤で，その他の薬剤と一緒に投与するときには配合変化にも注意する必要がある（**付録4　簡易懸濁時のpH情報**参照）。なお，配合変化については，簡易懸濁法のみならず粉砕した薬剤も同様であり，粉砕した末を混ぜて放置する投与日数期間の配合変化にも留意する。

④ 日本服薬支援研究会（旧　簡易懸濁法研究会）による崩壊懸濁試験結果の公表（会員専用Webシステム限定）

「内服薬 経管投与ハンドブック」に掲載されていない薬剤の崩壊懸濁試験を各施設で行うとなると，簡易懸濁法が普及するほど試験に必要な薬剤数が増えることになり，医療経済の面で問題になりかねない。そのため日本服薬支援研究会では，新薬や書籍未掲載薬剤の実験を行い，その結果をホームページ内の会員専用Webシステム「簡易懸濁法可否共有システム」で公開して情報を共有している。

崩壊懸濁試験と通過性試験

筆者らは簡易懸濁法による安全で確実な経管投与を実施するために，単剤ごとに崩壊懸濁試験，通過性試験を行っている。これは薬剤の崩壊性とチューブ通過性を確認した初めての実験である[1]。

いずれの剤形においても崩壊・懸濁の時間は，看護師の負担，配合変化，徐放性の保持，汚染，取り違えの防止などを考慮して10分間までとする。また，崩壊・懸濁に用いる水のpHや錠剤の硬度などによって錠剤の崩壊性が異なる可能性がある。蒸留水を使用したほうがよいとの意見もあるが，実用的ではないので，水道水を用いる。

患者のQOLの向上を目指して，8Fr.（外径2.7mm）のチューブの通過性を目安に判断する。実験の概要を**表2**に示し，その詳細を以下に述べる。

表2　試験方法の概要

	細胞毒性のない医薬品			細胞毒性のある医薬品
	錠剤	カプセル	細粒／顆粒剤	錠剤／カプセル／細粒・顆粒剤
インタビューフォームからの情報収集	製剤上の特徴，組成，剤皮などの情報収集			同左
	錠剤粉砕，カプセル開封の可否判断の情報収集			
崩壊懸濁試験	1. 試験薬 錠剤のまま，またはコーティング破壊 2. 試験薬の量 1 錠 3. 崩壊する水の条件 注入器内 55℃，20mL 4. 放置時間 5 分＋5 分 5. 撹拌 注入器を手動で 15 往復横転 6. コーティング破壊 乳棒 15 回（シート上から） 7. 判定時間 最長 10 分間	1. 試験薬 カプセルのまま，または充填薬のみ 2. 試験薬の量 1 カプセル 3. 崩壊する水の条件 注入器内 55℃，20mL 4. 放置時間 5 分＋5 分 5. 撹拌 注入器を手動で 15 往復横転 7. 判定時間 最長 10 分間	1. 試験薬 細粒／顆粒剤のまま 2. 試験薬の量 成人 1 回量 3. 崩壊する水の条件 注入器内 55℃，20mL 4. 放置時間 10 分 5. 撹拌 注入器を手動で 15 往復横転 7. 判定時間 最長 10 分間	調剤時皮膚への接触や吸入をしないように注意 錠剤：コーティング破壊は行わない カプセル：開封は行わない
通過性試験	1. チューブサイズ 旧規格製品（医薬発第 888 号）8Fr., 10Fr., 12Fr., 14Fr., 16Fr., 18Fr. ガストロボタン [2 版] 18Fr. 新規格製品（ISO80368-3）8Fr., 10Fr., 12Fr. 2. 注入速度 2～3mL/ 秒 3. チューブのセット 体内挿入端から 2/3 を水平に，他端（注入端）を 30cm の高さにセット 4. 使用機器 【注入器】[初版] Exacta-Med オーラルディスペンサー（自立式チップキャップ付）Baxa 社製 [2 版のみ] ジェーフィード注入器 30mL（キャップ付，JMS 社製） [4 版] ネオフィードシリンジ 30mL（トップ社製），ネオフィード保護栓（トップ社製） 【経管栄養チューブ】サフィード胃管カテーテル（12，14，16，18Fr.）テルモ社製 ニューエントラル フィーディングチューブ（8Fr.）日本シャーウッド社製 [4 版] トップ栄養カテーテル 8Fr., 80cm（トップ社製） [2 版のみ]【胃瘻】ガストロボタンフィーディングチューブ(18Fr.) メディコン社製			

[　] は「内服薬経管投与ハンドブック」の版数

1 崩壊懸濁試験（図9）

Step 1 注入器に薬剤を入れる。

Step 2 55℃のお湯20mLを吸い取る。

Step 3 注入器先端にキャップをして5分間自然放置する。5分後に崩壊および懸濁の状況を確認する。この時点で崩壊していない場合はさらに5分間，合計10分間自然放置する。その後，注入器先端を支点にして，水平の状態から扇を描くように180°反転15往復横転する。このとき，注入器内の液体を撹拌するように手早く強く動かす（15往復で約8秒）。その後，崩壊および懸濁を確認する。

Step 4 崩壊・懸濁が確認された場合は，次にチューブ通過試験を行う（図10）。一方，崩壊・懸濁がみられなかった場合は，新たな錠剤を用意し，コーティングに亀裂を入れて*，再びStep 1〜3を行う。コーティングの亀裂は，錠剤シートのまま乳棒で15回叩く。ただし，崩壊懸濁試験ではなく臨床で亀裂を入れる場合には，らくラッシュ（フィルム破砕器）を使用すると便利である。

粉砕不可能な錠剤の場合は，コーティングに亀裂を入れて保管することは安定性に問題があるため，判定は，適3：投与直前にコーティング破壊を行えば使用可能とする。

＊多くの錠剤には，崩壊剤が含まれている。錠剤コーティングに亀裂を入れることで，崩壊剤が水分を含有しやすくなり，錠剤の崩壊が速くなる。

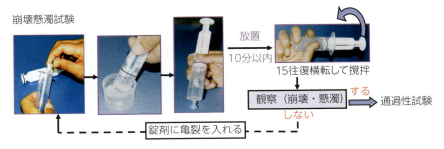

図9 簡易懸濁法適否判定

崩壊懸濁試験で得られた懸濁液を，さまざまな内径のチューブに注入し，一定の条件下で通過性を確認する。

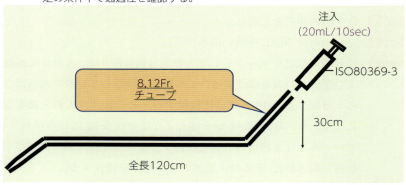

図10　簡易懸濁法のチューブ通過試験

表3　錠剤粉砕・カプセル開封の判定基準

1	粉砕化の可否判断は原則としてインタビューフォームを参考とする。インタビューフォームにデータの記載がない場合，「錠剤・カプセル剤粉砕ハンドブック」（じほう）を参考にし判断する。判断がつかないときは「不適」とする。
2	インタビューフォーム内の「原薬の安定性」中の「過酷試験」の項目で，「温度・湿度・光」の全条件が「4週間あるいは30日間安定」の場合，「可」とする。 ①光の条件は，「室内散光」程度が安定であれば「可」とする。 ②「安定」とは，含量・力価が90％以上維持される場合とする（含量・力価の試験結果が記載されている場合）。 ③多少の着色・吸湿はあっても安定で服用可能なら「可」とする。
3	苦味・酸味・麻痺性などがある場合は「可」とする（経管栄養チューブ投与では影響がないため）。
4	製剤的工夫（徐放製・腸溶性など）がされており，粉砕化することでその特性が失われる可能性がある場合は「不可」とする。
5	その他 ①抗がん薬はバイオハザードを考慮し，原則として「不可」とする。 ②内容が液状・油状などで，散剤として調剤できないものは「不可」とする。

■ 崩壊懸濁試験と通過性試験

1 錠剤，カプセル
前述の Step 1〜4 を実施する。コーティングに亀裂を入れる方法は**第5章 Q26**を参照されたい。錠剤粉砕・カプセル開封の可否は**表3**の基準により判定する。

2 散剤
注入器に成人1回量の散剤を入れ，55℃のお湯20mLを吸い取って10分間自然放冷した後，錠剤と同様に注入器を手で180°15往復横転して撹拌し，懸濁状況を観察する。

3 細胞毒性のある医薬品
各剤形に対する試験方法は毒性のない薬剤と同様であるが，毒性を有するため，錠剤のコーティング破壊，カプセルの開封は行わない。

2 通過性試験（図10）

崩壊懸濁試験で得られた懸濁液を経管チューブ*に注入し，通過性を確認する。

Step❶ 注入器先端を支点にして，水平の状態から扇を描くように180°反転15往復横転して，均一な懸濁液にする。

Step❷ チューブへの懸濁液注入は，ベッド上の患者への投与を想定して，体内挿入端から3分の2を水平に，注入端を高さ30cmにセットする。

Step❸ 懸濁液20mLは，注入速度を一定（2〜3mL/秒）にして10秒間で注入する。

*チューブの長さは120cm，チューブは外径が細いもの（**図11**）から注入し確認する。

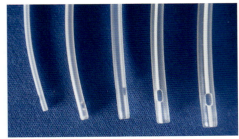

左から 6Fr.*，8Fr.，12Fr.，14Fr.，16Fr.
※チューブの長さは60cm以下しか市販されていない
図11 チューブの太さ

旧規格（医薬発第888号）では外径8〜16Fr.のチューブを用いたが，新規格（ISO80369-3）では，8〜12Fr.のチューブとした。これは，注入器とチューブの接合部が内径2.9mmとの規定があるため，チューブを太くしても接合部を通過しないためである。ニプロ社製チューブの内径と外径を**表4**に示す。

「内服薬 経管投与ハンドブック 第2版」では8Fr.チューブを通過した薬剤については，再度懸濁液を作成し，18Fr.ガストロボタンフィーディングチューブ（**図12**）に注入してその通過性を観察した。薬を注入した後に適量の水を同じ注入器で吸い取り，注入してチューブ・ガストロボタン内を洗うとき，注入器内，チューブ・ガストロボタン内に薬が残存していなければ通過性に問題なしとした。しかし，8Fr.チューブと18Fr.ガストロボタンフィーディングチューブの通過性はほぼ同じであったため，第3版からはガストロボタンのデータは掲載していない。

表4 ニプロ社製チューブの内径・外径

	外径	内径
8Fr.	2.7mm	1.8mm
10Fr.	3.3mm	2.2mm
12Fr.	4.0mm	2.7mm
14Fr.	4.7mm	3.2mm

（ニプロ栄養カテーテル添付文書より引用）

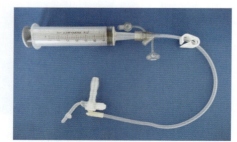

図12 ガストロフィーディングボタンへの接続

3 判定

　注入器内にフィルムやカプセルの残渣が認められても，懸濁液中の主薬がチューブを通過すれば，判定は「適」あるいは「条」となる．明細な経管投与判定基準は表1（**35頁**）の通りである．

水温

1 なぜ約55℃なのか

　水温を約55℃に設定した理由はカプセルを溶かすためである．カプセルは，「水50mLを加え37±2℃に保ちながらしばしば振り動かすとき，10分以内に溶ける」と日本薬局方（医薬品各条）で規定されている．つまり，確実にカプセルを溶解するためには，水温を37℃以上に10分間保持する必要がある．

　しかし，投薬の現場で水温を37℃に保持することは難しく，また温度を高くしすぎると安定性に問題が生じる薬剤もある．そのため簡易懸濁法では，室温に10分間自然放冷したときに37℃以下にならない温度を検討し，最初の温度を55℃と設定した（**図13**）．

2 お湯（約55℃）のつくり方

　55℃ぴったりでなくてもカプセルの一部が溶解して薬剤は懸濁するため，厳密に55℃である必要はない．つまり，温度はおおよそでよく，通常は下記の方法で調整されることが多い（**第5章Q8**参照）．
　①湯沸しポットの湯：水道水が約2：1になるように入れると，だいたい55℃となる（環境により変わるので，季節・地域により確認する）．
　②病棟スタッフステーションの蛇口の水を一番熱くして出すと55℃近辺になることが多い．これ以上熱いとやけどの危険性があるため，どこの病院や介護施設でもこの程度の温度に設定されているようである．ごく一部ではあるが，温度が高いと安定性に問題が生じる薬剤もあるので，高くなりすぎないように注意する必要がある．

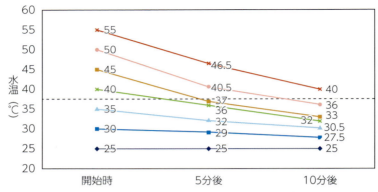

カプセル剤の基剤であるゼラチンは，50〜60℃で溶解する特性がある。なお，日本薬局方の崩壊試験では，37±2℃において上下に振とうする条件下で，カプセル剤は20分で，錠剤の素錠が30分，コーティング錠は60分以内に崩壊するとの規定がある。
55℃のお湯は10分以上の放置で37℃くらいになる。

図13　室温（24℃）における水温（20mL）の変化
（倉田なおみ：内服薬 経管投与ハンドブック第3版，じほう，p.19，2015より引用）

③通常の湯沸かしポットでミルク保温用に60℃または70℃の設定ができる商品が市販されているので，これを利用する施設も増えてきている。
④温度調整電気ケトル：ティファール®のような短時間でお湯が沸かせる電気ケトルで，温度設定できるものが多く市販されるようになった。55℃の設定はないが，60℃設定で沸かしコップに移せばちょうど良い温度になる。

放置時間

簡易懸濁法では薬剤を完全に崩壊懸濁させるため，お湯に入れてから最長10分間放置することにしている。それまでの粉砕投与時と同様に，経管栄養剤投与後に薬剤を水に入れて投与する手順のまま簡易懸濁法に変更すると，投与時に薬を崩壊懸濁する10分間を待つのが作業上難しく感じられる。しかし，多少手順を変更することで，安全で確実な経管投与ができるようになる。10分の待ち時間が業務の負担にならないための対応策を以下に示す。

❶ 口腔内崩壊錠や速崩錠・湿製錠の利用

　水に入れるとすぐに崩壊する口腔内崩壊錠や速崩錠・湿製錠は，経管投与に最適の剤形である[5〜9]。すべての錠剤が口腔内崩壊錠や速崩錠・湿製錠であるならば，簡易懸濁法は水を用いてすぐに実施できるが，残念ながらその種類はまだ少ない。

❷ 作業手順を少し変えてみる

　薬を水に入れている時間が長いと，崩壊中の汚染や薬の安定性などが問題となる。水に錠剤を入れて崩壊させると，配合変化や徐放性の崩壊，溶出性の変化などを起こす可能性があるため，崩壊時間はできるだけ短いほうがよい。薬を水に懸濁させてすぐにチューブに注入しようとすると，錠剤が懸濁するまでの時間が待てない。スタッフステーションや事務所などで全員分のお湯を吸ってから患者のもとに行くなど，少し作業手順を見直して変更すると，問題を解決できることが多い。

❸ 栄養剤投与後にこだわらず，投与直前や途中での投薬も考慮する

　崩壊時間をできるだけ短くするために，すべての作業の最初に薬剤をお湯に入れてから器具を用意するなどの手順の変更を検討する。こうすると，栄養剤を投与し始めるころには薬剤が崩壊・懸濁しているため，栄養剤投与の直前や途中で薬を注入すればよい[10]。薬と栄養剤が混ざらないように投薬前後に忘れずにお湯でフラッシュし，食事時間による吸収の影響について，あらかじめ薬剤師から情報を得ておく。

薬剤の安定性

❶ 55℃での安定性

① 55℃では安定性に問題がある薬剤

　経管投与で使用される頻度の高い錠剤を55℃のお湯に入れて自然放冷し，2

時間後の薬剤回収率を測定したところ（図14），2時間放置しても薬剤の安定性に問題はなかった（表4）。

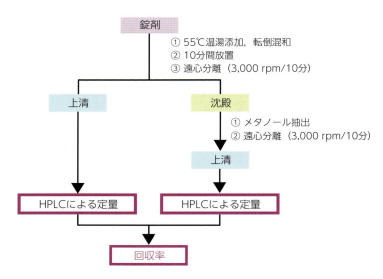

図14 簡易懸濁法による薬剤経管投与時の主薬の安定性の検討

〔矢野勝子, 他：医療薬学, 32（11）：1094-9, 2006 より引用〕

表4 55℃における薬物の安定性（2時間放置）

商品名	主薬含量（％）	安定性
エクセグラン®錠　100mg	98 ± 2	問題なし
ジゴシン®錠　0.25mg	96 ± 2	問題なし
ハーフジゴキシン®KY錠　0.125mg	96 ± 1	問題なし
パナルジン®錠　100mg	100 ± 2	問題なし
ペルジピン®錠　20mg	96 ± 2	問題なし
ワソラン®錠　40mg	100 ± 1	問題なし
ワーファリン錠　1mg	96 ± 2	問題なし
アレビアチン®錠　100mg	95 ± 2	問題なし

平均値　± SD（n = 3）

〔矢野勝子, 他：医療薬学, 32（11）：1094-9, 2006 より引用〕

薬剤が分解・失活する温度はインタビューフォームに記載されており，55℃にすると安定性に問題が生じる薬剤（エンドキサン®P，カリクレイン®など）は，簡易懸濁法には適さない。エンドキサン®P錠は，速溶錠でPの名称が使用されていたが，2008年3月にメディケーションエラー防止の観点からエンドキサン®錠50mgに変更された。有効成分の抗がん薬シクロフォスファミド水和物の融点は45～53℃と低く，シクロフォスファミド注射剤の調製時には室温で気化し，調製者の被曝が問題となっている。簡易懸濁法の55℃のお湯での懸濁では，注射剤調製時に比べ調製者の被曝量がさらに多くなる可能性もある。したがって，エンドキサン®錠の簡易懸濁法の適用は「不適」である。

カリクレイン®錠10単位は，カリジノゲナーゼを含む循環系作用酵素製剤であり腸溶性製剤である。亀裂を入れ簡易懸濁し，チューブを介して胃内へ投与する場合は，含有する酵素が胃酸で分解する。小腸への投与の場合は「適」ではあるが，酵素温度による変性を考え，「内服薬 経管投与ハンドブック」では「不適」としている。

一方，メナテトレノン，ユビデカレノン，ニコチン酸トコフェロールなどは融点が55℃以下の薬剤だが，温度，湿度に対しては安定であるため問題はない。しかし，メナテトレノンのように成分が油状の場合は水の表面に浮くため，投与後十分にフラッシュする必要がある。一部投与量ロスがあることも考慮する必要がある。

温度に不安定な薬剤は，簡易懸濁法の場合のみならず粉砕して調剤するときであっても，錠剤粉砕機から発生する熱や，散剤分包機のヒート用熱板でも分解する可能性がある。粉砕するときは，熱がかからないように十分に注意して調剤する必要がある。

2 添加物の影響

コーティング基剤であるアクリル系コポリマー（メタクリル酸コポリマー，アミノアルキルメタクリレートコポリマーなど）をコーティング剤として用いる錠剤は，製剤の生産効率のために，処方中に可塑剤（クエン酸トリエチル，ポリエチレングリコールなど）を加え，軟化温度，ガラス転移温度を低下させることが多くある。そのため，熱いお湯で簡易懸濁すると製剤が凝集する危険性がある。また，マクロゴール6000も56～61℃で凝固するため，他の添加物の影響もあって温度を高くしすぎるとチューブに入る前に固まってしまうこ

表5 ビオフェルミンR®を50℃のお湯と常温の水に入れて自然放冷したときの耐性乳酸菌菌生存率（%）の比較

お湯	直後	10分後	30分後	60分後
50℃	72.2	37.4	33.3	24.2
常温	107	99	87	84

（ビオフェルミン製薬学術開発部資料より）

とがある。熱すぎるお湯での懸濁は避けるべきである[11]。ただし，錠剤にわずかに添加されているマクロゴール6000により凝固することはない。

③ ビオフェルミンR®の場合

ビオフェルミンR®散は添加物としてバレイショデンプンを使用している。そのため熱湯に入れると塊ができるため，温度が高すぎないよう注意する。また，ビオフェルミンR®については，50℃のお湯と常温の水にそれぞれ入れて自然放置したときの耐性乳酸菌数を比べたデータがある。50℃のお湯に入れたときの60分後の菌生存率は24.2%と，常温の水と比べ数字的には著しく減少している（表5）。しかし，ビオフェルミンR® 1g中の菌数は1,000万個であり，これが24.2%に減少して242万個になっても製品規定内（10万個以上）であり，効果に影響はない。

　薬剤を55℃のお湯に入れたときの安定性に関しては，まだ十分にデータが揃っていないのが現状であるが，最近になって，さまざまな施設での研究結果が学会などで報告されるようになってきた。このように，55℃での安定性に関しては今後も薬剤ごとに検討を続け，データを蓄積していく必要がある。

❷ 水に入れて放置したときの薬剤の安定性（腸溶性における耐酸性・溶出性に関するデータ）

　タケプロンOD®錠のFDA申請データの中に，pH6.5またはpH8.5の溶液に15分もしくは60分放置した懸濁液の耐酸性と溶出性のデータがあり，懸濁後15分以内であれば耐酸性，溶出性にまったく問題はなかったが，懸濁後60分の場合では一部のケースを除き耐酸性が規格を外れていた。

　タケプロン（Prevacid：米国の商標）OD®錠の米国添付文書（表6）には，8Fr.以上のチューブを使用した場合の経管投薬法が記載されている。水の量

薬剤の安定性

表6 タケプロン（Prevacid：米国の商標）OD®錠米国添付文書

> PREVACID SoluTab — Nasogastric Tube Administration （≧ 8French）
> For administration via a nasogastric tube, PREVACID SoluTab can be administered as follows：
> - Place a 15mg tablet in a syringe and draw up 4mL of water, or place a 30mg tablet in a syringe and draw up 10mL of water.
> - Shake gently to allow for a quick dispersal.
> - After the tablet has dispersed, inject through the nasogastric tube into the stomach **within 15 minutes**.
> - Refill the syringe with approximately 5mL of water, shake gently, and flush the nasogastric tube.
>
> タケプロンOD®錠経管投与方法（8Fr.以上使用）
> - 15mg錠をシリンジに入れ，4mLの水を吸引する（30mg錠の場合は10mL）。
> - シリンジをそっと振り，速やかに懸濁させる。
> - 懸濁後，**15分以内**に経鼻腸管を通じて胃に注入する。
> - 再度シリンジに約5mLの水を吸引し，そっと振り，経鼻胃管を洗い流す。

は違うが，まさに簡易懸濁法であり，上記の溶出性のデータを踏まえて，懸濁後15分までであれば問題なく使用できるとしている[11]。

　粉砕法であっても，投与前に薬を水に入れて長時間放置されることもあるが，従来はその状態での薬の変化について問題にされることがほとんどなかった。簡易懸濁法の普及によって，粉砕法では疑問視されなかった薬を水に入れたときの安定性などの問題が注目されるようになったことは，安全な経管投薬のために必要なことであり，これも簡易懸濁法のメリットのひとつといえるであろう。55℃における安定性と同様，10分間懸濁させたときの安定性についても現在研究が進んでおり，安定性に問題がない薬剤のデータも少しずつ示されてきているが，すべて論文発表前のものであり，今後は提示していくことが可能になると思われる。

　なお，Prevacid SoluTab（タケプロンOD®錠の米国商標）を通常の服用法と経管栄養チューブを用いて投与した場合を比べたデータ（図15）によると，薬物動態学的に同等性が示され，吸収率に変わりはない。また，イトラコナゾール錠「科研」と先発品カプセルをクロスオーバー法により，薬物動態を検証した結果，両剤の生物学的同等性が確認されている（図16）。

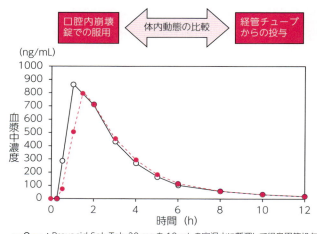

図15 タケプロン（Prevacid：米国の商標）OD®錠の服用法による体内動態の比較

(Freston JW, et al.：Aliment Pharmacol Ther. 20：407-411, 2004 より引用)

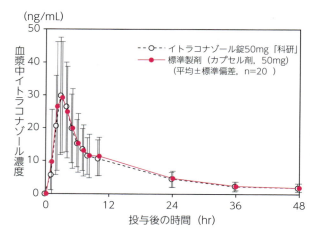

図16 イトラコナゾール錠と先発カプセルの薬物動態の比較

（イトラコナゾール「科研」インタビューフォーム, p.11 より引用）

文献

1) Yamaguchi H：28-P2AM-054, The 24th Annual Meeting of the Japanese Society of Pharmaceutical Health Care and Sciences, September 2014, Nagoya
2) Kumaki R：O-045 The 32nd Annual Meeting of the Japanese Society for Parenteral and Enteral Nutrition, February 2017, Okayama
3) Tomita T, et al.：Effect of Food Thickeners on the Disintegration, Dissolution, and Drug Activity of Rapid Oral-disintegration Tablets. Yakugaku Zasshi, 138：353-356, 2018
4) Tomita T, et al.：Effect of xanthan gum as a thickener in widely-used food thickeners on the disintegration of rapidly-disintegrating tablets. Jpn J compr Rehabil Sci, 9：22-28, 2018
5) Tomita T, et al.：Effect of Food Thickener on the Inhibitory Effect of Voglibose Oral-disintegrating Tablets on Post-prandial Elevation of Blood Sugar Levels. Yakugaku Zasshi, 136：1171-1176, 2016
6) Tomita T, et al.：Effect of Food Thickener on the Inhibitory Effect of Mitiglinide Tablets on Post-Prandial Elevation of Blood Glucose levels. Dysphagia, 32：449-453, 2017
7) Ebata R, et al.：Effect of Film Coating on Xanthan Gum Solution-induced Delays in the Disintegration and Dissolution of Tablets. Jpn J Pharm Health Care Sci, 45 (4)：182-194, 2019
8) 簡易懸濁法研究会・編著：簡易懸濁法Q＆A　Part2―実践編（倉田なおみ・監），じほう，2009
9) 倉田なおみ・編：内服薬 経管投与ハンドブック　第3版（藤島一郎・監），じほう，2015
10) 第十六改正 日本薬局方，2016
11) 簡易懸濁法研究会・編著：簡易懸濁法Q＆A　Part1―基礎編　第2版（倉田なおみ・監），じほう，2009
12) 対馬勇禧：口腔内崩壊型錠剤の製剤化技術（上），製剤機械技術研究会誌，13（1）：11-18，2004
13) 対馬勇禧：口腔内崩壊型錠剤の製剤化技術（下），製剤機械技術研究会誌，13（2）：16-21，2004
14) 森　豊：バリアフリー製剤の現状，薬剤学，64（5）：294-299，2004
15) 増田義典：知っておきたい口腔内崩壊錠の知識，調剤と情報，11（11）：79-86，2005
16) 増田義典：口腔内崩壊錠の潮流と製剤計画，PHARM TECH JAPAN，22（3）：51-62，2006
17) 倉田なおみ：薬をつぶさずに経管投与する「簡易懸濁法」とは，エキスパートナース，22（1）：22-24，2006
18) 倉田なおみ：タケプロン（ランソプラゾール）OD錠の利点―経管投与と中心にして―，薬局，56（10）：83-86，2005

第4章 簡易懸濁法での投与手順

簡易懸濁法による経管投与の手順

①錠剤やカプセルをそのまま容器（注入器など）に入れ，お湯（55℃）を入れる（Step 1），②お湯で崩壊・懸濁させる（Step 2），③薬剤の懸濁液を経管投与する（Step 3），④同じ容器でフラッシュする（Step 4）——の4つの手順で経管投与を行う。

```
お湯（55℃）を準備する
    ↓
処方薬1回分を注入器など*に入れ，
お湯を入れて静置し，5～10分後
に撹拌して崩壊・懸濁させる
    ↓
注入器などを栄養チューブの先端に
取り付け懸濁液（薬液）を注入する
    ↓
投与後，水でチューブを
フラッシュする
```

＊導入時には，器具は変えずに従来使用していた容器などをそのまま使用するほうがスムーズに導入できる

Point　5～10分の崩壊・懸濁時間の問題

錠剤が懸濁する10分間を待つのが難しい場合，まずは一緒に考え10分かかるような手順に変更する。それも無理な場合には，栄養剤投与後にこだわらず，栄養剤投与直前の投与や，投与中にいったん停止して懸濁液を投与するなど，投与タイミングも検討する。

投与準備

1 投与する状況をあらかじめ確認――懸濁時間は短いほうがよい

　施設の場合は，一度に与薬する人数を確認する。簡易懸濁法では5～10分程度薬剤をお湯に入れて崩壊するのを待つが，10分間は長いようで短い。複数患者に投与する場合は，お湯を入れてから薬剤投与までに10分以上かかってしまうこともあるため，投与手順も考慮したうえで，投与準備の作業場所を決定する。

　もし，懸濁時間の10分が待てない場合は，食事中の投与で薬効に影響しないことを薬剤師に確認したうえで，栄養剤の前や途中に投与してもよい。途中で投与する場合は，いったん栄養剤の投与を停止し，水でフラッシュしてから薬の懸濁液を投与し，再び水でフラッシュしてから栄養剤の投与を再開する。

2 処方薬と必要な器具を準備

　・投与する薬剤，注入器，キャップ，55℃水用カップ

注意：写真は注入器。その他の器具（けんだくん，けんだくボトル，クイックバッグ）での手順は後述

3 手指を十分に洗い清潔にし，手袋をする

　・抗悪性腫瘍薬投与の際は，第5章 Q20，Q47，Q48，Q68 を参照。

4 作業台をアルコールなどで消毒し，清潔に保つ

5 お湯と水を準備する

　・55℃お湯の作成方法は，第5章 Q8 を参照。

投与手順

1 錠剤・カプセル剤の基本的な手順

 Step 1 容器に薬剤を入れ，お湯を入れる

キャップをつけた注入器に投与1回分の処方薬を入れる。

注入器に薬剤を入れる　　　押し子を戻す

約55℃のお湯を適量（約20～30mL）注入器に吸い取る。

適量のお湯を吸い取る　　　　　　　　　　お湯を吸った後，注入器にキャップをする

 Point 崩壊・懸濁直前のコーティング処理

必要に応じ，お湯に入れる直前にコーティングに亀裂を入れる。

■ 投与手順

 Step❷ お湯に 5 〜 10 分放置してから混和させる

注入器にキャップをし，5 〜 10 分放置し振り混ぜる。

10 分間放置

注入器を 180°往復して撹拌する

すべての薬剤が懸濁したら，投与準備完了

 放置時間

10 分以内に薬剤が崩壊・懸濁していれば，10 分待たずに投与してよい。長時間の放置は有効成分の分解や配合変化などの危険があるが，フィルムコート錠を 55℃のお湯に入れて 2 時間放置した際の安全性において，問題はなかった。しかし，マルチプルユニットの徐放性製剤は，お湯に長時間入れておくと成分が溶出してくる可能性があるため，できるだけ 10 分以内での投与が望ましい。

55℃における薬物の安定性（2 時間放置）

商品名	主薬含量（％）	安定性
エクセグラン®錠 100mg	98 ± 2	問題なし
ジゴシン®錠 0.25mg	96 ± 2	問題なし
ハーフジゴキシン KY 錠 0.125mg	96 ± 1	問題なし
パナルジン®錠 100mg	100 ± 2	問題なし
ペルジピン®錠 20mg	96 ± 2	問題なし
ワソラン®錠 40mg	100 ± 1	問題なし
ワーファリン®錠 40mg	96 ± 2	問題なし
アレビアチン®錠 100mg	95 ± 2	問題なし

平均値± SD（n ＝ 3）　〔矢野勝子，他：医療薬学，32（11）：1094-9，2006 より引用〕

薬剤の懸濁液を投与する

栄養剤投与終了後，チューブ内の栄養剤を洗い流すためフラッシュする。
ボタン型の胃瘻を使用している患者では，栄養剤が逆流防止弁にたまっていることがあるので注意する。

栄養剤の投与終了。栄養剤の
チューブをコネクタから外す

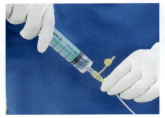

コネクタに注入器を差し込み，水で
フラッシュする

懸濁液を細かく振って，撹拌しながら注入するとチューブ閉塞を起こしにくい。
懸濁液注入中の患者の様子に注意を払う。嘔吐しないかなどに注意する。

【けんだくんの場合】

けんだくんより注入器で懸濁液を
採取して投与する

 投与後，水でチューブをフラッシュする

20mL程度の水でフラッシュする。フラッシュの際，薬剤が詰まっていないかを確認する。
水でフラッシュする際は，注入器内に残っている薬を全部注入するため，必ず薬の注入に使用した器具を用いる。
①注入器：使用した注入器でフラッシュ
②けんだくボトル：使用したけんだくボトルに水を入れ，内部に残った懸濁液をすべて洗い流すように振り混ぜてフラッシュ
③けんだくん：使用したけんだくんの内部に残った懸濁液を水で洗い流すようにして振り混ぜてから，使用した注入器で水を採取しフラッシュ

薬剤の懸濁液を投与後に水を注入し
てフラッシュする

2 散剤の場合

簡易懸濁法では，1薬剤ずつ懸濁するのではなく，1回分の薬剤を一緒に懸濁する。処方に散剤が含まれている場合は，取り扱いに注意する。

【方法1】

Step 1 容器に薬剤を入れお湯を入れる

キャップを付けた注入器に投与1回分の処方薬を入れる。約55℃のお湯を適量（薬20〜30mL）注入器に吸い取る。
散剤は筒先からこぼれやすいので注意する。なるべくこぼれないように散剤を片側に寄せて，準備したお湯はすべて採取する。

注入器に散剤を入れる

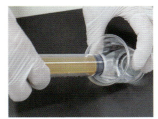

まず散剤を下側に寄せ，お湯の採取中にこぼれ出ないようにする

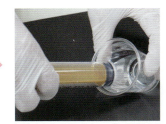

お湯はあらかじめカップに用意する

カップ内のお湯を全部注入器に吸い取る

【方法2：カップに散剤を入れる場合】

あらかじめ散剤をお湯に懸濁する。

あらかじめカップに薬剤を懸濁する

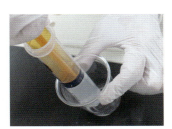

注入器に吸い取る

Point 撹拌のタイミング

配合変化をできるだけ回避するため，投与直前に撹拌する。お湯を吸い取ってすぐに振り混ぜると，懸濁している間に配合変化を起こす危険性が高まる。一方，粉砕した薬剤を混合すると，投与期間中は配合変化の危険性に曝されていることになるため注意する必要がある。

Point フラッシュとは

チューブ内に残っている栄養剤や薬液を水で洗い流すこと。洗い流すことで配合変化を防ぎ，またチューブの汚れを防止することができる。

Point チューブ閉塞の対策

チューブは日ごろより詰まりがないようにすることが重要。チューブ内の付着物はPDNブラシなどで落とすことができるので，日々詰まりのないよう手入れをすること。
一時的に詰まった場合は，強めに水でフラッシュする。その場合，大きめの注入器を使用するとよい。なお，新生児や小児の場合は，フラッシュを行わず，チューブを交換すること。
強めのフラッシュでも，詰まりが取れない場合は，チューブ交換となる。
チューブの詰まりを取ろうと，スタイレットやガイドワイヤを使用したことによるチューブ穿孔によって食道を損傷した事例が報告*されているため，スタイレットやガイドワイヤは使用しないこと。

＊医薬品医療機器総合機構：PMDA医療安全情報 No.1，2007年11月

Point 方法1でお湯を採取する際の散剤の工夫

お湯を吸い取ろうとすると，散剤がお湯にこぼれてしまうことがあるため，吸い取る20～30mLのお湯はあらかじめカップに取り分けるなどして，こぼれた散剤も全て吸い取るようにする。

お湯を吸い取る前にこぼれた散剤

お湯を吸い取るときにこぼれた散剤

3 クイックバッグを使用した投与法

　注入器には「Single use only」と書かれている。つまり，使い捨てにするものだが，洗って再利用されることも多い。しかし，抗悪性腫瘍薬などケミカルハザードのおそれのある薬剤を投与する場合は，必ず使い捨てにすることが重要である。クイックバッグは再利用することができないため，抗悪性腫瘍薬の投与や感染症患者に使用した場合に必要な機器である。

Step❶ 容器に薬剤を入れ，お湯を入れる

投与 1 回分の処方薬をクイックバッグに入れる。55℃のお湯を約 20 〜 30mL 投入する。

処方薬と同様にジッパー部分からお湯 20 〜 30mL を投入

お湯を投入完了

Step❷ 5 〜 10 分放置して混和させる

ジッパーを閉じて 5 〜 10 分間放置する。すべての薬剤が懸濁したら，投与準備完了。

ジッパーをしっかり閉じる

錠剤を手でもむと，早く懸濁する

懸濁完了

第4章・簡易懸濁法での投与手順

Step 3 薬剤の懸濁液を投与する

前述のとおり，クイックバッグは圧をかけて弱シールを開封するため，まずジッパー側から端を3回折り曲げる。

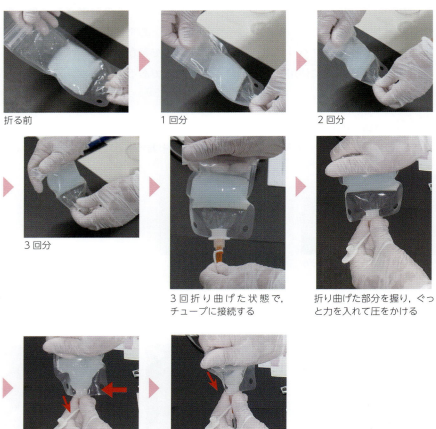

■ 投与手順

Step 4 投与後，水でチューブをフラッシュする

20mL 程度の水でフラッシュする。薬液を投与したらジッパーを開けて水を投入する。弱シールがはがれているため，クイックバッグはチューブから外さないこと。

ジッパーを開けて水を入れる。弱シールが開封されているため，チューブを折り曲げて持つか注入口は上に向けて，水が流れていかないようにして，水を投入する

空気を抜いてジッパーをしっかり閉める。内側に残った薬剤も一緒にフラッシュできるよう水でクイックバッグ内を洗うようにする。このとき水が流れていかないように注意する

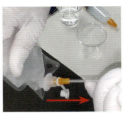

チューブを持ったまま，薬液注入時と同様，ジッパー側から3回折って握る

チューブを離して，フラッシュする

フラッシュ終了

Point クイックバッグの上からコーティングに亀裂

錠剤表面のコーティングに亀裂を入れる必要がある場合，錠剤のままクイックバッグ内に入れ，クイックバッグの上から乳棒などで叩いて亀裂を入れることができる。

クイックバッグの素材は丈夫なため，崩壊性の悪い薬剤は潰して崩壊時間を早めることができる。力加減に十分に注意すれば，お湯への薬剤投入後，乳棒などで錠剤の粉砕が可能

投与・作業終了

1 食酢をチューブに充填する

食酢（4％）を10倍希釈して経管栄養チューブに充填する。

経管栄養チューブに希釈済みの食酢を入れる

2 使用器具を洗浄する

使用器具は原則使い捨てとなっている。やむを得ず再利用する場合は，洗浄後に次亜塩素酸ナトリウムに1時間浸し，乾燥させてから使用すること。

 Point　クイックバッグの注意点

クイックバッグは使い捨ての簡易懸濁用容器である。使い捨てのため衛生的である反面，キャップがないため注入口の衛生面には注意する。
袋の角には3カ所穴が開いており，輸液スタンドにも吊るせるように工夫されている。

注入口手前が弱シールとなっているため，キャップがなくてもお湯が漏れない。圧がかかると弱シールを開封する仕組みになっている

ジッパーを閉じたかを確認する。ジッパーの閉まりが甘いと薬液が漏れ出てしまう

第 5 章

簡易懸濁法
Q&A

- Q 1, 11, 21, 31, 41, 51, 61, 71
- Q 2, 12, 22, 32, 42, 52, 62, 72
- Q 3, 13, 23, 33, 43, 53, 63, 73
- Q 4, 14, 24, 34, 44, 54, 64
- Q 5, 15, 25, 35, 45, 55, 65
- Q 6, 16, 26, 36, 46, 56, 66
- Q 7, 17, 27, 37, 47, 57, 67
- Q 8, 18, 28, 38, 48, 58, 68
- Q 9, 19, 29, 39, 49, 59, 69
- Q 10, 20, 30, 40, 50, 60, 70

第5章 簡易懸濁法 Q&A

簡易懸濁法とは

簡易懸濁法が必要なのは，どんな患者？

なんらかの原因で嚥下障害を生じ，薬が飲みこめない場合，軽度〜中等度の嚥下障害であれば工夫して口から投与しますが，重度であれば経腸栄養剤と同様に，薬もチューブから投与します。このような経管投与を施行している患者へ安全に薬を投与するために簡易懸濁法が必要となります。また，軽度〜中等度の嚥下障害で口から服用できる患者でも，障害の程度に合わせて，錠剤を懸濁させた液にとろみをつけて服用するなど，簡易懸濁法が利用されています。

● ▫ ●

● 嚥下障害の主な原因

　嚥下障害の原因はさまざまだが，表に示すように，口内炎や腫瘍，潰瘍で舌や咽頭の構造が障害されている場合（構造的原因）や，構造上の問題はないけれども脳血管障害やパーキンソン病などで口，舌を動かす神経や筋組織が障害された場合（機能的原因），さらに拒薬，うつ病，認知症などの精神原因などに分けられる。そのなかで，機能的障害を引き起こす脳血管障害が，嚥下障害のいちばんの原因であるといわれている。

　そのほかに，放射線や手術，薬剤によって引き起こされる医原性の嚥下障害

表 嚥下障害の原因

構造的原因	先天的構造異常：奇形など
	後天的構造異常：腫瘍，炎症，外部からの圧迫
機能的原因	中枢神経：延髄嚥下中枢障害，両側上位運動ニューロン障害
	末梢神経：咽頭麻痺
	筋疾患：筋力低下
精神的原因	うつ病，認知症，拒薬

〔倉田なおみ・編，藤島一郎・監：内服薬 経管投与ハンドブック第3版，じほう，p.60，2015より改変〕

も存在する。また，嚥下機能は加齢によって低下していくため，年齢も原因の一つとなっている。

文献

1) 藤島一郎 監，倉田なおみ 編：内服薬 経管投与ハンドブック 第4版，じほう，pp.54-64，2020

（座間味 義人）

簡易懸濁法を行う際の留意点は？

簡易懸濁法での留意点は「調剤時」と「投与時」の2つの段階に分けられます。主な留意点は以下の通りです。

〈調剤時の留意点〉（薬剤師）
　①投与経路を確認する（チューブの先端位置により，投与できる薬剤の幅が変わる）
　②処方された薬剤が簡易懸濁法に適しているか確認する
　③簡易懸濁法不適の薬剤の場合は，代替薬剤を提案する
　④条件付きで簡易懸濁法可能となる薬剤の場合は，条件を満たす調剤または指示を行う

〈投与時の留意点〉（看護師，介護者）
　①お湯の中に薬剤を長時間放置せず，適切な時間内で投与を完了する
　②条件付きで簡易懸濁法可能な薬剤の場合は，薬剤師の指示通りの手順で投与する
　③薬剤の崩壊・懸濁時に懸濁液の色が変わったときや，薬がうまく投与できないときは，すぐに薬剤師に連絡を入れる

● ▫ ●

● 調剤時の留意点

❶ 投与経路の確認

　投与経路について留意すべき点として，①投与経路が経鼻胃管，胃瘻，腸瘻などのうち，どれに該当し，どのようなチューブを使用しているかを確認すること，②チューブの先端位置が食道・胃なのか，あるいは腸なのかを確認すること，の2点が挙げられる。

(1) 投与経路とチューブ内径

投与経路を確認する場合，経路そのもののほか，使用しているチューブの内径についても把握する。内径の把握は，閉塞のリスクを事前に予測することができるため必須である。

(2) チューブの先端位置

注入された薬剤が最初に曝露する環境が胃内の強酸性なのか腸内の中性〜弱アルカリ性なのかによって，投与できる薬剤か，できない薬剤かが異なる。そのため，チューブの先端がどこに留置されているか把握することは重要である。

❷ 投与経路に適した薬剤とその調剤方法

前述の投与経路やチューブの内径，先端位置などの基本情報を踏まえ，処方された薬剤が最適な形で投与できるよう，科学的な思考を用いて以下のように対応する。

(1) 安定性・懸濁性などの検討・評価

崩壊・懸濁時の安定性・懸濁性，チューブ通過性を評価し，前述の投与経路での簡易懸濁法に適した薬剤であるかを確認する。具体的には，剤形ごとの注意点や，併用薬剤との配合変化に関する注意点などを十分に検討することが重要である。

(2) 簡易懸濁法不適の薬剤

処方された薬が簡易懸濁法に不適の場合は，経管投与可能な薬剤のなかから，より安全・確実に崩壊・懸濁する薬剤や剤形を選択し，処方変更を提案する。

(3) 薬剤交付後の保管・管理

薬剤交付後の病棟や在宅での保管・管理から投与までを考えると，一包化を行うのが最適である。ただし，コーティングに亀裂を入れる必要がある薬剤は亀裂を入れる必要がない薬剤とは別包にするなど，投与者が容易に作業・投与できるように調剤することが重要である。

❸ 情報の共有

薬剤師が最適な形で調剤した薬剤であっても，適切に投与されなくては意味がない。処方する医師だけでなく，薬剤を管理・投与する看護師・介護者，その他のメディカルスタッフらとの間で，当該薬剤での簡易懸濁法実施時の注意点などの情報を共有し，安全な投薬・管理が行えるように連携していくことも重要である。

● 投与時の留意点

❶ 適切な投与方法の伝達と実践

　前述の通り，調剤した薬剤師は，簡易懸濁法の適否，懸濁する際の条件，代替薬などの情報を収集・検討し，処方医や投与者（看護師や介護者など）に伝達しておく必要がある。

❷ 投与中の不測の事態と問題点の共有

　実際の現場ではさまざまなファクターによって，「うまく懸濁しない」，「懸濁液の色が変わった」，「懸濁液が粘稠化・固形化した」，「チューブが閉塞した」などの不測の事態が発生することがある。その際には投与の現場だけに情報を留めず，調剤した薬剤師に速やかに連絡・相談することが重要であるため，薬剤師は投与方法の指示と併せて，何かあればすぐ連絡するよう投与者にあらかじめ伝えておく。連絡を受けた薬剤師は実際の投与現場に足を運んで，トラブルの原因についてともに考え，科学的な思考により分析し，現場にあった解決策を提示する必要がある。

（岸本 真）

Q3 簡易懸濁法を導入するにあたり，どのような準備が必要？

A 簡易懸濁法を導入する際は，以下のようなポイントを押さえておくとよいでしょう。

①薬剤師全員が簡易懸濁法を正しく理解する
②医師・看護師が簡易懸濁法の意義を理解し，正しい手技を身につける
③患者・家族に簡易懸濁法を理解してもらい，正しい手技を指導する
④薬剤の簡易懸濁法適否がチェックできるように準備する
⑤使用する器具は調剤者と投与者で相談して決め，手順をしっかり整備する

■　□　■

筆者の所属する大洗海岸病院（以下，当院）では2005年1月より簡易懸濁法を導入した[1]。導入するための準備から導入後までの過程を簡単に紹介しながら，導入時のポイントを解説する。

● 導入前の準備

当院で行った導入準備

①粉砕調剤の問題点，簡易懸濁法の利点を理解してもらうための説明
②採用薬剤の簡易懸濁法適否チェック，薬品マスタへの登録作業，調剤棚への表示
③スムーズな調剤のためのルール作成
④病棟・在宅でうまく与薬するための道具の準備とルールの作成
⑤問い合わせに対応できる体制の準備

簡易懸濁法運用開始までに薬剤部では，院内採用医薬品の簡易懸濁法適否（崩壊・懸濁性，チューブ通過性）の情報を十分に把握し，問い合せに対応できるように体制を整えた。また，導入前までに病棟への十分な説明と情報提供をしておくことが重要である。

● 看護師への説明

❶ メリットの説明

当院では，簡易懸濁法の導入の計画から，実際に導入するまでに約1年を費やした（表）。このように時間をかけたのは，薬剤師が初めて看護師に説明した際，良い感触が得られなかったためである。今振り返るとその原因は，薬剤師側が完全に簡易懸濁法を理解していなかったために，看護師に説明しても正しく理解してもらえなかったからではないかとも思われる。

初回の説明で看護師の反応が良くなかったため再度，現場の看護師，師長，看護部長に，①従来の粉砕法よりもメリットがあること，②今までの運用をほと

表　簡易懸濁法導入までの経緯

2004年 3月	病棟の看護師長に簡易懸濁法を紹介・説明
5月	看護師長会議で簡易懸濁法を紹介・説明・実演
6月	病棟に簡易懸濁法の資料を配布。病棟で操作デモ実施
9月	当院採用薬剤が簡易懸濁法で懸濁可能かどうか書籍によりチェック
10月	当院採用薬剤が簡易懸濁法で調剤可能かどうか実験
11月	実験の結果を処方入力システムのマスタに登録
12月	実験の結果「簡易懸濁法の適否」を調剤棚にシールで表示
2005年 1月	DIニュースで簡易懸濁法を紹介・説明
1月	簡易懸濁法を導入
2月	簡易懸濁法の手技に関する追加情報のインフォメーション
3月〜	トラブル情報収集活動

んど変えずに導入できるため，切り替えがスムーズで実務に支障を来さないこと，さらに③導入後にはメディカルスタッフの健康被害リスクが低下すること，④作業が効率化されること，⑤リスクマネジメントが向上すること——などについて，時間をかけて根気強く説明した。

❷ 懸濁の様子を見せて説明

簡易懸濁法の導入は，投与者である看護部の協力なくしては達成できないため，理解が得られるようにわかりやすい説明に努めた。理解を得るには，なんといっても実際に投与する看護師に懸濁する様子を見てもらうことが一番である。導入の成功・失敗は，簡易懸濁法の有用性を正確に伝えられるかどうかという薬剤師の力量にかかっているといっても過言ではない。

現在では，簡易懸濁法の情報が多方面から得られるので，メディカルスタッフのなかにも良き理解者が増えている。看護部に良き理解者がいれば，初めから協力を得られるのではないかと思われる。最近では，「うちの薬剤部に説明してやってくれ」と他施設の医師から導入を頼まれる事例もある。

● 錠剤の崩壊・懸濁性の調査

2004年当時，院内のメディカルスタッフに簡易懸濁法を説明し理解を求める作業と並行して，院内採用薬剤が簡易懸濁法で容易に懸濁するかどうかを「内服薬 経管投与ハンドブック」[2]を用いて調査した。また，同書に記載のない薬剤については当院で実際に崩壊懸濁試験・チューブ通過性試験〔第3章（23頁）を参照〕を行って確認した。

現在では，日本服薬支援研究会ホームページの会員専用Webシステムの「簡易懸濁可否情報共有システム」を利用して，検索することができる（http://fukuyakushien.umin.jp/)。同システムでは，「内服薬 経管投与ハンドブック第4版」の7,200品目に加え，会員から寄せられた情報947薬剤が得られる（2021年5月26日現在）。また，全国801名の一般会員と17団体の賛助会員からも新たに情報が寄せられている。

図1　調剤棚に簡易懸濁法の適否をシールで表示

● 調剤棚・処方入力画面への適否表示

❶ 問い合わせへの対応に活用

　当院薬剤部では，病棟からの問い合わせに対応すべく，院内採用薬剤（錠剤）の崩壊・懸濁性・チューブ通過性の調査結果を表にまとめたが，煩雑な業務の合間に，表を見ながら問い合わせに返答するのは不可能と思われた。そこで，回答が迅速にできるように調剤棚に調査結果を示すシールを貼示することにした（図1）。問い合わせの電話を受けると同時に調剤棚を見て即答することが可能となった。

❷ 調剤時のチェックに活用

　経管栄養患者に，誤って簡易懸濁法不適の薬剤を調剤することのないように自動錠剤分包機の薬品マスタにもこの情報を登録し，処方入力時に自動的にチェックできるようにした。チェックシステムは，予算を組んで特別なシステムを構築したわけではなく，以下のように既存の禁忌チェックシステムを利用した。

　①「●●● 簡易懸濁法 ●●●」という名称の"薬剤"を新規に薬品マスタに登録
　②簡易懸濁法不適の薬剤の併用禁忌薬剤登録欄に，「●●● 簡易懸濁法 ●●●」を登録
　③経管栄養患者の処方を入力する際，1品目めの薬剤として「●●● 簡易懸

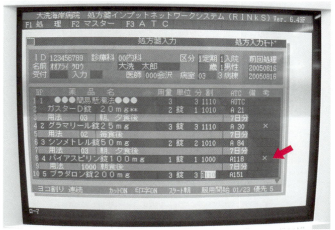

図2 入力画面への簡易懸濁法不可の表示

濁法●●●」を必ず入力
④「●●● 簡易懸濁法 ●●●」と簡易懸濁法不適の薬剤が同時に入力されると禁忌薬剤の組み合わせとして警告メッセージが出てストップがかかる

このように自動錠剤分包機の薬品マスタを活用することで，コストをかけずに簡易懸濁法不適のチェックを自動でかけることができ，気づかずに調剤される危険がなくなった。さらに，警告メッセージに気づかないまま簡易懸濁法不適の薬剤を入力したことがすぐにわかるように画面上の薬剤名の右に「×」印を表示させるようにした（図2）。

● 導入～導入後

導入前準備の最後のまとめとして各病棟を回って説明・実演を行い，導入直前には病院全体に対し，文章によるインフォメーションとして「DIニュース」を配布した（図3）。

図3 DIニュースの発行

第77号　大洗海岸病院　DIニュース　平成17年1月31日　薬剤部　薬品情報室

★ つぶし調剤（経管投与患者の処方）の運用変更について ★

- 本来、錠剤は溶けやすくつくられています。現在、採用錠剤の溶けやすさの調査を行っています。今後、10分以内で溶け、チューブで投与したとき詰まらない錠剤は、「ガスター®錠」や「マグミット®錠」のようにつぶさず錠剤のままで調剤いたしますので、よろしくお願いいたします。
  （ただし調査の結果、溶けずらい錠剤、チューブを詰まらせる可能性のある錠剤は現行通りの調剤とします。）
- 調整するときに溶けやすくするために、55℃の白湯で溶かすことをお勧めします。
  55℃の白湯は、ポットの湯と水を2：1で入れることで作れます。
- 運用を変えることで
  ① つぶし調剤の問題点（下記）が改善される。
  ② 散剤の袋の数が減り作業が楽になる。
  ③ 薬剤師・看護師が吸い込んだり手に触れたりして薬剤に曝露されることが減る。

つぶし調剤の問題点
④ つぶされた錠剤はロス（量が減る）がでるため目的とする量を患者に投与できていない。
  1. 粉砕機にへばりついた薬剤のロス
  2. 分包するときの手技、機械でのロス
  3. 分包紙の角に残った薬剤のロス
  4. 病棟で溶かすときに飛散した薬剤のロス　など
⑤ シグマートなどの小さな錠剤、あるいはジゴシンなどの本来血中濃度を測定しながら投与量を決めるような投与量を正確にする必要がある錠剤などは、ロスの影響が重大である。
⑥ つぶすことで薬剤の効果が減る（無くなる）場合がある。
⑦ つぶすことで薬剤が吸湿して硬くなる（ベトベトになる）場合がある。

散剤の問題点
① 散剤は水に溶けチューブで投与できると考えるのは大きな間違い。散剤でもチューブを詰まらせる薬剤が多くある。むしろ、錠剤のほうが水に溶けやすいことも多い。（散剤の溶けやすさも調べています。）

＊このような方法を、簡易懸濁法といいます。詳しい資料は病棟に配布しましたので、更に詳しく知りたい方はご確認ください。

これを掲示した後、ファイルに綴じて保管してください。

❶ 薬剤部でのアフターケア

> ①問い合わせ・クレームに対して真摯に対応
> ②注意深く事例を収集し、その検討と解決方法の検討

簡易懸濁法導入後には多くのクレームが届くが、メディカルスタッフからの報告にきちんと耳を傾ける懐の大きさが必要である。また、導入時に、参考書籍として「簡易懸濁法Q&A」を全病棟・外来・救急・老健施設に配布して、病院全体のレベルアップを図った。**図4**に導入後の実際のクレーム内容と連

実際のクレーム例	連絡を受けた際の対応
・錠剤・カプセルが10分間で懸濁しない ・色が変わった ・配合変化が起こった ・チューブが詰まった ・懸濁時間の10分間が守れない など表現はさまざま	・電話で対応せず，すぐに投与現場に行き，その場で解決する ・過去の事例の報告であれば，経験した看護師に細かく事情を聞く ・答えが不明の場合，実際にそのやり方を再現してみて後日報告する

図4　導入後のクレームと対応

絡を受けた際の対応を示す。

❷ 導入後の問題点への解決策の検討

　簡易懸濁法の手順をしっかり検討すれば，たいていの場合はどこに問題点があったのか，すぐに発見・解決できる。すぐに解決できない問題に遭遇した場合には，時間がかかっても薬学的に検討する。当院では，簡易懸濁法を導入して間もなく，重質酸化マグネシウムとタンボコール®錠の併用事例に遭遇した（208頁参照）。また，配合変化などの実験が必要な場合は，大きな病院や大学などに連携，協力をお願いするのも1つの方法である[3, 4]（図5）。

● 簡易懸濁法導入の意義

　簡易懸濁法は，薬剤師や看護師が手を抜くために行う方法と勘違いしては絶対にいけない。患者の服薬困難を助け，今までの薬の不適切な投与方法を改善するための手法，その結果として調剤や投与も楽になると考えなければ導入に失敗する。

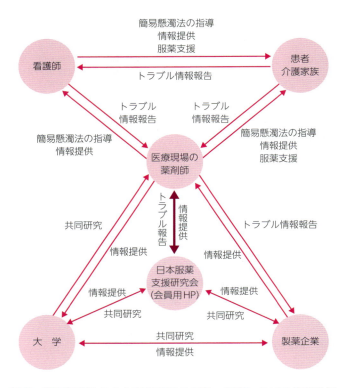

図5　簡易懸濁法を含む調剤情報の提供・収集における役割分担

文献

1) 新井克明：簡易懸濁法導入の効果と問題点．医薬ジャーナル，42（3）：991-998, 2006
2) 倉田なおみ・編，藤島一郎・監：内服薬 経管投与ハンドブック，じほう，2001, 12月31日，初版（現在は第4版）
3) 新井克明：簡易懸濁法による内服薬配合変化の一例．薬剤業務支援 CD-ROM，全日本薬剤業務研究会，2006
4) 新井克明：簡易懸濁法の今後の展望；簡易懸濁法 Up to Date（倉田なおみ・連載コーディネイト）．月刊薬事，48（7）：105-113, 2006

（新井 克明）

Q4 粉砕法と簡易懸濁法の法的な位置づけは？

簡易懸濁法も，粉砕法と同様にPL法の対象になると考えられます。

● 粉砕法の法的な位置づけ

　調剤は，医療サービスの一環であり，PL法（製造物責任法）の対象外として位置づけられているが，製造承認を受けて製造された医薬品を破壊（錠剤粉砕，カプセル開封）して粉末状に調剤する行為（粉砕法）は，原則的にPL法の対象になると判断される[1]。

　また，粉砕法による経管投与は，添付文書の用法・用量（通常，経口投与）に記載されていない適応外の使用法となる。添付文書は，「医薬品，医療機器等の品質，有効性及び安全性の確保等に関する法律」（薬機法）第五十二条に基づいて提供される唯一の法的根拠のある医薬品情報である。

　一方，調剤報酬の調剤技術料（院外処方箋調剤料）において，粉砕法は，嚥下困難者用製剤加算や自家製剤加算が認められている技術である。診療報酬制度は，健康保険法などによって定められている。法的・制度的な違いがあるとはいえ，矛盾があるのも事実である[2]。

● 簡易懸濁法の法的な位置づけ

　粉砕法に対して簡易懸濁法は，錠剤粉砕やカプセル開封を必要としないが，そのまま投与するのではなく，お湯に崩壊・懸濁させてから経管投与する。また，そのままお湯に入れても崩壊しない錠剤は亀裂を入れて[3]経管投与することから，法的には粉砕法と同じと考えるべきである。

　一方，簡易懸濁法においても，診療報酬の栄養サポートチーム加算における

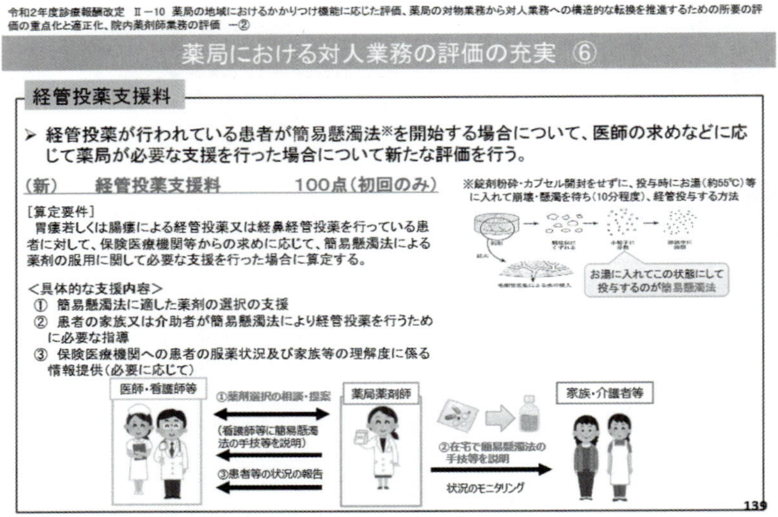

図1 令和2年度診療報酬改定の概要　厚生労働省保険局医療課 資料
(https://www.mhlw.go.jp/content/12400000/000691038.pdf)

　施設基準のなかで，研修要件の一つとして「簡易懸濁法の実施と有用性の理解」が含まれている。また，2020年の調剤報酬において，経管投薬が行われている患者に対して，簡易懸濁法による薬剤の服用に関して必要な支援を行った場合に算定できる経管投薬支援料が新設（**図1**）された。法的ならびに制度的な違いがあるとはいえ，ここにも矛盾がある。

　簡易懸濁法は，粉砕法の多くの問題点を解決でき，多くのメリット（**図2**）を有し，安全で確実な経管投与が可能である。粉砕法と大きく異なるのは，調剤してから水に懸濁するまでの薬の安全性である。簡易懸濁法は製品として保証された錠剤のまま保管するが，粉砕法では錠剤をつぶすなどの加工を加える点である。製品として保証された剤形をできる限り保つことは医療者の使命であろう。したがって，簡易懸濁法は患者の安全確保とQOL向上につながる，従来の粉砕法に代わる新しい経管投薬法といえる。

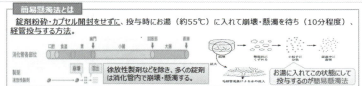

図2 中央社会保険医療協議会 総会（第442回）資料
（https://www.mhlw.go.jp/content/12404000/000577664.pdf）

文献

1) 佐川賢一，伊東俊雅：錠剤・カプセル剤粉砕ハンドブック 第6版（佐川賢一，木村利美・監），じほう，2012
2) 安藤哲信：簡易懸濁法の今後の展望―学術的評価への期待；簡易懸濁法 Up to Date（倉田なおみ・連載コーディネイト）．月刊薬事，48（7）：105-113，2006
3) 倉田なおみ：コーティング破壊の方法．内服薬 経管投与ハンドブック 第3版（倉田なおみ・編，藤島一郎・監），じほう，pp.37-38，2015
4) 倉田なおみ：簡易懸濁法のメリット．内服薬 経管投与ハンドブック 第3版（倉田なおみ・編，藤島一郎・監），じほう，p.11，2015

（安藤 哲信）

崩壊・懸濁前の準備

 処方された薬が簡易懸濁法で投与できない場合，どのように対応すればよい？

 投与不可の原因によって対応は異なりますが，剤形や薬剤の変更により簡易懸濁法での投与が可能にならないかを検討します。また，粉砕法の可能性も検討し，患者が選択できる薬物療法の幅を広げることが重要です。

● 薬剤の製剤的特徴により投与不可となる場合

❶ 口腔内崩壊錠への剤形変更で対応

簡易懸濁法で投与不可となる薬剤の要因として，お湯で崩壊・懸濁しないことがまず挙げられる。その場合には，可能な限り口腔内崩壊錠（OD錠）への剤形変更で対応する。

❷ 口腔内崩壊錠に剤形変更できない場合

OD錠が市販されていなかったり，施設での採用品目にOD錠がないなど，何らかの理由でOD錠に剤形変更できない場合は以下の方法で対応する。

(1) 先発品から後発品など，崩壊・懸濁性のより高い薬剤への変更で対応

先発品が簡易懸濁法に不適な薬剤であったとしても，後発品に替えると簡易懸濁法が可能となる場合（例：カルビスケン®錠とピンドロール錠「ツルハラ」など[1]，セレキノン®錠とトリメブチンマレイン酸塩錠「ツルハラ」など[2]）がある。また，同じ成分の先発品であっても懸濁性の異なる場合があるため（例：コロネル®錠とポリフル®錠[3]），簡易懸濁法に適しているかは医薬品ごとに必ず確認する。

(2) 錠剤が10分で崩壊しない場合

錠剤が10分で崩壊しない場合，フィルムに亀裂を入れることで錠剤に水が入りやすくなり，錠剤内の崩壊剤を膨潤して錠剤が崩壊するようになるため，その可否を確認する。

(3) 粉砕法での経管投与を考慮

簡易懸濁法が不可でも粉砕法では投与可能な薬剤であれば，粉砕法での経管投与を考慮する（例：ファロム®錠[4,5]）。簡易懸濁法と粉砕法を柔軟に組み合わせることで，使用できる薬剤が増え，結果的に患者の薬物療法の幅を広げることにつながる。

● 投与者の手技不十分で投与不可となる場合

簡易懸濁法で投与不可となる場合の実施側の要因として，手順の一部が行えないなどが挙げられる。例えば「錠剤に亀裂を入れる」という手順が，投与者の握力が十分ではないなどの理由により実施困難なこともある。その際には，コーティングに亀裂を入れる自助具（例：らくラッシュ®，図）の使用を提案することで問題をクリアすることも可能である。

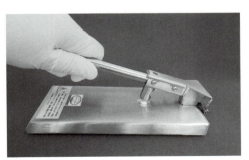

図　らくラッシュ®

文献

1) 倉田なおみ・編，藤島一郎・監：内服薬経管投与ハンドブック　第4版，じほう，p.987, 2020
2) 倉田なおみ・編，藤島一郎・監：内服薬経管投与ハンドブック　第4版，じほう，p.1136, 2020
3) 倉田なおみ・編，藤島一郎・監：内服薬経管投与ハンドブック　第4版，じほう，p.1138, 2020
4) 倉田なおみ・編，藤島一郎・監：内服薬経管投与ハンドブック　第4版，じほう，p.1281, 2020
5) 佐川賢一・監・編：錠剤・カプセル剤粉砕ハンドブック　第8版，じほう，pp.1022-1023, 2020
6) 倉田なおみ：3．必要機器の添付．内服薬 経管投与ハンドブック　第4版（倉田なおみ・編，藤島一郎・監），じほう，p.39, 2020

（岸本 真）

■ 崩壊・懸濁前の準備

簡易懸濁法で一包化調剤を行うメリットは？

介護者や看護師の負担軽減，リスク回避を考慮すると，一包化調剤が望ましいでしょう。製剤の特徴により処方薬全てを一包化することができない場合がありますが，その際も投与者の負担ができるだけ少なくなるように調剤することが重要です。

● 薬はすべて一包化調剤に

　簡易懸濁法の対象患者の多くは高齢者で，多剤併用の患者も多い。さまざまな理由から簡易懸濁法には一包化調剤が望ましいと考えるが，デメリットもある。筆者の所属する大洗海岸病院（以下，当院）で実際に行っている工夫を紹介しながら解説する。

❶ 一包化調剤のメリット

(1) 在宅患者の場合

　在宅の場合は，介護を行う家族も高齢であることが多く，介護者自身も，体が不自由であったり理解度に問題があったりする。そのような介護者に多種類の薬を間違いなく投与してもらうのは至難の業である。

　したがって，できるだけわかりやすく，簡単に投与できるように，一包化するのが望ましい。一包化されていれば，服用するときは一袋の封を切って服用するだけでよいが，PTP包装では，それぞれの薬剤PTPシートの中から必要な数の薬剤を取り出し服用しなければならない。お薬カレンダーを使用している場合も，一包化包装はカレンダーに1袋ずつ差し込むだけでよいが，PTP包装では1錠ごとに切って入れていかなければならず，配薬も大変で，**図1**のように1カプセルがこぼれ落ちてもわかりにくい。また，常にPTP誤飲の危険がある（**図2，3**）。

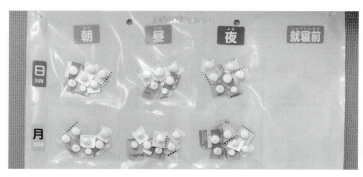

日曜日の昼から　1錠落ちていることに気づくのは難しい！　　　　落ちた1錠

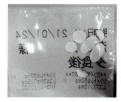

一包化調剤であれば，このようなリスクはない。

図1　一包化調剤とお薬カレンダーで管理した PTP 包装

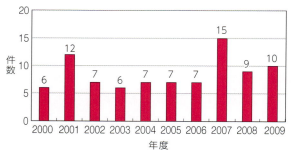

図2　年度別 PTP 誤飲件数

（独立行政法人国民生活センター 2010 年 9 月 15 日発表資料）

（2）入院患者の場合

　病院内においても，医療事故の回避に一包化調剤が大いに効果を発揮する。看護師は一度に複数の患者に投薬することが多く，多種類の薬剤を一つひとつ PTP 包装から取り出して注入器に入れる手間と，一包化された薬剤を一気に入れる手間では雲泥の差がある。各患者の薬剤が服薬時点ごとにまとまってい

■ 崩壊・懸濁前の準備

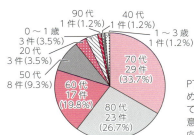

図3　年代別PTP誤飲件数
（独立行政法人国民生活センター 2010年9月15日発表資料）

る一包化のほうが，投薬に手間がかからず，看護師のミスも少なくなる。一包化の分包紙に患者名，投与日，中に入っている薬剤名などが印字されていればさらに安全対策につながる。また，投与者の手間を考え，そのまま懸濁できる錠剤とフィルムに亀裂を入れる必要がある錠剤とは別々に一包化するなどの工夫も必要である。

❷ 一包化調剤のデメリット

一包化調剤のデメリットとして，処方変更時の作業の煩雑さが挙げられる。処方変更があった場合，分包紙を1袋ずつハサミで切って開け，処方中止になった薬剤を取り出し，追加となった薬剤を入れ，終わったら各分包紙の薬剤鑑査を行い，再封入する。分包紙1袋ずつに印字されている薬剤名も手作業で消したり追加したりする。これには大変な手間がかかる。それだけ調剤に手間がかかり，神経を使い，鑑査がたいへんな一包化調剤を行っても，病院ではまったく診療報酬を得ることができない。これは今後ぜひ改善してもらいたい問題である。

● 一包化調剤にあたっての留意点

❶ 投薬ミスを防ぐための剤形変更の検討──水剤から錠剤への変更

一包化調剤の目的の一つが投与忘れの防止である。特に水剤は，在宅でも病院でも，錠剤などとは別の場所に保管することが多く，投与忘れの原因にもなる。したがって，できるだけ剤形を錠剤に変更して簡易懸濁法を行うようにす

るほうが，投与者の手間を省くことができる。

❷ **用法はできるだけまとめる**

　1日1回服用の薬剤が複数処方されていて，それぞれの服用時間が違う場合は，薬学的にも問題なく特別な理由がないのであれば，服用タイミングを同じ時刻にまとめることが望ましい。

❸ **散剤や水剤の処方でも簡易懸濁法を適用できるか確認する**

　多くの医師は，「経管投与＝すべて散剤（＝水に溶けるかなじむ）」と考えており，疎水性の散剤や懸濁性の悪い散剤があることをよく知らない。また，あまり知られていないが，チューブを通過しない水剤も存在する（図4）。このような水剤や，疎水性の散剤などは経管投与に適さず，看護師をはじめ患者や家族が困る。錠剤だけでなく，水剤や散剤の処方でも簡易懸濁法を適用できるかを確認し，崩壊・懸濁しやすい錠剤のみの処方に変更することを医師に提案する。前述のように投与忘れを防ぐ観点から考えても，なるべく剤形をまとめるのが望ましい。

❹ **簡易懸濁法を適用するための工夫／条件の有無を確認する**

　簡易懸濁法可能であっても，錠剤に手を加えずに崩壊・懸濁する「適1」，先にコーティングに亀裂を入れる薬剤が「適2」，懸濁する直前にコーティングに亀裂を入れる薬剤が「適3」など，薬剤によって工夫が必要な製剤もある。

液体なのに，流れるのに……

注入できない！！

※アルロイドGは粘稠度が高く，注入できない。水で薄めて粘稠度を下げると，粘膜保護作用が低下し，薬効が得られないため，薄めないこと

図4　チューブを通過しない水剤：アルロイドG

■ 崩壊・懸濁前の準備

このほか，チューブサイズにより投与可能となる「条1」，チューブの先が腸に届いている必要のある「条2」，通過状況が特異な「条3」と，条件付きで投与可能となる薬剤もある。簡易懸濁法では崩壊・懸濁性が悪く投与できない「不適」の薬剤もある。

工夫の必要な薬剤は半錠にする，鑑査時に亀裂を入れるなどしてできるだけ一包化するのが望ましい。条件付きでチューブを通過する薬剤は，患者状態に鑑みて，条件が厳しいようであれば，不適の薬剤と同様，簡易懸濁法可能な薬剤への変更を医師に提案する。

(1) コーティングへの亀裂は鑑査後に

懸濁しにくい薬剤の例としてプラビックス®（クロピドグレル硫酸塩）などがある。一包化調剤の薬剤鑑査は，コーティングに亀裂を入れるとできなくなるので，必ず薬剤鑑査を行ってから，乳棒で分包紙の上から錠剤を叩いてコーティングに亀裂を入れる。

(2) コーティングの亀裂ではなく，錠剤の半割で対応

懸濁しにくい薬剤の例として，グラマリール®錠（チアプリド塩酸塩）も挙げられる。この錠剤は，何もせずにお湯に入れてしまうと，10分経っても崩壊も懸濁もしない。さらに，剤形変更で細粒にしても，グラマリール®細粒が疎水性のため，細粒が発泡スチロールのように浮いてしまい水となじまず，ますます懸濁しにくくなる（図5）。

チアプリド塩酸塩錠は，後発品を探しても，10分で崩壊・懸濁する薬剤が

グラマリール®細粒は，これほど水になじまない

図5 水になじまない薬剤の例（グラマリール®細粒）

なかったが，コーティングに亀裂を入れれば崩壊・懸濁する。当院では，亀裂を入れる代わりにチアプリド塩酸塩錠「テバ」の1錠を半割し，半錠＋半錠（半錠を2個）として1包中に入れる調剤方式をとった。同様に，セロクラール®錠（イフェンプロジル酒石酸塩），シンメトレル®錠（アマンタジン塩酸塩），イミダプリル塩酸塩錠「TYK」なども半錠＋半錠とした（図6）。

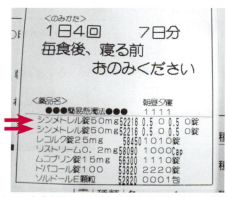

半錠にして一包化包装した場合，包装紙内の薬剤数と薬袋の記載が合わなくなるので，誤解を防ぐために，半錠の処方を2行印字した

図6 シンメトレル®錠を半錠にして一包化包装した場合の薬袋

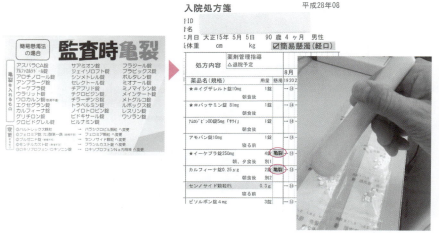

図7 一包化調剤の鑑査後に乳棒で薬剤コーティングに亀裂を入れる

● 一包化調剤時のミスを回避する工夫

❶ 処方箋の工夫

(1) 調剤鑑査時の注意喚起

一包化の鑑査後，コーティングに亀裂を入れず，そのまま薬剤を交付したり病棟に出してしまうミスがあるので，当院では，処方箋に注意喚起のための大きな札（「鑑査時亀裂」）を入れて対応している（図7）。

(2) 処方箋上にできるだけ情報を表示する

患者に最も良い方法での投薬ができるように調剤するのが薬剤師の基本的な使命である。

最適な投薬方法である簡易懸濁法に合う最適な調剤をするために，当院ではあらかじめ患者マスタ，薬品マスタに簡易懸濁に関する情報を登録しておき，処方箋上に患者の嚥下能力や投与ルート，さらに簡易懸濁法に関する調剤情報もできるだけ多く自動表示するようにするなどの工夫をしている（図8）。

❷ システムのマスタに簡易懸濁法の適否を登録

オーダリングシステムまたは自動錠剤分包機のいずれかの入力システムのマ

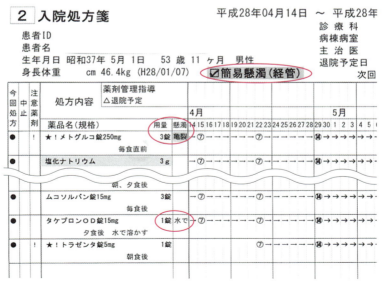

図8　簡易懸濁法の情報が入った処方箋

スタの「併用禁忌，併用注意の薬剤」機能に，簡易懸濁法に不適の薬剤を登録しておくと，「警告メッセージ」が出されるため，調剤時の薬剤チェックに利用できる。このような工夫をすることで，簡易懸濁法に不適の薬剤が投薬現場に届いてから，調剤ミスに気がつくというトラブルや事故を回避することができる（**Q62** 参照）。

（新井 克明）

■ 崩壊・懸濁前の準備

なぜ 55℃，10 分間で崩壊・懸濁させるのか？

A 水温を約 55℃ に設定するのはカプセルを溶かすためです。

55℃の根拠

　日本薬局方の医薬品各条において，カプセルは「水 50mL を加え，37 ± 2℃ に保ちながらしばしば振り動かす。この試験を 5 回行うとき，いずれも 10 分以内に溶ける」と規定されている。つまり，確実にカプセルを溶解するためには，水温を 37℃ 以上に 10 分間保持する必要がある。

　しかし，投薬の現場で水温を 37℃ に保持することは難しく，また温度を高くしすぎると安定性に問題が生じる薬品もある。そのため簡易懸濁法では，室温に 10 分間自然放冷したときに 37℃ 以下にならない温度を検討した結果（図）より，最初の温度を 55℃ と設定している[1]。

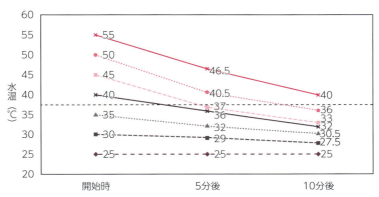

図　室温 24℃ における水 20mL の温度の変化

（倉田なおみ：内服薬 経管投与ハンドブック 第 3 版，じほう，p.19，2015 より引用）

文献

1) 倉田なおみ：2) 温湯（55℃）のつくり方．内服薬 経管投与ハンドブック 第4版（倉田なおみ・編，藤島一郎・監），じほう，p.19，2020

（安藤 哲信）

■ 崩壊・懸濁前の準備

Q8 懸濁用のお湯（55℃）はどのように用意する？

A 55℃のお湯のつくり方にはいくつかの方法があり，通常は，電気ポット・電気ケトルやナースステーションの給湯栓のお湯を使用します[1]。

● 55℃のお湯のつくり方

Q7 で前述したとおり，お湯はカプセル剤を溶かすことを前提に設定している。カプセル剤は体温（37.5℃）で溶けるようにつくられているが，人により体温は異なること，またカプセル全部が溶けきらなくても薬剤は出てくることから，お湯を厳密に55℃にする必要はない。

❶ 電気ポット・電気ケトルの熱湯を水で希釈して使用

電気ポットまたは電気ケトルで沸かした熱湯と水道水が約2：1の割合になるように混ぜると約55℃となる（図）。

❷ 温度設定機能付き電気ケトルのお湯を使用

以前は調乳用に60℃の設定ができる電気ポットが市販されていたが，世界

「ポットの熱湯2：水道水1」の割合で混ぜる

図　55℃のお湯の作り方
（塩山市民病院薬局作成の「簡易懸濁法によるお薬の経管投与の手順」参考に作成）

保健機関（WHO）と国連食糧農業機関（FAO）によって共同作成されたガイドライン（2007年）により，有害な細菌を殺菌するためには70℃以上のお湯で調乳すべきであることが示された。

そのため，現在は保温設定の最低温度が70℃の設定となっている電気ポットに切り替わっている。筆者が調べたところ，電気ポットの保温機能の温度設定は，70〜98℃であることが多い。一方，電気ケトルは一般的に温度設定ができないが，なかには60℃に設定できる保温機能付きの商品も市販されており，有用である。

❸ ナースステーションの給湯栓のお湯を使用

ナースステーションの給湯栓を最も熱くして出すと55〜60℃近辺になることが多い。これは中央式給湯設備の給湯条件が，レジオネラ症発生防止のため，末端の給湯温度を55℃以上に保持するよう規定されていることによる。これ以上熱い温度に設定するとやけどの危険性があるため，どこの施設でもこのくらいの温度に設定されている。ただし，季節や地域などにより変動するので確認が必要である。

わずかな温度差により影響を受ける薬剤

添加剤としてマクロゴール6000を含有する医薬品（タケプロン®OD錠など）では，マクロゴール6000が56〜61℃で凝固し，他の添加物の影響もあって，お湯の温度が高すぎると崩壊・懸濁している最中に固まってしまうので注意を要する（**Q32**参照）。

一方，クラビット®錠500mgは60℃・10分間放置で完全に崩壊するが，55℃で放置すると完全崩壊に30分を要する。

このように，薬剤によってはわずかな温度差で崩壊に影響を及ぼすことがあるので注意する必要がある[2]。

文献

1) 倉田なおみ：2) 温湯（55℃）のつくり方．内服薬 経管投与ハンドブック 第4版（倉田なおみ・編，藤島一郎・監），じほう，p.19，2020
2) 石田志朗，他：簡易懸濁法施行時に使用する温湯の温度がクラビット錠崩壊に及ぼす影響．第25回日本医療薬学会年会，横浜，2015

（安藤 哲信）

■ 崩壊・懸濁前の準備

Q9 ナースステーションの蛇口からの水をそのまま使ってもよいか？

A 日本の水道水を服薬に使用して薬剤との相互作用が問題となった事例は認められておらず、簡易懸濁法でも、ナースステーションの蛇口からの水道水を使用する限り問題はありません。また、病院は水質検査が義務付けられていますが、ミネラルの含有量は地域や施設の状況によって異なるため、確認するとよいでしょう。

● ● ●

● 水道水の硬度の地域差

通常、簡易懸濁法では水道水の55℃のお湯が用いられる。水道水を電気ポットなどで沸かすか、給湯施設の蛇口からのお湯を使用する。

水道水を用いる場合、含まれる各種金属イオンと医薬品との相互作用がみられる可能性がある。しかし、水道水に含まれるマグネシウムやカルシウムの量、すなわち硬度は、わが国の水道水は30〜100mg/Lの軟水であり、通常、医薬品を服用するのに問題はない。

したがって、一般的には水道水を使用しても差し支えないが、地域によっては、水道水の硬度が高いところがある。

例えば県ごとに比較すると、沖縄県の平均硬度が最も高く84mg/L、次に千葉県82mg/L、埼玉県75mg/L、熊本県が70mg/Lと続く。また、県内の地域差も顕著で、ある地域では270mg/Lを示したところもある。硬度が比較的高い県では、簡易懸濁法を開始する前に水道水の硬度を確認すると安心である。

また、地下水と上水道では、塩素濃度に大きな違いがあるため、使用する水道水が地下水なのか上水道なのか確認しておきたい。

● 相互作用を避けるためのチェックポイント

　林や緒方らは，簡易懸濁法導入にあたり自施設で使用している水道水の水質検査を行い，水道法の基準に適合していることを確認しているが，その際，繁用していない水道の蛇口から得た水道水は，繁用しているものより鉄の含量が5倍程高い値を示した[1]ことを報告している。

　このように，施設内でも水質が一定ではないことがある。水道水の成分（金属イオン濃度，pH，残留塩素）は，共立理化学研究所から市販されている井戸水検査セットや，おいしい水検査セットを用いれば簡単に測定できるので，一度確認することをお勧めする。

　なお，水道水と精製水を使用したベシル酸アムロジピン錠の溶出試験において，溶出量に差はなく，水に含まれるカルシウムとの相互作用はないとの考察が報告されている[1,2]。

　また，最近は水道水よりミネラルウォーターを飲む場合が多い。表に示すように，コントレックス®や海洋深層水は超硬度の水である。

　コントレックス®によるビスホスホネート系骨代謝改善薬（フォサマック®，アクトネル®など）の服薬は，金属イオンとの錯体形成により吸収率が低下するため，避けるよう添付文書にも記載されている。したがって，超硬度のミネラルウォーターでの服薬や経管投与は避けなければならない。

表　ミネラルウォーターの硬度

商　品	硬度（mg/L）	分類
クリスタルガイザー	38	軟水
キリンアルカリイオン水	59	軟水
ボルビック	62	軟水
エビアン	304	硬水
ビッテル	307	硬水
海洋深層水「天海（あまみ）の水　硬度1000」	1,000	硬水
コントレックス	1468	硬水

文献

1) 林友典:導入・活用事例から探るアイデア＆ヒント　医薬品情報, 安全性・配合変化（5）；簡易懸濁法で水道水の水は直接使ってもいいの？. 薬局, 60（8）：2941-2947, 2009
2) 緒方文彦, 川﨑直人, 林友典, 他：簡易懸濁法適用時におけるベシル酸アムロジピンを主成分とする製剤（先発品および後発品）の溶出量. 医療薬学, 36（12）：874-879, 2010

（石田 志朗, 岡野 善郎, 林 友典）

55℃の温度に注意しなければならない薬剤は？

原薬が55℃以上で不安定な医薬品（エンドキサン®やカリクレイン®など）や，添加剤にデンプンやマクロゴール6000を使用している薬剤などでは注意が必要です。

● ほとんどの薬剤が55℃で安定

薬剤が分解・失活する温度は，製薬企業から提供される情報（インタビューフォームなど）に記載されている。その情報によると，数種類の薬剤を除いてほとんどの薬剤が55℃で安定なので，問題なく簡易懸濁法が適用できると考えている。

また，薬効を示す主薬ではなく，薬剤に配合されている添加剤により問題が生じる場合もある。このような特殊なケースにおいては，個々の薬剤に合った投与法を選択していく必要がある。

● 55℃にすると安定性に問題が生じる薬剤

インタビューフォームなどによると，薬剤が分解する温度は数百℃などと非常に高く，55℃では問題ないと思われる。簡易懸濁法では，原薬が100℃以下で分解する薬剤については「不適」となる。

> 簡易懸濁法「不適」の薬剤の例
> ・エンドキサン®P：融点45～53℃で，高温で分解の可能性
> ・カリクレイン®：55℃以上で失活　など

● 温度が高いと添加剤により固まる薬剤

　添加剤にデンプンやマクロゴール 6000 などを含有する薬剤（ビオフェルミン®配合散やタケプロン®OD 錠など）は，お湯の温度を高くしすぎると崩壊・懸濁時に固まってしまう。このような場合，温度が少し低くなってから薬剤を入れればスムーズに注入することができる。

文献

1）倉田なおみ：1）55℃での安定性．内服薬 経管投与ハンドブック　第 4 版（倉田なおみ・編，藤島一郎・監），じほう，pp.22-23，2020

（座間味 義人）

嚥下困難患者が使用する医療機器・医療材料

Q11 胃瘻とは？

A 摂食嚥下障害などによって，必要な栄養・水分・薬剤が長期間とれない患者に造られる，お腹と胃を直接つなぐ道が胃瘻です。以前は開腹手術が必要でしたが，現在は，内視鏡下で造設でき，経皮内視鏡的胃瘻造設術：Percutaneous Endoscopic Gastrostomy, PEGと呼ばれています。

● 経管栄養が選択される条件

　経口的に食事をとれない場合は，水分や栄養はカテーテル（管，チューブ）を通して胃や小腸に直接注入する（経管栄養）か，経静脈的に投与する必要がある。消化管は免疫細胞の約50％が集まる重要な免疫臓器であり，消化管の消化・吸収能が保たれている場合には，経管栄養が第1選択となる（**図1**）。

　短期間であれば，経鼻カテーテルからの経管栄養で問題ないが，1カ月以上にわたって経管栄養が必要な場合には，胃瘻や腸瘻を造設することが推奨されている。

● 胃瘻のメリット

　胃瘻は，1979年に米国で内視鏡を用いた手技が開発されて以降，広く普及している。現在，造設手技としてはpull法，push法，introducer法，direct法（introducer変法）などがあり[1]，すべての患者に胃瘻が適応できるわけではないが，経鼻法のように咽喉にチューブがないことから嚥下訓練にも適してお

■ 嚥下困難患者が使用する医療機器・医療材料

Q11 胃瘻とは？

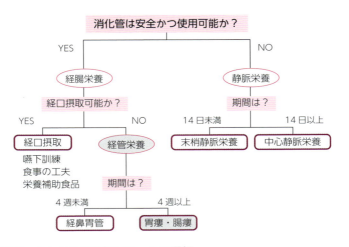

図1 主となる栄養投与ルートの選択
〔ASPEN Board of Directors and the Clinical Guidelines Task Force: 2002 Guidelines, JPEN J, 26(1, Suppl): 1SA-138SA, 2002 を参考に作成〕

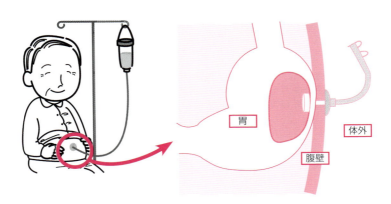

図2 PEGの構造

り，患者のQOL向上に繋がっている（図2）。

近年は栄養剤が各種開発され，在宅でも容易に使えるようになっている[2]。保険適用されている医薬品のほか，食品扱いのものも多く発売されている。

認知症高齢者での安易な胃瘻造設に対する批判もあるが，真に憂慮すべきな

101

のは，人工的水分・栄養分の補給（artificial hydration and nutrition；AHN）が適応とならない場合に行われることがあるという点である．正しい適応の選択と正確な知識に基づく適切なケアを行い，「お腹に造った第2のお口」として活用すれば，PEGは患者のQOL向上に大きく貢献する．特に，摂食嚥下機能の評価とリハビリテーション，機能的口腔ケアをしっかり行い，「食べるためのPEG」を目指すことが重要となる．

● 胃瘻と簡易懸濁法

　経管栄養法では薬剤の投与も経管栄養チューブを通して行われるため，簡易懸濁法は胃瘻を造設した患者，家族，医療関係者にとって有用な方法である[3]．また，粉砕調剤などの業務に時間を取られていた薬剤師は，薬剤管理指導業務，NSTの活動などに力を注ぐことができるようになる．胃瘻については，PDN（NPO法人PEGドクターズネットワーク）のホームページ（http://www.peg.or.jp/index.html）で解説されている．PDNは胃瘻と栄養の情報提供を行っているNPO法人で，機関紙「PDN通信」も発刊している（年4回）．

文献

1) 蟹江治郎：胃瘻PEGハンドブック，医学書院，2002
2) 宮澤 靖：栄養剤からみたPEG．静脈経腸栄養，29（4）：975-980，2014
3) 倉田なおみ：内服薬 経管投与ハンドブック 第4版（藤島一郎・監），じほう，2020

〔望月 弘彦，秋山 滋男，宮本 悦子〕

■嚥下困難患者が使用する医療機器・医療材料

腸瘻は胃瘻と何が違うのか？

腸瘻では，①胃がもつ貯留能がない，②胃酸やペプシンによる作用を受けない，③チューブ径が細いものが多い，という点で胃瘻と異なるため注意が必要です。

● 腸への経管投与ルートはさまざま

経腸栄養や薬剤の経管投与では「どこから」，「どこへ」，「何を使って」投与するかを確認することが重要である（表，図1）。

腸瘻の場合は，経鼻，経頸部（PTEG：経皮経食道胃管挿入術—胃切除後の患者に造設されることが多い），経胃瘻（PEG-J：経胃瘻式腸瘻造設，図2），経腹壁（開腹手術下，経皮内視鏡下：direct PEJ）といった，さまざまな方法がある。

経鼻で挿入されているチューブは，先端が胃内にある場合と十二指腸や空腸まで挿入されている場合があり（図1），体外からは区別がつかない。また，胃切除後で胃酸分泌が低下していたり，幽門機能が損なわれている場合は，腸瘻の場合と同じように扱う必要がある。

表　投与ルート確認のポイント

①どこから（投与経路）
　経鼻，経口，経頸部，経腹壁
②どこへ（投与部位）
　口腔，食道，胃，十二指腸・空腸
③何を使って（チューブ）
　形状，長さ，内腔径，材質

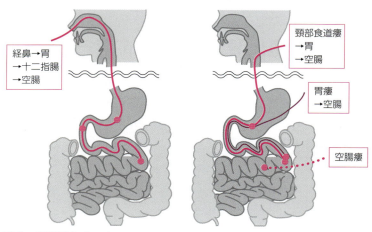

図1　経管投与ルートのいろいろ

● 腸瘻チューブの注意点

❶ 径が細いものが多い

経鼻チューブでは 8〜12Fr., PEG-J や開腹手術では 9Fr. 前後と細いものが多く，薬剤投与によるチューブの閉塞に注意が必要である。

❷ 栄養剤をゆっくり投与する

腸は胃に比べて貯留能が小さいため，栄養剤を急速に投与すると下痢や一過性の高血糖，ダンピング症候群様の動悸・発汗・悪心などを来しやすい。投与速度は 25mL/ 時の持続投与から開始し，150mL/ 時以下の投与に抑えることが望ましいとされている。

● 胃瘻か腸瘻かを確認するには

処方箋に「空腸への投与」と記載されていればすぐ腸瘻とわかるが，残念ながら，胃瘻と腸瘻の違いを認識していない医師も少なくない。胃瘻か腸瘻かの判断には，①栄養剤がゆっくり投与されているか，②留置されているチューブが細いか，③下痢や逆流・嘔吐が以前なかったか，④胃切除の病歴はあるか

■嚥下困難患者が使用する医療機器・医療材料

細径内視鏡を用いた経胃瘻的空腸瘻カテーテル（PEG-J）留置

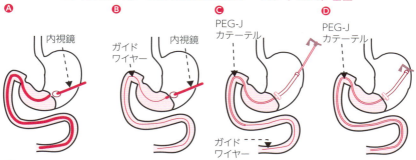

- Ⓐ カテーテルを抜去し，瘻孔から空腸まで細径内視鏡を挿入
- Ⓑ 内視鏡の側孔から挿入して，ガイドワイヤーを留置
- Ⓒ ガイドワイヤーに沿って PEG-J カテーテルを留置
- Ⓓ 留置完了

PEG スコープを用いた PEG-J 留置：PEG スコープをガイドワイヤー代わりに使用

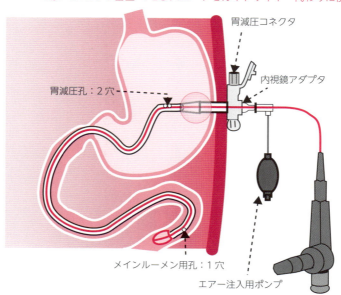

図2 PEG-J：GB ジェジュナルボタン／チューブ（富士システムズ）
〔富士システムズ株式会社パンフレット（http://www.peg.or.jp/lecture/peg/product/nipro_gbj/）を参考に作成〕

――といった情報が参考になる．こうした情報を集めるには，直接現場（病棟や家）を訪れるのが一番である．また，X線写真でカテーテルの留置位置を確認することができるので，可能であれば症例ごとにチェックすることが望ましい．

文献
1) 日本静脈経腸栄養学会：コメディカルのための静脈経腸栄養ハンドブック，南江堂，pp.162-166，pp.187-193，2008
2) 天野学：Q46 腸瘻の患者さんが在宅で経管投与する際の留意点を教えてください．もっと知りたい！ 簡易懸濁法Q＆A（倉田なおみ・監），じほう，pp.144-145，2007

（望月 弘彦）

■嚥下困難患者が使用する医療機器・医療材料

胃瘻チューブの形状にはどのような種類があるか？

胃瘻チューブの分類は，体外部分で分けるとチューブ型とボタン型，胃内部分で分けるとバルーン型とバンパー型の計4種類があります。ボタン型は，①接続チューブとの接続部で内腔が細くなる，②メーカーごとに接続チューブが異なる，③逆流防止弁の存在――という特徴があり，薬剤や半固形化栄養剤の投与にあたっては注意が必要です。

● ◻ ●

●胃瘻チューブの構造

　経管栄養や簡易懸濁法について理解するためには，投与経路となるデバイスについての知識が不可欠である。

　胃瘻チューブは，体外の形状によりチューブ型とボタン型の2つ，胃内のストッパーの形状によりバルーン型とバンパー型の2つの計4種類に分類される（図1）。

　チューブ型はチューブの内腔の太さが均一だが（図2），ボタン型は構造が複雑で，メーカーによっても異なるため，注意が必要である（図3，4）。ボタン型で気をつけたいポイントは，①専用の接続チューブを使用すること，②チューブ型よりも内腔が狭いこと，③逆流防止弁が存在すること――の3点である。

　ボタン型で使用する接続チューブには，持続注入用，減圧用，ボーラス投与用の3種類があり（図3），用途によって使い分ける。半固形栄養剤を投与する際には，注入する際の抵抗が少ないボーラス投与用（短くてストレート）が適している。薬剤投与で閉塞を起こしやすいときや半固形化栄養剤を投与するときなどは，減圧用の接続チューブを用いたほうが注入時の抵抗が少なく，閉塞の危険は少なくなるが，逆流防止弁が劣化しやすくなるため，そのような場合はチューブ型への交換を提案する。

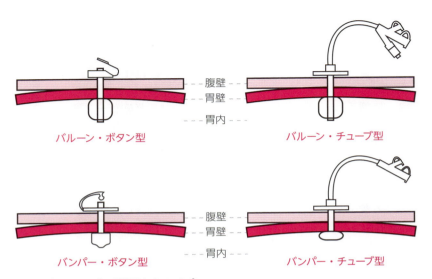

図1 胃瘻チューブの種類は4タイプ

〔PDN(NPO法人PEGドクターズネットワーク):胃ろう(PEG)とは?
(http://www.peg.or.jp/eiyou/peg/about.html) を参考に作成〕

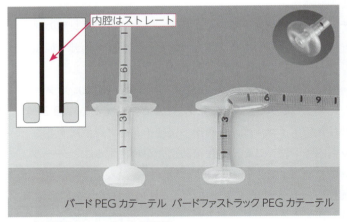

図2 チューブ型胃瘻チューブの内部構造

〔望月弘彦:NSTがかかわればスムーズな導入が可能か?.薬局60 (8):33-39, 2009. より転載,原著は
鈴木裕:胃ろうと栄養テキストブック,PDN (NPO法人PEGドクターズネットワーク), 2004〕

■嚥下困難患者が使用する医療機器・医療材料

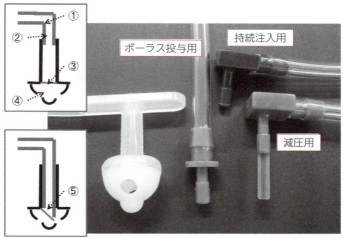

①持続注入用接続チューブはL字に屈曲
②接続チューブの分，内腔が細くなる
③逆流防止弁が奥に存在
④内部ストッパーが"かご状"で詰まる可能性がある
⑤減圧するためには減圧用チューブで逆流防止弁を押し下げる必要がある

図3 ボタン型胃瘻チューブの構造①

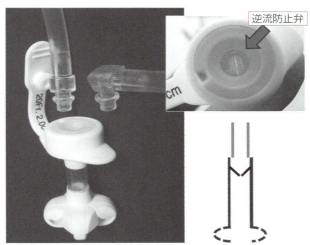

①持続注入用接続チューブはL字に屈曲
②接続チューブの分，細くなる
③逆流防止弁が手前にあるため，通常の接続チューブで減圧が可能
④内部ストッパーが"かご状"で詰まる可能性がある

図4 ボタン型胃瘻チューブの構造②

● 情報入手の方法

　胃瘻チューブの造設時・交換時は，キットに付属されている取扱説明書に目を通したい．これらは薬剤の添付文書と同じような形式で記載されており，企業によっては，ホームページにPDFファイルが掲載されている．また各地で開催されているPDNセミナーは，胃瘻チューブの実物が展示されているので，現物を手にとって確認する良いチャンスである．

文献

1) PDN（PEGドクターズネットワーク）：PDNセミナーテキストブックCD-ROM版，PDN，No.44, 309, 338, 2005
2) 望月弘彦：NSTがかかわればスムーズな導入が可能か？．薬局 60（8）：33-39，2009
3) PDN（PEGドクターズネットワーク）ホームページ：http://www.peg.or.jp/

〔望月　弘彦〕

■ 嚥下困難患者が使用する医療機器・医療材料

Q14 チューブの「1Fr.」とは何か？

Fr.（French gauge）は長さの単位で，カテーテルチューブなどの管の径を表示する際に使われます。読み方は「エフ」や「フレ」と呼ばれ，1Fr. は 1/3mm に相当します。簡易懸濁法では一般に経管栄養チューブが使われていますが，その情報は多くの場合，汎用されている 8Fr. での情報が提供されています。なお，チューブなどについては『内服薬 経管投与ハンドブック 第4版』[1] で新しく導入される誤接続防止を配慮した製品とともに詳細に紹介されており，参考になります。

● ○ ●

● Fr. が大きいほど管は細い

　カテーテルや注射針，円筒状の医療関連製品の外径を表す単位（gauge；ゲージ）系には French catheter scale（単位：Fr.）のほか，注射針に用いられる Stubs Iron Wire Gauge あるいは Birmingham Wire Gauge というワイヤーゲージ〔単位：G（ゲージ）〕がある。後者は英国でワイヤーの製造で使われた標準規格で，針管の外径が1インチの何分の1であるかを表す。すなわち，ゲージの数が大きいほど細くなり，使用時の痛みがないという触れ込みで登場したインスリン用注射針は 34G（0.18mm）となっている。言うまでもなくカテーテルは管理医療機器であり，添付文書でサイズや材質なども含めて確認することが大切である。

　製品のカタログを開くと，ミリメートル（mm），フレンチ（Fr.），インチ〔inch または "（1" = 25.4mm）〕が混在している。チューブの径は Fr.，長さは mm，ガイドワイヤーは inch，注射針の針管の外径は G で長さは inch という具合に，さまざまな単位が使われる（表）。

　なお，日本では計量法でメートル法を採用しているため mm が併記されて

111

表　単位互換表

ミリメートル	フレンチ	インチ
1.00	3	0.039
1.33	4	0.052
1.67	5	0.066
2.00	6	0.079
2.33	7	0.092
2.67	8	0.105
3.00	9	0.118
3.33	10	0.131
3.70	11	0.146
4.00	12	0.157
4.33	13	0.170
4.67	14	0.184

1ミリメートル＝3フレンチ＝0.0393インチ

 MEMO

計量単位（SI単位と非SI単位）

　わが国では尺貫法が現在の生活に入り込んでおり，真珠の取引単位のmom〔匁（もんめ）〕は国際単位になっています。計量法では，国際度量衡総会で国際的に合意された単位系（呼称SI単位）などを定めています。「匁」や，医療従事者にとって大切な単位である生体内圧力単位（mHg，mH_2O，Torr）は非SI単位であり，これらは計量単位令という政令で定義されています。

　実は，生体内圧力単位はSI単位への移行が検討され，2度の経過措置を経て2013年9月30日に猶予期間が終了することになっていました。しかし，眼圧，動脈血酸素分圧，頭蓋内圧……と広い範囲で非SI単位が使用されており，その変更が及ぼす影響が計り知れないことから，日本医師会は計量行政審議会（経済産業省）宛てに意見書を提出し，審議の結果，法定計量単位（特殊計量単位）として使用できるよう政令の改正が行われました。

　私たちは何気なく数値を読み取っていますが，現在，医療が混乱することなく行われている背景には多くの方の努力があったようです。医療分野での単位の重みを感じる一件です。科学の発展により，国際単位系の基本単位の定義は，その多くが改定され，長さの単位もメートル原器から「光の速さ」に基づく定義に置き換わってきているそうです。基本単位の標準などは，国立研究開発法人産業技術総合研究所 計量標準総合センターHPに掲載されています（https://unit.aist.go.jp/nmij/）。

いる。長さの国際基本単位はメートルなので統一してもよさそうなものだが，変更しない理由は，単に使い慣れているだけでなく，使いやすさによるのではないだろうか。

文献
1) 藤島一郎 監，倉田なおみ 編：内服薬 経管投与ハンドブック　第4版，p.28, 32, じほう，2020

（宮本 悦子）

Q15 フラッシュとは？

A 経管投与時に行われる「フラッシュ」とは，栄養剤や薬剤を投与した後に，注入器やチューブ内に残っている栄養剤や薬剤を水またはお湯で洗い流すことです。栄養剤や薬剤は同じチューブを使って投与されるため，フラッシュを行わずに投与すると配合変化が生じる原因になります。また，チューブに残っている栄養剤が腐敗すると，チューブ内の汚染や閉塞の原因（図）になるため，フラッシュの習慣はチューブの汚染防止につながります。

図　チューブ内の汚染

●フラッシュ時の留意点

　汚染防止には，水またはお湯でのフラッシュ後，家庭用の食酢（約4％）を10倍程度に希釈したもの（食酢：水＝1：9）でチューブ内を充填しておくと有用とされている[1]。また，使用器具は0.01％の次亜塩素酸ナトリウム溶液に1時間程度つけておき，乾燥させるとよい[2]。

　薬局方の酢酸（酢酸濃度10％）を投与した場合，腸が壊死し腸管穿孔を生じることがあるため，酢酸液は使用を避ける。

　フラッシュを行う際の水またはお湯の量は，チューブの内容積による。例えば，外径8Fr.・全長1,100mmのカテーテルでは約2mLを目安に前後のロス

を考えればよい。内・外径が記載されている場合は，内径を使うと正味の量を把握できる。

フラッシング時の容積≒円柱の体積

・円柱の体積＝ 3.14 ×（半径）^{2} ×（チューブの長さ）
・フラッシング容積＝ {3.14 ×{(Fr. サイズ /3)/2}^{2} ×全長(mm)} /1,000
　　　　　　　　　　　　　　　mm に換算　　　　　　　　cm^3 に換算

　フラッシュは，簡易懸濁で使用したものと同じ注入器で同量程度を吸い上げ，注入器やチューブを洗い流す[2]。なお，もともと「フラッシュ」とは，カテーテルやドレンチューブに溜まった液を洗い流すときや，点滴ルートの側管から薬液を静脈内に直接投与する際に使用されている用語である。

文献
1) 石田一彦：PDN レクチャー Chapter1 PEG　5. 胃瘻の日常管理　1. カテーテル管理，PEG ドクターズネットワーク（http://www.peg.or.jp/lecture/peg/05-01.html）
2) 藤島一郎 監，倉田なおみ 編：内服薬 経管投与ハンドブック　第 4 版，p.47，じほう，2020

（宮本 悦子，秋山 滋男）

経鼻栄養チューブを使用する際の注意点は？

経鼻栄養チューブは，①栄養投与用のチューブを使用する，②径が細く閉塞しやすい，③チューブの先端が胃内にあることを確認してから注入する，④チューブによって推奨されている交換時期が異なる——という4点を押さえて使用します。

● ● ●

●長期留置は，マーゲンゾンデは×，専用の栄養チューブは○

経鼻の胃チューブには，胃内容物を排出するための胃管チューブ（いわゆるマーゲンゾンデ）と，栄養剤注入用の栄養チューブの2種類がある。胃管チューブは安価だが，硬化・変性しやすいポリ塩化ビニル製で，10日を超える長期留置には不適当である。

一方，栄養チューブは，シリコンやポリウレタンといった軟らかく変性しにくい材質で，取扱説明書では留置期間が4週間〜無記載となっており，長期留置に適している。筆者の以前の勤務先では4週間を目安に交換していた。

●経鼻栄養チューブの特徴

❶ チューブ径は8〜12Fr.

経鼻栄養チューブは嚥下機能への影響や，チューブでの圧迫による潰瘍形成を予防するため，また，栄養剤や薬剤によるチューブ閉塞を防ぐため，8〜12Fr.のサイズの使用が推奨されている。また，咽頭でチューブが反対側に交差して喉頭蓋の閉鎖を妨げないよう，顔の向きを挿入側と反対方向に向けて挿入することが提唱されている。

❷ チューブの構造

チューブの先端の構造は，直接開口しているものと，挿入しやすいように先

■ 嚥下困難患者が使用する医療機器・医療材料

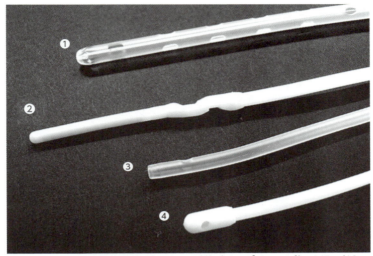

①ドレナージ（胃内容物の排出）用の二重管（サンプチューブ），14Fr.（10〜18Fr.）：小さい側孔が多数あいている
②栄養用のポリウレタン製チューブ，12Fr.（5〜12Fr.）：先端が細く重りがついている。側孔が2カ所ある。挿入時はスタイレット*を使用する
③栄養用だが，X線に写らない塩化ビニル製チューブ，10Fr.（3.5〜14Fr.）：先端が開口し小さな側孔もついている
④栄養用のポリウレタン製チューブ，8Fr.（6.5〜15Fr.）：先端にプラスチック製の重り（オリーブ）がついている。側孔が2カ所ある。挿入時はスタイレット*を使用する
＊ポリウレタンやシリコン製のチューブはや軟らかくこしがないために，単独での挿入は難しい。そのため，「スタイレット」と呼ばれる金属製の細いワイヤーを中腔に通して剛性をもたせており，挿入後は抜去して使用する

図　経鼻チューブの先端構造

端を丸く，あるいは細く加工し，側孔で開口しているものがある（図）。側孔で開口している場合は，側孔で流れの方向が変わるためによどみや渦流が生じ，チューブ閉塞の危険性が高まる。

●投与前に確認すべきポイント

経鼻栄養チューブでは常にチューブの自己・事故抜去の危険性を伴う。チューブ先端の位置異常による誤注入の危険性を避けるためには，①鼻翼での深さ，②口腔内でのチューブのたるみ，③胃内容物の吸引——の3点を確認す

る必要がある．胃泡音を確認するだけでは，チューブの先端が食道内にあっても区別がつかない．

文献

1) 日本静脈経腸栄養学会：コメディカルのための静脈経腸栄養ハンドブック，南江堂，pp.162-166，pp.187-193，2008
2) 倉田なおみ：7-2 通過性試験．内服薬 経管投与ハンドブック 第2版（藤島一郎・監）．じほう，p.41，2006
3) 神奈川県看護協会業務委員会：ニュースレター No.2．安全な経鼻栄養チューブの挿入・管理について，2009，神奈川県看護協会ホームページ（http://www.kana-kango.or.jp/safety/material/）

（望月 弘彦）

■嚥下困難患者が使用する医療機器・医療材料

経管栄養チューブにはどのような材質が使われているのか？

経管栄養に用いられるチューブには主に，シリコン製，ポリ塩化ビニル製，ポリウレタン製があります（**表**）。経鼻チューブは，短期使用には安価なポリ塩化ビニル製が，長期留置にはシリコン製やポリウレタン製が用いられ，また，胃瘻チューブには軟らかいシリコン製が多く使用されています。

表　経管栄養チューブの材質と特徴

	シリコン製	ポリ塩化ビニル製	ポリウレタン製
内腔	狭い	やや広い	広い
柔軟性	柔軟	やや硬い	柔軟
チューブ挿入	要補助用具	容易	要補助用具
消化液による変性	少ない	多大	少ない
抗血栓性	良好	難あり	良好
引っ張りに対する強度	弱い	比較的強い	強い
コスト	高価	安価	高価

● ○ ●

●経鼻栄養チューブの材質

経鼻栄養チューブは，挿入するためにはある程度の硬さが必要となる。短期的に使用するケースが多いため，安価なポリ塩化ビニル製が多種類市販されている。ポリ塩化ビニル製は，材質に柔軟性を与えるために可塑剤 DEHP〔フタル酸ジ（2-エチルヘキシル）〕が一般的に添加されていたが，精巣毒性が確認されたことから，現在は，毒性が低く溶出量も少ない可塑剤 TOTM〔トリ

メリット酸トリ（2-エチルヘキシル）〕などを使用したDEHPフリーのチューブが市販されている。

　一方，ポリ塩化ビニル製は消化液により硬くなり，長期間の留置には適さないことから，長期に使用する場合はシリコン製やポリウレタン製が選択される。これらはポリ塩化ビニル製より柔軟であるが，挿入に際してガイドワイヤーの補助を必要とする。ポリウレタン製は体温で軟らかくなるうえ，水分で滑りやすくなり，消化液による材質変化も少ないため，最も生体になじみやすく経鼻栄養チューブに適している。

● 胃瘻栄養チューブの材質

　胃瘻チューブでは，軟らかいシリコン製が最も多く市販されている。製品に表示されているFr.はチューブの外径を表す単位（1Fr.＝約0.33mm）であるが，シリコン製はポリウレタン製よりも肉厚のため，外径が同じでも内径は小さくなる点に注意が必要である。

　しかし，毒性が問題となったDEHP添加ポリ塩化ビニル製胃瘻接続チューブは，いまだに少なからず使われており，一般的な経腸栄養剤の投与を行うと，DEHP溶出量は容易に耐容1日摂取量を超える可能性があるとの報告がある。長期の栄養剤投与や小児の場合，健康への障害が発生する危険性があることから，DEHPを含有しない栄養ルートの使用が推奨されている。

文献
1) 佐々木雅也 編：NSTのための経腸栄養実践テクニック, pp78-81, 照林社, 2007
2) タナカ早恵, 土岐彰：医療用ポリ塩化ビニル製品より溶出する可塑剤フタル酸ジ-2-エチルヘキシルの検討. 昭和学士会誌, 77：551-558, 2017

（小茂田 昌代）

簡易懸濁法に使われる医療機器・医療材料

 注入器に関して日本ではどのような基準が制定されている？

 厚生省（当時）は，2000年8月31日医薬発第888号「医療事故を防止するための医療用具に関する基準の制定等について（注射筒型手動式医薬品注入器基準等）」を発出し，経腸栄養ラインに投与すべき薬剤が誤って輸液ラインに投与されることがないように，経腸栄養ラインの関連製品を輸液ラインとは物理的に接続不可能な規格とする基準を制定しました。

これにより，本邦での誤接続はなくなりましたが，2019年12月より国際基準に則ったISO80369-3への移行が決まりました（詳細は **Q19** 参照）。

● 基準が制定されたきっかけと経過

日医薬発第888号の基準が制定された背景には，痛ましい医療事故がある。1990年，入院中の86歳男性患者に，計量のため注射用シリンジに採取した飲用の牛乳を，誤ってそのまま注射してしまうという死亡事故が起こった。また，1999年2月，関節リウマチの手術を受けた58歳の女性患者に誤って消毒薬を注入し，死亡に至るという事故があった。

当時は，注射用シリンジが経管投与の注入器として，あるいは消毒薬や外用剤の計量器として使用されていたため，厚生省（当時）はカラーシリンジを使用して用途別に色分けするように注意を促した。ところが，色分けして使用していたにもかかわらず，2000年4月，入院中の1歳半の女児に対し，シロップ状の気管支拡張薬などの内服薬を静脈注射し，死亡させるという痛ましい事故が

先端部の直径 6.0 ± 0.5mm，長さ 15mm 以上，テーパー 125 ± 25/1000 に適合する構造とする。

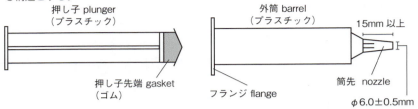

図 1 「医療事故を防止するための医療用具に関する基準の制定等について（注射筒型手動式医薬品注入器基準等）」での経腸栄養ラインの接続部に関する基準

(医薬発第 888 号より一部改変，平成 12 年 8 月 31 日)

●輸液ラインに接続不可能なシリンジ等の経腸栄養ライン関連製品

経腸栄養ラインに投与されるべき薬剤が誤って輸液ラインに投与されることがないように，経腸栄養ラインの関連製品を輸液ラインとは物理的に接続が不可能な規格とする基準を制定した。

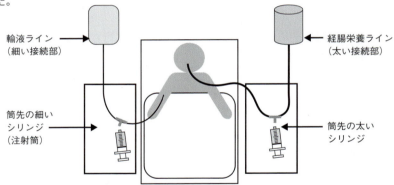

●注射剤以外の液剤の採取，投与等に使用されるシリンジ

注射剤以外の液剤の採取，投与等に使用されるシリンジについて，筒先を注射筒のものより太くし，着色するなどの基準を制定し，通常の注射筒が接続できる輸液ラインには物理的に接続できないシリンジの供給を促す。

図 2 医薬品・医療用具等安全性情報で示された医療事故防止対策の抜粋

(医療品・医療用具等安全性情報 No.163，平成 12 年 11 月 30 日より引用)

再び発生した。

　これらを受け厚生省は2000年5月,「医薬品・医療用具等関連医療事故防止対策検討会」を設置し,具体的な事故対応を検討した。同年8月31日医薬発第888号「医療事故を防止するための医療用具に関する基準の制定等について（注射筒型手動式医薬品注入器基準等）」を発出した（**図1**）。さらに同年11月30日に医薬品・医療用具等安全性情報No.163を発令し（**図2**）,医薬品・医療用具に関連する医療事故防止対策を実施することとし,これらの対策を医療の現場で医療事故防止に真に役立つように促した。これらの対策により,医療現場では誤接続防止の注入器が使用されるようになった。

　　　　　　　　　　　　　　　　　　　　　　　　（倉田 なおみ,輿石 徹）

注入器に関する国際基準の内容は？

国際標準化組織であるISOとIECの合同で，誤接続防止コネクタの規格開発が推進されます。国際規格の基準に則ったISO 80369-3への移行が日本でも進められています。

● 日本での移行スケジュール

わが国において経腸栄養ラインの接続コネクタは，**Q18**で解説した通り医療事故対策のため医薬発第888号「医療事故を防止するための医療用具に関する基準の制定について」が，2000年8月31日（厚生省医薬安全局長通知）に発出されており，誤接続防止に貢献している。

他方，世界的にも医療機器の誤接続による医療事故が各国で顕在化している。この誤接続を防止することを目的に国際標準化組織であるISOとIEC合同で誤接続防止コネクタの規格開発を推進している。

それに伴い，わが国でも2017年より国際規格ISOの基準に則った新たな栄養コネクタ規格80369-3（**図**）が，2019年12月より導入されている。当初，従来からの医薬発第888号で定められた旧規格品は2021年11月で出荷終了となる予定であったが，同年1月22日「令和2年度 第1回医療機器・再生医療等製品安全対策部会安全対策調査会」において，重症心身障害児・者の医療的ケアにおいて新規規格品の課題（**表**）が示され，旧規格品の出荷終了が1年間（2022年11月末まで）延長された[1]。

● ISO80369-3の特徴

ISO80369-3は，①従来型とオス・メスが逆になっている，②オス・メスが硬質材料でできている，③ロック式になっている[2]，といった特徴をもつほか，

■ 簡易懸濁法に使われる医療機器・医療材料

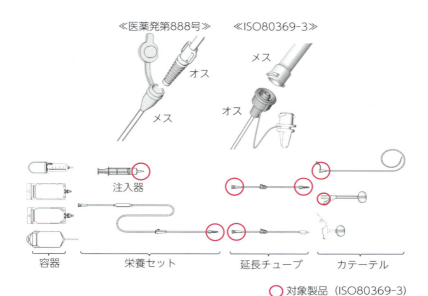

図　誤接続防止コネクタ

（日本医療機器テクノロジー協会作成資料を参考に作成）

表　日本重症心身障害学会などから出された新規格品の課題と，その対応

【課題】
・捻りが必要なため，手首への負担増加の懸念
・新規格品のコネクタ部分の汚染の懸念
・薬剤や栄養剤の吸入に専用のチップやノズルが必要

【対応】
旧規格品の出荷終了期限を1年間（2022年11月末まで）延長し，2021年度内に課題の整理・対応策の検討を行う

（令和2年度第1回医療機器・再生医療等製品安全対策部会安全対策調査会資料，令和3年1月22日を参考に作成）

④接続部の内径は2.9mmであり，従来品医薬発第888号の8Fr.チューブの外径2.7mm（内径約1.8mm），12Fr.チューブの外径4mm（内径2.7mm）より太いため，これまで通り簡易懸濁法で薬の注入が可能である。しかし，14Fr.以上の太さのチューブは内径が2.9mmより太くなるため，チューブより先に

注入器先端の 2.9mm を通過できない。したがって,「内服薬 経管投与ハンドブック 第 4 版」では,14Fr. 以上のチューブで通過していた薬剤はすべて「不適」に変更した。

　半固形製剤を加圧して注入する場合は,注入困難となる可能性がある。蟹江の報告[3]によると,寒天半固形では,従来規格の接続部,ISO 規格にかかわらず加圧注入が可能であった。一方,粘度増強半固形では従来規格カテーテルと ISO 規格ともに注入が困難であり,ISO 規格はその口径の狭さから注入がより難しくなることも明らかとなった。しかし,これらは限られたデータであるため,今後も引き続き検討を行ったうえで,運用方法について評価されることが望まれる。

文献

1) 厚生労働省:医薬食品局安全対策課第 27 回医薬品・医療機器等対策部会 議事録,http://www.mhlw.go.jp/stf/shingi2/0000088865.html（accessed 2016-5-5）
2) 一般社団法人日本医療機器テクノロジー協会 資料
3) 蟹江治郎:本邦において 2017 年度内に導入予定である経腸栄養カテーテル接続部 "ENFit" における半固形状流動食の通過性に関しての検討.ヒューマンニュートリション,6（3）:92-98,2015

〔倉田 なおみ,輿石 徹〕

■ 簡易懸濁法に使われる医療機器・医療材料

資料 注入器の規格による経管投与の比較

薬剤	注入器[*1]	1回目	2回目	3回目
崩壊・懸濁しやすい薬剤（5分放置後に投与可能とされている薬剤）[*2]				
ラシックス®錠 20mg（フロセミド）	国内	⑤	⑤	⑤
	ISO	⑤	⑤	⑤
マグミット®錠 330mg（酸化マグネシウム）	国内	×S	⑤	⑤
	ISO	⑤	⑤	⑤
マグミット®細粒 83%（酸化マグネシウム）	国内	△残渣K	⑩	⑩
	ISO	△残渣S	△残渣S	×C
セルベックス®カプセル 50mg（テプレノン）	国内	⑤	⑤	⑤
	ISO	⑤皮膜	⑤	⑤皮膜
ファモチジン®D錠 10mg（ファモチジン）	国内	⑤	⑤	⑤
	ISO	⑤	⑤	⑤
ポリフル®錠 500mg（ポリカルボフィルカルシウム）	国内	×T	×C, T	○
	ISO	○	○	○
フロモックス®錠 75mg（セフカペン ピボキシル）	国内	⑤	⑤	⑤
	ISO	⑤	⑤	⑤
やや崩壊・懸濁しにくい薬剤（10分放置後に投与可能とされている薬剤）[*3]				
フロモックス®錠 100mg（セフカペン ピボキシル）	国内	⑤	△残渣S	△残渣S
	ISO	⑤	⑤	⑤
ガスター®錠 10mg（ファモチジン）	国内	△残渣S	⑤	⑤
	ISO	△残渣S	⑤	⑤
フェブリク®錠 10mg（フェブキソスタット）	国内	⑤	⑤	⑤
	ISO	⑤	⑤	⑤
メバロチン®錠 5（プロバスタチンナトリウム）	国内	⑩	⑩	⑩
	ISO	⑤	⑤	⑤
アレンドロン酸®錠 5mg（アレンドロン酸Na水和物）	国内	⑤	⑤	⑤
	ISO	⑤	⑤	⑤
チューブ閉塞を起こしやすい薬剤[*4]				
ツムラ大建中湯®顆粒（TJ-100）	国内	⑩	△残渣キャ	⑩
	ISO	⑩	⑩	⑩
酸化マグネシウム®細粒 83%（酸化マグネシウム）	国内	⑩	⑩	⑩
	ISO	△残渣B	△残渣B	△残渣B
フロモックス®小児用細粒 100mg(セフカペン ピボキシル)	国内	△残渣K	⑩	⑩
	ISO	⑩	⑩	⑩

Q19 注入器に関する国際基準の内容は？

（次頁につづく）

薬剤	注入器[*1]	1回目	2回目	3回目
ランソプラゾール®OD錠 15mg（ランソプラゾール）	国内	⑤	⑤	⑤
	ISO	×C	△残渣S	⑤
タケプロン®OD錠15（ランソプラゾール）	国内	△残渣S	△残渣S	⑤
	ISO	⑤	△残渣S	⑤
ポリフル®細粒83.3%（ポリカルボフィルカルシウム）	国内	×S, T	×S, T	×S, T
	ISO	×T	×C, T	×S
クラビット®細粒10%（レボフロキサシン水和物）	国内	×C, T	×C, S, T	×C, S, T
	ISO	×T	×C, S, T	×C, S, T
パナルジン®細粒10%（チクロピジン）	国内	×T	×S	×S
	ISO	×C	×C, T	×C

閉塞／残存箇所を示す略号	
S	シリンジ
T	チューブ
C	コネクタ
K	けんだくん
B	ビーカー
キャ	キャップ

*1：上段：従来のシリンジ（ニプロ注入器），下段：新しい規格のシリンジ（ISO80369-3）
*2：大きく結果が異なったのは，ポリフル®錠500mg → ISO規格にすることで閉塞が起こらなくなった。
*3：大きく結果が異なったのは，フロモックス®錠100mg → ISO規格にすることで閉塞が起こらなくなった。
*4：国内規格とISO規格で大きな差は見られなかった。
⑤：お湯を吸い取り5分間自然放置後に崩壊・懸濁，⑩：お湯を吸い取り10分間自然放置後に崩壊・懸濁，○：閉塞なし，△：水フラッシュ後にも薬剤が残存，×：閉塞あり
■：閉塞の有無が分かれたもの，■：上記以外で結果が異なったもの

〔成島万智（昭和大学薬学部薬剤学部門）による検証〕

■簡易懸濁法に使われる医療機器・医療材料

簡易懸濁法に必要な機器・医療材料とは？

簡易懸濁法では，錠剤やカプセル剤をお湯または水で崩壊・懸濁するだけなので，専用の器具などは指定されておらず，そのため，それぞれの施設で使いやすい注入器具を選択することができます。患者への投薬状況に応じて使用器具を選択することで，現場で崩壊・懸濁の手技を簡便に行える場合があります。それぞれの器具について特徴や使用時の留意点を押さえておきましょう。

● 注入器を使用する場合

❶ 各注入器の特徴

　注入器（図1，2）はJMS社，ニプロ社，テルモ社，トップ社から販売されている。これらの注入器はすべてISO80369-3に適合している。それぞれの特徴と注意点を表に示す。衛生上の観点から注入器の蓋は必ず使用するが，注

表　注入器使用時の主な注意点

- 医薬品の種類によっては，本品の外筒の内側に塗布されているシリコーン油が析出することがある
- 高温（60℃以上）の液体は吸引しない［外筒の内側に塗布されているシリコーン油が剥がれ，押し子の摺動が悪くなる可能性がある］
- 外筒印刷部の目盛を越えて押し子を引かない［押し子が外筒から抜けて液漏れが生じる可能性がある］
- 押し子はまっすぐに引く［斜めに引くと，ガスケットと外筒との密着性が悪くなり，液漏れ，空気の混入またはガスケットが外れる可能性がある］
- 冷蔵保存する際は取り扱いに注意する［低温下では耐衝撃強度が低下し，破損する可能性がある］
- キャップは菌の繁殖防止・筒内薬液の効力低下防止に有効なものではない

（各添付文書より抜粋）

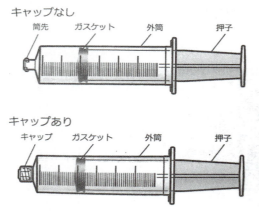

図1 注入器の構造と名称

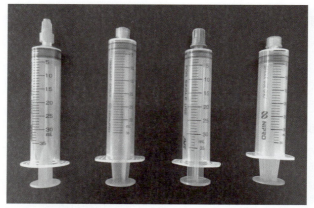

図2 各種注入器（左からトップ，テルモ，JMS，ニプロ）

入器によってはキャップ付きとキャップなしがあるので購入時にはキャップの有無を確認する必要がある。なお，注入器は一般医療機器として認められており，医薬品と同様に添付文書があるため使用時には一読いただきたい。

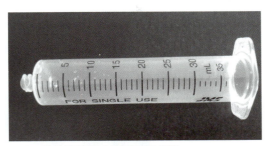

図3 注入器外筒の単回使用表記

❷ 注入器の使用回数

注入器には「SINGLE USE ONLY」あるいは「FOR SINGLE USE」の記載がある。これは，1回使用毎に廃棄し新しい注入器を使用するという意味である（図3）。

添付文書にも「禁忌・禁止」欄には「再使用禁止」，「再滅菌禁止」などと記載されている。したがって，原則，注入器は再使用できない。

❸ 使用方法

(1) 注入器に直接お湯を採取する方法

注入器の押子をはずした後，直接，薬剤を注入器内に入れ，お湯を吸引して崩壊・懸濁させ，そのまま経管チューブに注入する。

(2) 小カップを使用して懸濁液を採取する方法およびその注意点

小カップ（図4）に薬剤を入れ，お湯で懸濁させた後，注入器の押子で吸引する。この方法の場合，蓋がないため放置時に汚染のリスクが生じるほか，崩壊・懸濁液をこぼさないように注意しなければならない。また，小カップに残留しやすい薬剤や，お湯に浮いてしまう薬剤などの場合，注入器による吸引のみでは全量採取できないことがある（図5）。各社では採液チップを販売しており，これを使用することで小カップ底部の懸濁液が吸引しやすくなる。

● 注入器以外の器具を使用する場合

簡易懸濁法を安全かつ簡便に実施する目的で販売されている器具には，「けんだくボトル」，「けんだくん」，「クイックバッグ」がある。これらの器具のな

図4　カップ

図5　採液チップを使用した懸濁液の吸引

かで「けんだくボトル」、「クイックバッグ」は一般医療機器として認められている。また、2021年4月現在、ISO80369-3に適合している器具はけんだくボトルのみであるため、けんだくんやクイックバッグで投与する場合には変換コネクタが必要となる。

❶ けんだくボトル（図6）

(1) 材質

　ポリプロピレン（100mLまでの目盛りあり）

(2) 使用方法

　けんだくボトル内に薬剤とお湯を入れた後、5～10分間放置。崩壊・懸濁後は、けんだくボトルの注入キャップをはずしてそのままチューブに接続して投与できる。そのため注入器を必要としない。

(3) 利点と注意点

　けんだくボトルは繰り返し使用することできる。また、容器が半透明であるため、懸濁後の薬剤の崩壊状況を確認しやすい。注意点として、投与後にそのまま手を放すと胃内容物が逆流する可能性がある。した

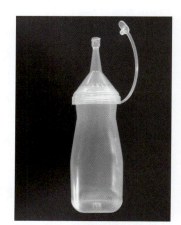
図6　けんだくボトル
　　　（シンリョウ）

がって逆流を防ぐために，投与後，チューブを折り曲げる必要がある。滅菌済みの懸濁ボトルも販売されている。

❷ けんだくん（図7）

(1) 材質

ポリプロピレン（80mL までの目盛りあり）

(2) 使用方法

けんだくんに薬剤とお湯を入れ 5 〜 10 分間放置。崩壊・懸濁後，注入器で懸濁液を吸引し，チューブから投与する。

(3) 利点と注意点

けんだくんは薬剤を入れた後，蓋をすることによって汚染を防止できるうえ，懸濁液がこぼれる心配がない。一方，尾関らの報告では，フラッシュを行わない場合の回収率が 23％低下しており，けんだくん使用の場合にはフラッシュを行うほうが望ましい。注入器によっては，内部の接合部で筒先が突き出してしまうため（図8），薬剤の懸濁液を全量吸引することができない可能性があるので注意を要する。

けんだくんの容器の種類は，半透明の容器のほかに，光に不安定な薬剤を投与するための褐色の容器がある。また，滅菌済みのけんだくんも販売されている。

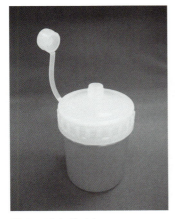

図7　けんだくん（エムアイケミカル）

図8　突き出したJMS製の注入器の筒先

❸ クイックバッグ（図9）

（1）材質

ポリプロピレン

（2）使用方法

クイックバッグは，コネクタ部の反対側のジッパー式の開口部より薬剤とお湯を入れ，空気が入らないようにジッパーを完全に閉めて使用する。そして，5〜10分放置し崩壊・懸濁後，コネクタをチューブに接続し，ジッパー側の袋を折り曲げ，圧力をかけることでコネクタ手前の弱シール部分を開通させ薬剤を投与する。

図9 クイックバッグ（QIB）

（3）利点と注意点

崩壊・懸濁中にクイックバッグの外側から薬剤揉み潰すことで崩壊時間の短縮をはかることができる。また，尾関らの報告[1]ではクイックバッグが最も薬剤の回収率が高かった。

クイックバッグはディスポーザブルの製品であるため，使用後はそのまま廃棄する。使用時に手や皮膚に懸濁液が付着するリスクが低いことから，抗がん薬などのハザードドラッグなどに有用である。

フィルムコーティング錠などは，クイックバッグに入れた状態で亀裂を入れるとクイックバッグが破れてしまう可能性があるので，あらかじめ錠剤に亀裂を入れておくほうが望ましい。

文献

1）尾関理恵, 他：簡易懸濁法に用いる懸濁器具の比較とストロメクトール®錠の投与量に及ぼす影響. 医療薬学, 45（2）：88-96, 2019

（秋山 滋男）

■ 簡易懸濁法に使われる医療機器・医療材料

使用機器の洗浄方法は？

 薬剤を経管投与する際に使用する器具（経管栄養バッグ，チューブ，注入器など）は原則として単回使用が望ましく，手技を行う際には標準的な手指衛生を行い，手袋を用います[1]。ここでは倉田らとともに作成した単回使用が難しい場合の「器具の洗浄・消毒に関する留意点」に基づき説明します。

● 複数回使用時の細菌汚染

栄養剤の細菌汚染は，細菌数が 10^4 CFU/mL 以上で下痢の有害事象が有意に増加[2]し，10^5 CFU/mL 以上の細菌では敗血症が生じた[3]との報告がある。

栄養チューブを複数回使用した際の細菌汚染については，*in vitro* の実験で以下のような報告[4]がなされており，複数回使用する場合には注意が必要である。

従来から使用されている国内規格の栄養チューブに1日1回，栄養剤を通過させ，洗浄・消毒を繰り返した場合，洗浄時の中性洗剤の有無にかかわらず，連続使用9日目以降にて，栄養剤投与直前のフラッシュ液から 10^4 CFU/mL 以上の細菌数増加が認められている。

また，ISO80369-3規格の栄養チューブに1日2回，栄養剤を通過させ，洗浄・消毒を繰り返した場合，同様に連続使用9日目以降にて，10^4 CFU/mL 以上の細菌数増加が認められている。

● 洗浄・消毒に関する留意点

❶ 全般的な注意
- 理想的には，そのまま専用ラインに接続して投与できるRTH（ready-to-

- hang) 製剤の使用が，感染予防の観点から望ましい
- 経腸栄養剤の多くは無菌製剤であるが，開封後は時間経過とともに細菌が増殖する
- H_2 受容体拮抗薬や PPI を投与している患者では，より厳重な清潔操作を行う
- チューブの汚染は閉塞の原因となるだけでなく，感染源にもなり得る
- 経管投与容器，チューブ，注入器などは複数の患者に用いない

❷ 洗浄

- 使用する容器はその都度洗浄を行う
- 経管投与容器への直接の栄養剤の継ぎ足しは行わない
- 8時間以上室温で放置すると，微生物が 1,000 CFU/mL 以上に増殖する
- ベッドサイドで容器に移し替えるだけでも微生物は混入する
- 水洗浄，熱湯洗浄，中性洗剤による洗浄単独では，いずれも衛生状態の維持には不十分である

❸ 消毒

- 消毒の前に必ず洗浄を行う
- 消毒は 0.01％（100ppm）次亜塩素酸ナトリウムによる浸漬消毒を行う
- チューブ，注入器は，消毒液をフラッシュするなどの工夫を行い，内部に空気が入らないように浸漬する

❹ 乾燥

- 洗浄・消毒後には十分な乾燥が必要
- チューブなどは乾燥しにくいため，乾燥が難しいようであれば次回使用時まで浸漬消毒したままにしておく[1]

文献

1) 倉田なおみ，他：経管投与患者への安全で適正な薬物投与法に関する調査・研究．日病薬誌，51（10）：1157-1172，2015
2) Okuma T, et al：Microbial contamination of enteral feeding formulas and diarrhea. Nutrition, 16（9）：719-722, 2000
3) Casewell MW, et al：Enteral feeds contaminated with Enterobacter cloacae as a cause of septicaemia. Br Med J（Clin Res Ed），282（6268）：973, 1981
4) 古屋宏章，他：新規格経管栄養器具（ISO 80369-3）における細菌汚染の経時的変化の検証．学会誌 JSPEN，2（5）：316-326，2020

（熊木 良太）

■簡易懸濁法に使われる医療機器・医療材料

注入器の交換時期は？

経管投与で使用する器具（経管栄養バッグ，チューブ，注入器など）は単回使用が原則です。
注入器のカテーテル用シリンジは，内壁やガスケットに可動性を良くするための被膜がありますが，やむなく繰り返し使用する場合は，シリコン油の膜が徐々に取れてくるため押子の動きが硬くなります。投与回数や医薬品によっても異なるため，押子の状態や汚染状況などを日々観察し，交換します。

● ● ○ ●

◉ 注入器の交換時期

　注入器のメーカー，使用者の手技や洗浄・消毒方法，使用回数によっても交換時期は変わってくる。1週間程度で曜日を決めて全面的に交換している施設もある。

◉ 注入器を単回使用とすべき薬剤

❶ セルベックス®カプセル・細粒
　セルベックス®カプセルや細粒は，成分のテプレノンが脂溶性のため，簡易懸濁法で注入すると注入器やチューブに付着する[1]。単回使用であっても，押子の動きが硬くなり注入しにくいため，繰り返しの使用は避ける。

❷ エパデール，エパデールS
　エパデールはカプセル内溶物が油状であり（図）注入器に付着しやすいため，繰り返しの使用は避ける。チューブへの付着量は不明である。また，ポリスチレン製器具を溶解するため，使用する容器の材質などにも注意が必要である[1]。

図　エパデールの内溶物

● 不溶性薬剤を投与する場合

　重質酸化マグネシウムの細粒などのように，懸濁性の悪い不溶性薬剤は内壁面に悪影響を与えるため，長期間の使用は不可とするほうがよい。

文献
1) 倉田なおみ・編，藤島一郎・監：内服薬 経管投与ハンドブック　第3版，じほう，pp.182-183，pp.322-323，2015

(熊木 良太)

投与時の留意点

Q23 簡易懸濁法に適するのはどのような製剤か？

A 口腔内崩壊錠（OD錠）は，少量の水分を含むと崩壊するため，水温を約55℃にすることも10分以内の放置時間も不要で，簡易懸濁法に適しています。さらに，口腔内で崩壊したのち嚥下するよう設計されているため，口腔内での懸濁状態における安定性も確保されており，したがって崩壊・懸濁液においてもOD錠は安定であると考えられます。

ただし，簡易懸濁法では崩壊・懸濁ができればよいので，必ずしもOD錠である必要はありません。また，先発品が不適であっても，後発品では簡易懸濁法が可能であることもしばしばみられるため，常に最新情報を得るよう努めましょう。

● 口腔内崩壊錠のメリット

　口腔内崩壊錠（OD錠）は，簡易懸濁法を実施するうえで最も適した剤形であり，今後，OD錠が増えることで，内服薬の経管投与がより簡単・安全に実施できるようになるといえる。

　例えば，経口抗がん薬ティーエスワン®のOD錠では，抗腫瘍成分は粒子の核に内包され飛散防止が図られている[1]。したがって，簡易懸濁法でも抗腫瘍成分の飛散防止が期待でき，取扱者の曝露の危険性が低く，より安全であるといえる。

● 製剤変更により簡易懸濁法可能に

　チューブ閉塞を理由に簡易懸濁法が不適となっていた医薬品が，製剤の変更により簡易懸濁法の適用が可能になった例を以下に挙げる。

❶ イトラコナゾール

　イトラコナゾールの先発品であるイトリゾール®カプセルには，3層からなる顆粒が充填されている。この顆粒は，中心の賦形剤に主薬をコーティングすることで消化管からの吸収を高めている。さらに，その周囲が顆粒同士の凝集を防ぐためマクロゴールで保護コーティングされている。そのため，水に懸濁すると表面が粘稠化し，16Fr.以上のチューブでないと閉塞する問題があった。

　後発医薬品のイトラコナゾール錠50mg「科研」では，水には溶解しないヒプロメロースフタル酸エステル（HP-55）の腸溶性高分子を担体とするイトラコナゾール固定分散体とし，粒子径を120μm以下にコントロールすることで，溶出性や流動性が改善されている。この崩壊・懸濁液（1回最高服用量：4錠）は，8Fr.チューブを通過し，簡易懸濁法に適した製剤である。懸濁1時間後においても分散性は良好で，含量の低下も認められていない[2]。

❷ 酸化マグネシウム

　重質酸化マグネシウムは，難溶性で粒子径が大きく，懸濁した場合に粒子の沈降が速く，チューブを閉塞することはよく知られている。酸化マグネシウムのマグミット®錠は口腔内崩壊錠ではないが，10秒程で崩壊する速崩壊錠として発売された。しかも，含有する酸化マグネシウムの粒子径が小さいためチューブを閉塞させず，簡易懸濁法に適している。

❸ バルプロ酸ナトリウム

　バルプロ酸ナトリウムは吸湿性が高いため，先発医薬品のデパケン®細粒40％は，防湿性の細粒であり，水に難溶の製剤である。しかも，粒子径が大きいため重質酸化マグネシウムと同様，懸濁液中の粒子の沈降速度が速く，8Frのチューブを閉塞させる。しかし，後発品のバルプロ酸ナトリウム細粒40％「EMEC」は，細粒の粒子が小さいため懸濁液中での分散性が高く，栄養チューブを閉塞しない。

文献

1) 大西敬人：ティーエスワン®配合 OD 錠の開発と製剤設計；次世代型製剤の製剤技術．PHARM TECH JAPAN, 30（4）：617-622, 2014
2) 大島孝雄, 薗田良一, 大熊盛之, 砂田久一：懸濁投与を可能としたイトラコナゾール®錠の製剤設計．PHARM TECH JAPAN, 25（9）：1929-1934, 2009

（石田 志朗，大熊 盛之）

薬剤を崩壊・懸濁する際，どれくらいの時間までであれば，お湯に放置しても問題は生じないか？

 経管投与に繁用される数種類の薬剤については，薬効を示す主薬回収率が2時間放置しても低下しないという実験結果が報告されています。しかし，すべての薬剤に当てはまるわけではなく，特に徐放性製剤では，崩壊時間を長くすることで徐放性が失われるなどの問題点が認められています[1]。また，光に対して極端に不安定な薬剤では，10分間放置しただけで主薬回収率が低下してしまいます[2]。今後もさまざまな薬剤のデータを集積し，崩壊時間の長さが問題であれば短くしたり，光に対して安定性が悪いと推測される薬剤に対しては遮光処理を施すなど，各薬剤に合った方法を選択する必要があります。

● ▫ ●

● 経管投与が頻繁に行われる薬剤

　脳外科領域で経管投与が繁用されている薬剤で，簡易懸濁法と粉砕法を行ったときの有効成分の回収率が測定され，図1のような結果が得られている[3]。簡易懸濁法では，どの薬剤でも10分間放置した場合に回収率の低下は認められず，また，2時間放置した場合でも回収率は低下しなかった。一方，粉砕法では薬剤により回収率にばらつきが認められ，エクセグラン®錠では約60％に低下したと報告されている。この結果から，これらの薬剤においては簡易懸濁法では2時間放置しても安定性に問題がないことが示されている。

■ 投与時の留意点

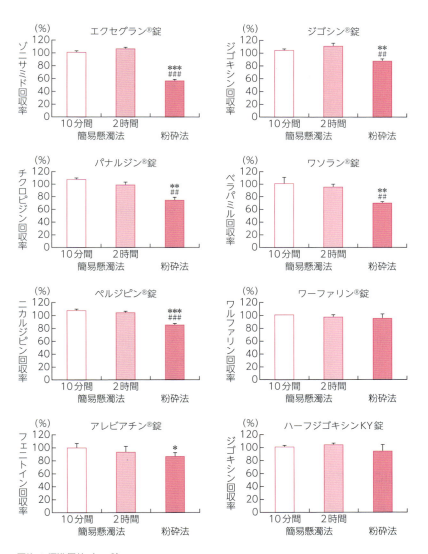

平均±標準偏差 (n=3)
＊p＜0.05, ＊＊p＜0.01, ＊＊＊p＜0.001 vs 簡易懸濁法10分間
#p＜0.05, ##p＜0.01, ###p＜0.001 vs 簡易懸濁法2時間

図1 崩壊・懸濁10分間, 2時間放置と粉砕法の主薬回収率
(矢野勝子, 竹澤崇, 倉田なおみ, 他：簡易懸濁法による薬剤経管投与時の主薬の安定性の検討.
医療薬学, 32：1094-1099, 2006 より改変)

Q24 薬剤を崩壊・懸濁する際, どれくらいの時間までであれば, お湯に放置しても問題は生じないか？

表　ハルナール®D錠の溶出試験

方法：薬剤1錠を注入器内にとり，55℃のお湯20mLを吸い取り，10分間あるいは60分間自然放置した液を用いて溶出試験（1法，2法）を実施

	1法	2法		
	2時間	30分	1時間	4時間
規　格	22％以下	16～45％	42～72％	79％以上
10分懸濁後	14.6	42.0	65.5	89.6
60分懸濁後	24.5	63.7	74.5	89.6

平均値（n＝6）

（倉田なおみ：簡易懸濁時に注意を要する薬剤，薬剤業務支援CD-ROMより引用）

● 徐放性製剤

　倉田は，徐放性製剤のハルナール®D錠を55℃のお湯20mLに入れて10分間あるいは60分間自然放置した後に，溶出試験を実施した（**表**）。それによると，10分間の崩壊・懸濁後では規格内だが，60分間の崩壊・懸濁後では1法でも2法でも規格外となった。この結果から，60分間懸濁してしまうと徐放性が失われ，通常より早く溶出してしまうことがわかる。

　また，使用する水のpHの違いによって規格を外れる可能性もあるので，やはり懸濁させる時間は長くならないように配慮することが重要である。

● 光に対して不安定な薬剤

　光に対して極端に不安定なメチコバール®の主薬回収率の時間経過を，露光（透明な注入器使用）での粉砕法と簡易懸濁法，遮光（遮光注入器使用）での簡易懸濁法で比較したところ，**図2**のような結果が得られた。遮光注入器は，注入器に輸液用の遮光フィルム（味の素ファルマ社製）を貼りつけた。

　粉砕法では，粉砕した状態で室内光下に1週間放置すると回収率は大幅に減少し，それを水に入れ放置するとさらに回収率が減少し，30分では0％になった。また，露光での簡易懸濁法では，粉砕法と比較して回収率が明らかに大きな値を示すが，徐々に回収率が低下し，30分間放置すると約50％と完全に規

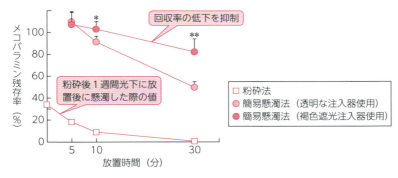

図2 懸濁後のメチコバール®の回収率の時間経過

格外になった。一方、遮光注入器を使用した場合では、この回収率低下が抑制された。

したがって、光に対して極端に不安定な薬剤では注入器を遮光し、通常の放置時間である10分以内での崩壊・懸濁であれば、経管投与が可能だということが示された。

● 崩壊・懸濁時間が長くなりすぎないようにする方法

前述のように、お湯で2時間崩壊・懸濁しても問題のない薬剤がある一方で、主薬回収率が著しく低下してしまう薬剤もあることから、なるべく崩壊・懸濁時間は10分以内とすべきである。崩壊・懸濁時間が長くならないようにするためには、以下のような対策が考えられる。

・口腔内崩壊錠、速崩錠、湿製錠を利用する
・投与手順を変更し、栄養剤を準備する前にまず薬剤をお湯に入れる

崩壊・懸濁時間をできるだけ短くするために、最初に薬剤をお湯に入れてから機器を用意するなどの作業を行うと、栄養剤を投与し始める頃には薬剤が崩壊・懸濁しているので、栄養剤投与の直前や途中で薬剤を注入することができる[4]。

もちろん薬剤と栄養剤が混ざらないように投薬前後に白湯でフラッシュする

ことを忘れてはならない．また，食事が吸収に影響する薬剤もあるため，あらかじめ薬剤師に確認する必要がある．

文献

1) 倉田なおみ：簡易懸濁時に注意を要する薬剤，薬剤業務支援 CD-ROM
2) 座間味義人，天野学, 安藤哲信，他：光に対して不安定な薬剤を経管投与する際の有用な投与法の開発，医学と薬学，73, 433-438, 2016
3) 矢野勝子，竹澤 崇，倉田なおみ，他：簡易懸濁法による薬剤経管投与時の主薬の安定性の検討．医療薬学，32：1094-1099, 2006
4) 倉田なおみ：薬をつぶさずに経管投与する「簡易懸濁法」とは．エキスパートナース，22（1）：22-24, 2006
5) 杉山 清，矢野勝子，他：薬学部からみた簡易懸濁法．月刊薬事，49（3）：59-62, 2007

（座間味 義人）

Q25 一度に懸濁できる医薬品の数はいくつか？

A 配合変化などの問題が起きなければ，一度に懸濁できる医薬品の数に決まりはありません。お湯に入れてすべての薬剤が崩壊・懸濁し，薬剤の物性や安定性に影響がなければ，何種類でも可能です。

　簡易懸濁法の適否は，1薬剤をお湯に入れたときの崩壊・懸濁性で判断している。しかし，実際の現場では1薬剤のみを投与することは少なく，数種類の薬剤を同時に投与する場合が多い。

　数種類の薬剤を同時に懸濁する場合の疑問点として，①1薬剤だけの場合と同様に崩壊・懸濁するか，②配合変化が起こるかどうか，が挙げられる。

●20mLのお湯で崩壊・懸濁するか？

　徐放錠などの特殊なものは除き，錠剤は添加物として崩壊剤を加え，消化管内で崩壊するように製造されている。崩壊させるために必要な水の量はわずかであるため，数種類の薬剤を同時に入れたときの崩壊・懸濁性に関しては，多くの場合，1薬剤のときと同様である。しかし，漢方薬のように量が多く崩壊・懸濁しにくい場合は，水の量を20mLよりも増やすことで崩壊・懸濁しやすくなる。簡易懸濁法では水の量に決まりはないが，病態により水分制限の必要がある患者や，胃食道逆流を起こしやすい患者などでは注意が必要である。

●20mLで懸濁可能な錠数

　錠剤に含まれる崩壊剤の種類・量にもよるが，錠剤1錠の崩壊には0.5～1mLの水があれば十分と推定される。簡易懸濁法では通常20mLのお湯を使用するが，20mLあればかなり多くの錠剤でも問題なく崩壊でき，患者が1回

に服用する薬を懸濁させるには十分である。現場で実際に簡易懸濁法で投与する際も，水が足りないと感じたことはない。

1錠中の崩壊剤の量は，平均的に錠剤重量（約200～500mg）の5％程度である。ほかの添加剤はそれほど吸水したり膨らんだりしないため，わずかな量（10～25mg）の崩壊剤が吸水して膨潤し，錠剤を崩壊させている。"崩壊剤，恐るべし！"といえる。

● 錠剤を崩壊するのに必要な水の量（崩壊剤の吸水率）

崩壊剤のモデル錠剤を作成し，吸水率（AR）を測定した報告がある[1]。その報告では，精製水6mLを入れた小皿（内径5.5cm）にペーパータオルを二つ折りにしたものを入れて，モデル錠剤を皿の中央に置き，湿潤工程が完了したときに錠剤にどれだけの水分が保持されているかを表す変数ARを以下の式の式により算出している。

$$AR = \frac{(Wa - Wb)}{Wb}$$

Waは湿潤後の重量，Wbは湿潤前の重量

図に各モデル錠剤のARを示す。例えば，1錠の重さ300mgの錠剤でAR

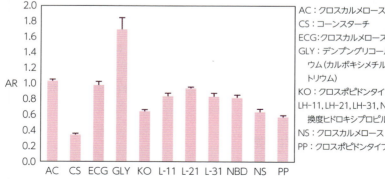

図　崩壊剤の吸水率（AR）
(Onuki Y, et al : A comparative study of disintegration actions of various disintegrants using Kohonen's self-organizing maps. J Drug Deliv Sci Technol, 43 : 141-148, 2018 より引用)

が1.0であれば湿潤後の重量は600mgであり，重量差が300mgであるから0.3mLを吸水したことがわかる。タケプロン®OD錠30mgの質量は570mgだが，崩壊剤は低置換度ヒドロキシプロピルセルロースを使用しており，ARは約0.8のため，吸水量は0.456mLになる。ARから算出した吸水量で必ず崩壊するということではないが，崩壊寸前の状態であると考えられ，錠剤を崩壊するのに必要な水の量はごくわずかであることがわかる。

● 配合変化の問題

配合変化は，簡易懸濁法のみならず，粉砕法においても十分に注意すべき問題である。簡易懸濁法では，投与前の水に入れたときに配合変化が起こる可能性があるが，粉砕法では，粉砕して同じ分包紙に入れている場合，投与日数期間は配合変化の危険に曝されている。両方法において配合変化には十分に注意する必要があるので，Q40〜46を参照されたい。

文献
1) Onuki Y, et al：A comparative study of disintegration actions of various disintegrants using Kohonen's self-organizing maps. J Drug Deliv Sci Technol, 43：141-148, 2018

（倉田 なおみ）

Q26 錠剤に亀裂を入れる場合，どの程度の亀裂を入れればよい？

錠剤に添加剤として含まれている崩壊剤は，体内の水分を吸収し膨張するなどして錠剤を崩壊させ，有効成分の放出を容易にします。錠剤を保護しているコーティングに亀裂を入れると，崩壊剤が水分を吸いやすくなり，崩壊が促進されます。亀裂によって錠剤内に水が浸入する導水路ができればよいので，粉末状になるまで破壊する必要はありません。

■ □ ■

● 崩壊剤とは

　錠剤には一般的に，有効成分のほかに，賦形剤，結合剤，崩壊剤，滑沢剤といった添加剤が配合されている。そのうち崩壊剤は，錠剤への水の浸透を促すことで，消化管内での崩壊を促進する目的で加えられている。カルメロースカルシウム，低置換度ヒドロキシプロピルセルロース（L-HPC），デンプン，クロスカルメロースナトリウム，クロスポビドンなどの崩壊剤は，水分を吸って膨潤し，錠剤のマトリックス構造を破壊して崩壊させる[1]。

● 粉末状になるまで破壊する必要はなし

　従来は，錠剤のフィルムコーティングに亀裂を入れることを"フィルム破壊"と呼んでいた。しかし，「破壊」のイメージから，錠剤を細かく砕く必要があると勘違いされることを防ぐため，『内服薬 経管投与ハンドブック 第4版』からは，"錠剤に亀裂を入れる"という表現に変更されている[2,3]。
　錠剤に亀裂を入れる必要のある場合は，錠剤をコーティングしているフィルムに亀裂が入り，錠剤内に水が浸透する導水路ができればよいため，粉末状になるまで破壊する必要はない。亀裂を入れるタイミングは，医薬品の安定性の

観点から，投与直前が望ましい。また，吸湿性のある薬剤は，錠剤に亀裂が入った状態で保管することは避けなければならない[3]。

● 錠剤に亀裂を入れる方法

錠剤に亀裂を入れる方法としては，倉田氏により以下の①～④の方法が紹介されている[2, 3]。

①らくラッシュ®を使用する
②ペンチを活用する
③乳棒で錠剤を軽く叩く
④錠剤を半錠に割る

❶ らくラッシュ®を使用する

倉田氏は「らくラッシュ®」を開発した。らくラッシュ®（図1）は錠剤のシートをそのまま，あるいは分包紙に入れたまま錠剤のフィルムに亀裂を入れることができ，作業時の音もなく，軽い力で，どこでも簡単に錠剤に亀裂を入れることができる。

❷ ペンチを活用する

在宅では，ペンチを使って錠剤に亀裂を入れることがあるが，一般的なペンチは，錠剤を挟む部分にギザギザの溝があるため，錠剤に亀裂を入れようとすると，錠剤のシートや分包紙が破れてしまう。そこで，錠剤に亀裂を入れるには，先端部にギザギザの溝がない，溝なしペンチ（図2）を使用するとよい。溝無しペンチは100円ショップなどで販売されている。

図1　らくラッシュ®

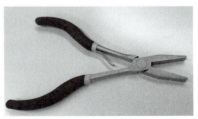

図2　100円ショップで購入した溝なしペンチ

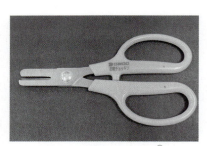

図3　お薬チョッキン®

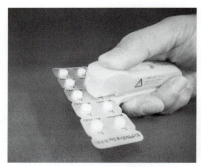

図4　プチはんぶんこⅡ®

❸ 乳棒で錠剤を軽く叩く

　錠剤のシートや分包紙の上から乳棒で錠剤を軽く叩く方法は，よく知られているが，錠剤を叩く際に大きな音が出てしまう．病棟のスタッフステーションなどでは問題となることがあるため，行う前に現場の状況などを考慮する．

❹ 半錠に割る

　錠剤を半分に割ることで，割れた面が水に接して崩壊剤が早く膨潤するため，短時間で崩壊する．通常のはさみを使って半錠にすると，分割線がある場合でも錠剤が破損しロスが出てしまうことがあるが，錠剤を切る専用の錠剤ハサミ「お薬チョッキン®」（図3）を使用すれば破損しにくい．

　また，コーティングに亀裂を入れなければならないような錠剤は，分割線が入っていない場合も多いため，錠剤半錠器「プチはんぶんこⅡ®」（図4）などの活用が勧められる．この機器を使えば，錠剤に手を触れることなくPTPシートのまま半錠にすることができる．

文献

1) 倉田なおみ：現場の困った！にエキスパートが答えるQ＆A簡易懸濁法．調剤と情報，26：2139-2141，2020
2) 藤島一郎・監，倉田なおみ・編：内服薬 経管投与ハンドブック第4版．じほう，2020
3) 倉田なおみ：現場の困った！にエキスパートが答えるQ＆A簡易懸濁法．調剤と情報，26：2909-2911，2020

（青木 学一）

Q27 カプセルが溶解せずに注入器に残るが，閉塞の原因になるか？

カプセル剤の簡易懸濁法適用時には，崩壊はするものの残渣が認められますが，この残渣は懸濁液注入時に栄養チューブの閉塞をもたらすものではありません。むしろ軟カプセルに封入された油状の薬剤のほうが，経管投与に用いた器具に吸着し，投与量の損失をもたらすため，注意しなければいけません。

● 硬カプセルの簡易懸濁

　カプセルは，日本薬局方医薬品各条において，37 ± 2℃の水を用い，しばしば振り動かし 10 分以内に崩壊すると規定されている。

　硬カプセルは，基剤としてゼラチンやヒプロメロースなどが使用されている。硬カプセルを 55℃のお湯で簡易懸濁した場合，お湯の吸引後 10 分静置すると，カプセルの残渣を認めるものの，その後の振とうにより残渣は分散するため，チューブに注入しても閉塞を起こすことはない。

　ただし，ヒプロメロースを基剤とするカプセル剤は，食塩と同時に懸濁した場合，塩析効果によりカプセル基剤が水を含まなくなるため崩壊しなくなる。食塩とヒプロメロース基剤のカプセルは別に懸濁して投与する必要がある。

● 軟カプセルの簡易懸濁

　軟カプセルは，ゼラチンにソルビトールやグリセリンを添加した基剤が用いられ，油状の薬剤や水に難溶性の有効成分を脂溶性基剤（中鎖脂肪酸トリグリセリドなど）に溶解して，それらを包み込むように充填しながらシールして製造されている。

　慢性便秘症に用いられるアミティーザ®カプセル 24μg は，ルビプロストン

を中鎖脂肪酸トリグリセリドに溶解して軟カプセルにした薬剤であり、ロトリガ®カプセルは、油状のEPAとDHAの合剤とした軟カプセルである。いずれの薬剤も55℃のお湯で簡易懸濁した場合、軟カプセルは5分後には崩壊しないものの、10分後には崩壊した。カプセル残渣がわずかに認められたが、この残渣を8Fr.チューブへ注入しても閉塞は認められなかった[1,2]。

これらの薬剤は、注入器やチューブ内に付着することなく、ほぼ100%がチューブを通過した。また、吉野らも、4製剤の軟カプセル剤で簡易懸濁法を行った場合、10分で崩壊し、残渣を認めるもののチューブの閉塞は生じないことを報告している[3]。さらに、薬剤の残存率に内容物の物性が影響すると考察している。エパデール®カプセルでも55℃のお湯の吸引10分後に、軟カプセルの崩壊と残渣を認めたものの、チューブは閉塞しなかったが、有効成分のEPAは、フラッシュ後においても注入器やチューブなどの投与器具に投与量の8～18%の吸着が確認された[2]。

文献

1) 石田志朗, 本池 慶, 岡本育子, 他：アミティーザ®カプセルの簡易懸濁法による経鼻経管チューブを介した投与. 医療薬学, 40（5）：285-290, 2014
2) 石田志朗, 今村有里, 山川和宣, 他：ロトリガ®粒状カプセルの簡易懸濁法の適否, 医療薬学フォーラム2015講演要旨集, p281, 2015
3) 吉野 愛, 橋爪圭吾, 遠藤隆浩, 他：軟カプセル剤の簡易懸濁法, 日本薬学会年会要旨集131年会, 4：p257, 2011

（石田 志朗）

■ 投与時の留意点

チューブを詰まりにくくする方法，清潔に保つ方法は？

薬剤が簡易懸濁法に適しているかを確認することが重要です。薬剤の特性に応じた工夫を行うことで，チューブを詰まりにくくすることができます。栄養剤や薬剤の注入後に毎回，必ずチューブを十分にフラッシュすることが重要です。

● チューブを詰まりにくくする方法

❶ 簡易懸濁法の適否を確認

「内服薬 経管投与ハンドブック 第4版」[1]，本書「第3章 簡易懸濁法適否基準」（23頁）を参照し，チューブを閉塞させる可能性のある薬剤が処方薬に含まれているかを確認する。

閉塞させる可能性のある薬剤が処方されている場合は，他剤へ変更したり，簡易懸濁法以外の方法を選択するなどして対応する。また，通過性試験により簡易懸濁法が適すると判断されている場合であっても，投薬する医療スタッフや介護者の手技，放置時間などの諸条件は一様ではないので，種々の問題が生じることがある。薬剤師が病棟や在宅などの現場において問題解決に取り組むことが求められる。

❷ 配合変化の有無を確認

2種類以上の薬剤を崩壊・懸濁する際には，注射剤を取り扱う場合と同様に配合変化を考慮する。懸濁液のpHや化学構造の変化などさまざまな原因により配合変化が起こると，効果が減弱することにもつながる。また，配合変化により沈殿が生じると，チューブを閉塞する原因にもなる。

配合変化に関する情報は，本書，各種学会による報告，日本服薬支援研究会のホームページ（http://fukuyakushien.umin.jp/）および会員用メーリングリストから得られる。

❸ 設定すべき水の温度を確認

よく知られているが，タケプロン®OD錠の賦形剤であるマクロゴール6000は56〜61℃で凝固するため，崩壊・懸濁させる水の温度が高すぎると固まってしまう。これに気づかずに投与すると，凝固したマクロゴール6000がチューブに詰まり，閉塞の原因となる。このような注意を要する薬剤では，懸濁する水の温度について，投薬する医療スタッフ・介護者に十分に説明することが重要である。

● チューブを清潔に保つ方法

❶ チューブ内を十分にフラッシュ

栄養剤や薬剤の注入後には，必ずチューブ内を白湯でフラッシュ（勢いよく注入して押し流すこと）する。チューブ内の汚れは，ほとんどがチューブ内腔に付着した栄養剤や薬剤である。栄養剤には脂肪が含まれており，細菌の繁殖やチューブの閉塞の原因となるので，注入後には必ず十分なフラッシュを習慣づける必要がある。

❷ 酢水によるチューブ管理

水で十分フラッシュした後に，0.4%の酢水を充填しておく。食酢（約4%）を10倍希釈した0.4%の酢水を使用し[2]，酢の静菌効果により，チューブ内の細菌繁殖による汚れを防止し，チューブ閉塞を防ぐ効果を期待する。詰まってしまったチューブの再開通目的には使用しない。胃瘻のチューブ型，経鼻胃管には有効だが，ボタン型では必ず接続チューブを外して直接洗う。また，次の栄養剤投与の前には，酢水を水でフラッシュする。

2013年に横浜市内の病院で，高濃度の酢酸液を注入した結果，小腸が壊死して50代の女性患者が死亡する事故が発生しているため，必ず食酢を使用する。

❸ PDNブラシの活用

チューブ内の汚れが取れない場合は，チューブ洗浄用のPDNブラシを用いて内腔の付着物をこすり落とすとよい。チューブ洗浄用のPDNブラシは，PEGドクターズネットワークのホームページ[2]などで購入することができる。ただし，閉塞時のチューブ再開通のための使用に関しては，PMDA医療安全

情報 [3] も参照する。

文献

1) 倉田なおみ：9 簡易懸濁法の医薬品適否判定試験；内服薬　経管投与ハンドブック　第 4 版（藤島一郎・監），じほう，2020
2) NPO 法人 PEG ドクターズネットワーク（PDN），http://www.peg.or.jp/index.html
3) 医薬品医療機器総合機構：PMDA 医療安全情報 NO.1，2007 年 11 月

（寺町 ひとみ，武藤 浩司）

Q29 チューブに詰まりやすい薬剤を簡易懸濁法で投与する際の留意点は？

A 詰まりやすい薬剤は使用を避けますが，薬剤によっては投与時の工夫により詰まりにくくなります。また，同成分でも剤形を変更すれば詰まらないこと，同じ剤形でも異なる製薬会社の商品は詰まらないことがあります。最新の情報を収集し，代替薬剤を医師に提案できるようにし，患者のQOL向上に貢献します。

● ○ ●

● 詰まりやすい薬剤の対応例

　同一成分あるいは同一薬効の薬剤のうち，どれが簡易懸濁法に適するかは，「内服薬 経管投与ハンドブック」[1)]の薬効分類順を参照し判断する。個々の薬剤の適否を同書の商品名50音で確認しながら調剤していくと解決できる場合が多い。

　処方薬のなかに不適な薬剤がある場合は，代替案を医師に提案する。その際，当該薬剤が治療上必要であるかどうかを検討し，ポリファーマシーの観点からの薬学的介入が望ましい。チューブに詰まりやすい薬剤の例と，その対応を以下に述べる。

❶ 重質酸化マグネシウムの場合

　重質酸化マグネシウムは詰まりやすい細粒剤の一つである。他の薬剤と同様に注入すると，チューブの出口に細粒が一度に集中してしまい，チューブを閉塞してしまう。ただし，注入器をゆっくり振りながら注入すると，細粒が分散して流れ，一気に入り込まないのでチューブ閉塞を回避できる。

　一方，同じ酸化マグネシウムのマグミット®錠やその後発売された同一成分の製品では，その粒子径が小さいため，閉塞することはない。

❷ パナルジン®細粒の場合

　パナルジン®細粒も詰まりやすい薬剤の一つである。パナルジン®錠粉砕の処方に対しては，経管投与であれば安易に細粒剤への剤形変更はせず，亀裂を入れて簡易懸濁法で投与することを医師に提案するとよい。

　錠剤などが簡易懸濁法で容易に崩壊・懸濁しない場合，散剤へ剤形変更すると溶解するように考えてしまいがちだが，この例のように，薬剤によっては細粒や散剤が疎水性で懸濁しないが錠剤は容易に崩壊・懸濁するという場合もある。特に細粒剤は，疎水性で簡易懸濁法に適さないことが多い。

❸ 懸濁液を粘稠（とろみ）にすることで閉塞を回避できる場合

　デパケン®細粒や重質酸化マグネシウムは，簡易懸濁法で投与した際にチューブ閉塞を起こしやすい。これは懸濁液中の薬剤粒子の沈降が速いためであり，懸濁液を粘稠にすると分散性が良くなり，閉塞を回避することができる。

　青木らは，ランソプラゾールOD錠の経管投与時に粘度調整食品を添加することで，注入器内の薬剤がスムーズに流れ，残存する薬剤が減少することを示し，その有用性を報告している[2]。

　粘度調整食品は，第1世代がデンプン，第2世代がデンプン＋増粘多糖類，第3世代がキサンタンやデキストリンである。現在の第3世代は，溶けやすく少量でとろみが付き，しかも安定したとろみが得られるため繁用されている。

　一方，嚥下補助ゼリーは，ゼリーの塊が大きく，粘稠性が高すぎてチューブを通過できないため，チューブを介して内服薬を投与する時には使用を避けなければならない。あくまでも嚥下補助ゼリーは，嚥下機能がある患者への服薬支援で誤嚥を防止するための使用に限られる。

文献

1) 倉田なおみ・編，藤島一郎・監：内服薬　経管投与ハンドブック　第4版，じほう，pp.1130-1132，2020
2) 青木 悠，杉山昌秀，依田一美 等：経管投与時の注入器内残薬に対するとろみ調整食品使用の有用性の検討，―ランソプラゾール口腔内崩壊錠―，医療薬学，37（6）：371-376，2011

（寺町 ひとみ，石田 志朗）

Q30 注入器に薬剤が残るのは，注入角度と関係があるのか？

注入器を使って投与する場合には，注入する角度と注入器に残る薬の量に関連があることがわかっています。横口注入器は筒先を下にして斜下向きに，中央口注入器は真下に向けて注入します（図1, 2）。

● 水に溶解しにくい薬剤の場合

純水にストロメクトール®錠（イベルメクチン）3mg，3錠を崩壊・懸濁させた後，10分間遠心分離したところ，上清中のイベルメクチンは$1\mu g/mL$以下であり，ほとんど（99.99％）が沈殿物中に存在したことが報告されている[1]。

● 注入角度によるイベルメクチンの残留量の比較

筆者らは経管栄養用カテーテルチップシリンジ（以下，注入器）を使って，ストロメクトール®錠と白湯を入れて崩壊・懸濁し，注入角度を変えてチューブに注入し，イベルメクチンの回収量を比較した。注入角度は図2に示すように90°（真下），45°（斜下），0°（水平），−45°（斜上）の4パターン。各角度にて，

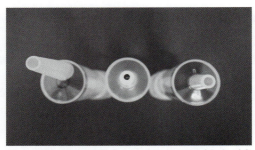

図1 横口注入器（左）と中央口注入器（中央，右）

懸濁液注入1回ごとに，白湯の注入で残留した薬剤を洗い流し再投与するフラッシュ操作までを一連の動作として，イベルメクチンの回収率を比較した。結果は以下の通りである。

❶ 中央口注入器を使用した場合

中央口注入器の場合は，図3に示すように回収率は，90°（真下）＞45°（斜下）＞0°（水平）＞−45°（斜上）であり，真下（90.4％）と斜上（77.0％）では回収率に13.4％の差が認められた。

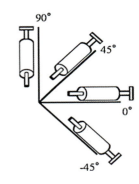

図2　注入角度

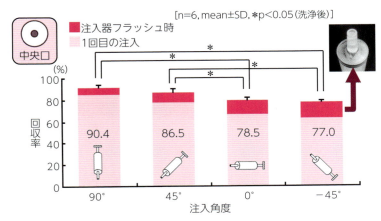

図3　注入角度別のイベルメクチン回収率（中央口注入器の場合）

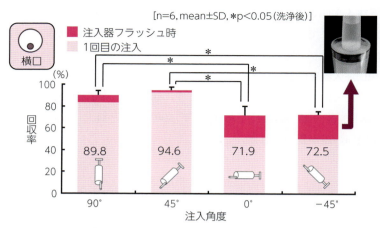

図4　注入角度別のイベルメクチン回収率（横口注入器の場合）

❷ 横口注入器を使用した場合

　横口注入器の場合は，図4に示すように回収率は，45°（斜下）＞90°（真下）＞0°（水平）≒−45°（斜上）であり，斜下（94.6％）と水平（71.9％）では回収率に22.7％の差が認められた．さらに横口注入器の筒を上にした場合は45°（斜下）でも68.2％と25％以上回収率が低下した．以上より，横口注入器は注入角度による投与量損失が中央口より大きいため，注意が必要である．

文献

1) 大谷真理子，山本陽介，酒巻智美，他：簡易懸濁法の器具および手技がストロメクトール錠の投与量に及ぼす影響，医療薬学，38：78-86, 2012

（小茂田　昌代）

薬剤の特徴に合わせた対応と工夫

Q31 バイアスピリン®を経管投与したいが，良い方法はあるか？

A 抗血小板薬のバイアスピリン®100mg錠（アスピリン腸溶錠）は，そのままでは崩壊・懸濁せず，簡易懸濁法に不適ですが，フィルムに亀裂を入れ，そのかすが残らないように細かくすることで投与が可能になります。

一方，アスピリンの配合錠であるバファリン配合錠A81は，水でそのまま崩壊するため簡易懸濁法が適用できます。また，バファリン配合錠A81がヒートシール包装なのに対し，後発医薬品のバッサミン®配合錠A81は，PTP包装で錠剤を取り出しやすくなっています。どちらも通常の短期使用では，一包化調剤を行っても錠剤の変色はほとんど認められません。

● ● ●

● バイアスピリン®錠投与時の注意点

バイアスピリン®錠が簡易懸濁法に不向きな理由は，胃腸障害を防止するための腸溶性コーティングが施されているからで，そのままお湯に入れても崩壊・懸濁しない。腸溶性コーティングに亀裂を入れれば崩壊・懸濁して投与可能になるが，コーティング殻によるチューブ閉塞のリスクや，アスピリン末の投与時と同様に胃腸障害のリスクが高まる。これでは製剤設計を無視することになりバイアスピリン®錠を投与する意味がないので，筆者の施設では簡易懸濁法での投与不可としている。ただし，細かく破壊した錠剤の懸濁性は良好との評価もあり，「内服薬 経管投与ハンドブック 第4版」では「適3：投与直前にコーティング破壊を行えば使用可能」となっている。

アスピリン末は，湿度や胃腸障害のリスクだけでなく，成分の安定性の問題や，末の懸濁性の悪さから注入器内に多くの薬剤が残るといった問題があり，投与量の変動が起こることが問題であると指摘されている[1, 2]。

代替薬バファリン配合錠 A81 とバッサミン®配合錠 A81 投与時の注意点

❶ バファリン配合錠 A81

バファリン配合錠 A81 は，アスピリンの胃腸障害を考慮してダイアルミネート（制酸薬）が配合され，腸溶性コーティングはされていない。そのため，簡易懸濁法可能で，バイアスピリン®錠の代替薬となる。しかし，バラ錠包装が市販されておらず，銀色のヒートシールをハサミで切り，1錠ずつ取り出さなければならないため，作業にたいへん手間がかかる（図1）。また，包装から取り出すとオレンジ色の錠剤が経時的に変色（褐色化）[3]する。

❷ バッサミン®配合錠 A81

バファリン配合錠 A81 の問題を解決できる後発医薬品としてバッサミン®配合錠 A81 がある。バラ錠包装はないが，ヒートシールではなくPTP包装（図2）なので錠剤を取り出しやすい。しかし，バッサミン®配合錠 A81 もPTP包装から取り出して長期間保存すると変色（退色）を起こす。

❸ 28日間保存での両剤の含量

バファリン配合錠 A81 もバッサミン®配合錠 A81 も，病院内における一包化調剤で1カ月程度保管しても目に見える変色はない。28日保存で含量も

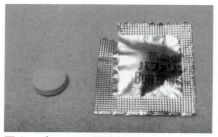

図1 バファリン配合錠 A81

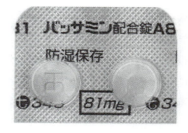

図2 バッサミン®配合錠 A81

95％以上を保持していた。

● 配合変化に注意

いずれの薬剤を用いてもよいが，アスピリンとしての投与量が75mg以下になった場合は効果が不安定になるといわれているので，酸化マグネシウムのように懸濁液のpHが強アルカリ性を示す薬剤との同時懸濁は避けるべきである[3,4]。

文献
1) アスピリン末の経管投与の方法の検討，医療薬学フォーラム2009／第17回クリニカルファーマシーシンポジウム．講演要旨集，p.152，2009
2) アスピリン製剤に対する簡易懸濁法適用の可否―バイアスピリンとアスピリン末の比．日本薬学会年会要旨集（0918-9823）133年会4号，p.204，2013
3) 木奈崎昭男，他：嚥下困難患者に対する服薬支援のためのアプローチ―簡易懸濁法適用のためのアスピリン錠一包化による経時的な安定性の評価と相互作用―．日本薬学会年会要旨集（0918-9823）130年会4号，p.278，2010
4) 杉山 清，他：低用量アスピリンとアルカリ性薬剤併用時における簡易懸濁法の問題点．日本薬学会年会要旨集（0918-9823）129年会4号，p.203，2009

（新井 克明）

タケプロン®OD錠をお湯に入れたら固まってしまったが，簡易懸濁はできない？

 タケプロン®OD錠は約0.35 mmの腸溶性細粒を含有する口腔内崩壊錠で，添加物としてマクロゴール6000（可塑剤）が含まれています。このマクロゴール6000の凝固点が56〜61℃であり[1]，他の添加剤の影響もあって，温度が高いとオレンジ色の腸溶性細粒が再凝固してしまい注入できません[2]。

タケプロン®OD錠は常温の水で簡単に崩壊するので，55℃のお湯で崩壊させる必要はありません。他の薬剤と一緒に経管投与する場合は，他剤を入れて少し時間を置き，水温が下がってから崩壊・懸濁させると問題なく注入できます。

● ○ ●

● マクロゴール6000含有時の凝固──熱いお湯での崩壊に注意

図1の左は，タケプロン®OD錠を55℃のお湯で，右は80℃の熱いお湯で崩壊させた様子である。右では塊になっているのがわかる。

タケプロン®OD錠に限らず，マクロゴール6000を含有する錠剤は，同様の注意が必要である。

● 注入器内残薬に対するとろみ剤の検討

ランソプラゾールは酸に対して不安定で，胃酸による分解が起こるため，タケプロン®OD錠は腸溶性被膜をコーティングした直径300μmの粒を10,000個含有する錠剤（マルチプルユニット製剤）となっている（図2）。この腸溶性細粒は水に難溶なため，注入器やチューブ内に残薬が生じやすいという問題がある。

■ 薬剤の特徴に合わせた対応と工夫

図1　タケプロン®OD錠を55℃（左）と80℃（右）の水で崩壊・懸濁させた場合

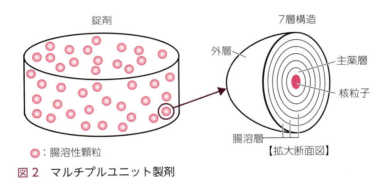

図2　マルチプルユニット製剤

　注入器内残薬を減少させるためには，撹拌や薬剤を筒先へ移動させるなどの作業が必要であるが，1%のキサンタンガム系とろみ剤調整食品を添加することにより，薬剤の分散性が向上し，注入器内残薬を減少させたとの報告もある[3]。

文献

1) 第十七改正　日本薬局方，医薬品各条，p.1547
2) 倉田なおみ：タケプロン（ランソプラゾール）OD錠の利点―経管投与を中心にして―．薬局，56（10）：83-86, 2005
3) 青木悠, 他：経管投与時の注入器内残薬に対するとろみ調整食品使用の有効性の検討―ランソプラゾール口腔内崩壊錠―．医療薬学，37（6）：371-376, 2011

（橋本　佳奈）

ロキソニン®錠が崩壊・懸濁しにくいが，良い方法はあるか？

 ロキソプロフェンナトリウム錠は，先発品・後発品ともに10分の懸濁時間では懸濁しません。ロキソプロフェンナトリウムを経管投与で使いたい場合には以下の方法があります。

①亀裂を入れれば懸濁可能となる製品（錠剤）を採用し，一包化調剤を行い鑑査時に亀裂を入れる。
②半錠にすれば懸濁可能となる製品（錠剤）を採用し，半錠にして一包化調剤を行う。
③懸濁可能な細粒剤を採用する。
④ロキソプロフェンナトリウム液を採用する。

● ロキソプロフェンナトリウム製剤の適否

　ロキソプロフェンナトリウム錠は先発品・後発品ともに10分間では崩壊・懸濁しない。成橋ら[1]はロキソプロフェンナトリウム製剤24品目で溶出試験を行い，その結果，目視による崩壊時間は21.1〜39.9分と2倍近い幅があったと報告している。

　日本服薬支援研究会では，会員専用Webシステムにて，情報を提供し合える「簡易懸濁可否情報共有システム」を設けている。本システムで調べると，ロキソプロフェンナトリウム製剤（錠剤・散剤含む）20品目の適否が掲載されている（2021年6月1日現在）。

　「内服薬 経管投与ハンドブック 第4版」によると，錠剤では，55℃のお湯10分間で崩壊・懸濁するものはない（2021年6月1日現在）。しかし，10%細粒剤では3品目のうち2品目が「適1[*1]」であり，6品目の錠剤はコーティングに亀裂を入れれば5分で崩壊・懸濁可能（適2[*2]）である。

　筆者の施設では，常温で保存でき，崩壊・懸濁が不要で1回量毎に1本ずつ

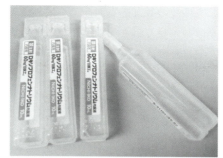

図　ロキソプロフェンナトリウム内服液 60mg「日医工」

パックされているロキソプロフェンナトリウム内服液 60mg「日医工」（60mg/10mL）（図）を採用している．同様の理由で，簡易懸濁法不適の製剤が多いバルプロ酸ナトリウムについても内服液のバルプロ酸 Na シロップ5％「日医工」を採用している．内服液は小児薬用量を計量する際は手間となるが，成人患者ではその問題も少ない．

＊1：10分以内に崩壊・懸濁し，8Fr. チューブまたはガストロボタンを通過
＊2：錠剤のコーティングに亀裂を入れる，あるいはカプセルを開封すれば，10分以内に崩壊・懸濁し，8Fr. チューブまたはガストロボタンを通過

● 手技の工夫による崩壊・懸濁性の向上

簡易懸濁法の手技の原則では振とうは約15秒だが，1分間振とうすれば崩壊・懸濁が可能となる製剤があることや，容器として懸濁スペースの広い「けんだくボトル」などを用いた場合は，容器内のお湯を撹拌しやすいため，崩壊・懸濁可能な薬剤が増えることが，興村らの報告[2,3]で示されている．さらに興村らは，2005～2006年購入の製剤と2010年購入の製剤では，崩壊・懸濁性の結果に大きな違いがみられ，添加剤の原料や量，製剤工程の変更などが随時行われている可能性を指摘し，常に使用時の製剤の簡易懸濁法適否情報を得る必要があるとも報告している．

使用する医薬品について，そのつど崩壊・懸濁性試験，チューブ通過性試験を行って確認することは，多忙な医療現場では現実的に不可能であるし，製薬

企業への問い合わせにも多くの労力を要する。<u>インタビューフォーム「備考欄」の簡易懸濁情報の完全収載が強く望まれる</u>。また，簡易懸濁法に適した製剤である口腔内崩壊錠や，簡易懸濁法可能な後発品の発売にも期待したい。

文献

1) 成橋和正，齋藤綾子，他：ロキソプロフェン錠の製剤評価 崩壊・溶出性と簡易懸濁法への適応性．日本薬学会年会要旨集（0918-9823）130年会4号，p.227, 2010
2) 興村桂子，毎田千恵子，他：ロキソプロフェン含有錠の製剤評価に関する検討 製造時期による溶出挙動の変動及び簡易懸濁法の適用について．日本薬学会年会要旨集（0918-9823）131年会4号，p.308, 2011
3) 興村桂子，毎田千恵子，他：ロキソプロフェン含有錠を用いた簡易懸濁法の検討．日本薬学会年会要旨集（0918-9823）132年会4号，p.171, 2012

（新井 克明）

■ 薬剤の特徴に合わせた対応と工夫

アルロイド G 内用液を
チューブに通過させる方法は？

アルロイド G 内用液をチューブから注入することはできないため，他剤への変更を検討します。

●アルロイド G 内用液とは？

　消化性潰瘍用薬のアルロイド G 内用液の成分であるアルギン酸は，海藻のうち褐藻類に特有に含まれている。アルギン酸は D- マンヌロン酸と L- グルロン酸の共重合体であり，ナトリウム塩は水に溶けて極めて粘稠な液となる。
　アルギン酸ナトリウムは，胃，十二指腸または食道粘膜へ付着することにより，胃液などの攻撃因子から粘膜を保護する。また消化管出血部位を被覆し，血液凝固を促進する。動物を使った実験でも胃粘膜保護作用，食道粘膜保護作用，止血作用が報告されている。

●チューブを通過させるために薄めてはいけない

　添付文書の用法・用量には"経口投与が不可能な場合には，ゾンデで経鼻的に投与する"と記載されているため，ゾンデ（チューブ）での経鼻的投与が可能と捉えてしまう。しかし，原液のままで経鼻的に投与するには粘度が高く，シリンジに圧がかかるため注入は難しい。また，経管投与のために粘度を低くしようと水で薄めてしまうと，粘膜表面への付着力が落ちることで，効果が減弱してしまうおそれがある。アルロイド G 顆粒溶解用という散剤も市販されているが，これは，その名の通り，水に溶解し 5％溶液にして服用するため，使用方法は内用液と変わらない。
　以上より，アルギン酸ナトリウム製剤をチューブから注入することは難しいため，他の胃粘膜保護剤への変更を検討する。

文献

1) アルロイドGインタビューフォーム（http://www.kaigen-pharma.co.jp/images/products/1363080008/1363080008_2.pdf），カイゲンファーマ（2015年9月改訂）

（輿石 徹）

Q35 クレメジン®をうまくチューブ通過させる方法はあるか？

A クレメジン®は慢性腎不全（進行性）患者の尿毒症症状の改善や透析導入の遅延を目的とした慢性腎不全用薬で，高純度の多孔質炭素からなる経口球形吸着炭です。剤形としては細粒，カプセル，速崩錠があるが，吸着炭という性質上，疎水性で分散性が悪く懸濁しません。

「内服薬 経管投与ハンドブック 第3版」では，「条3」（崩壊・懸濁しないが撹拌しながら注入）でしたが，注入に不慣れな場合にチューブ閉塞の危険性があるため，同書第4版では「不適」となっています[1]。

● 分散性の悪い薬剤の経管投与の工夫

クレメジン®細粒は，直径約 0.2〜0.4mm の多孔球状の構造のため疎水性で，水に均一に分散しない。経管投与する場合，注入器やチューブへの薬剤の残存やチューブ詰まりがよく報告され，問題となっている。以下にその工夫例を示す。

❶ 簡易懸濁法：お湯（55℃）での注入

「内服薬 経管投与ハンドブック 第4版」では，「不適」（経管投与に適さない）と記載されている[1]。チューブ閉塞の危険はあるが，経管投与が必要な場合には，注入角度を調整したり，チューブをゆすりながら注入したり，注入時に 200〜300mL の大量のお湯でフラッシュするなどの工夫を行う。

❷ 粘度調整食品を利用した流動性の改善

粘度調整食品（とろみ剤）として 0.5％の「つるりんこ Quickly」（クリニコ）水溶液の使用により，分散性，流動性が増し投与ロスが大きく軽減されたとの報告がある[2]。この報告では，通常は注入困難とされるベリチーム®顆粒，アローゼン®顆粒なども注入可能であった。

❸ デキストリン併用投与と回収率の高い注入角度

　粘度調整食品の主成分であるデキストリンは安全性が高く，分散性や付着性の改善効果などの特性をもつ．デキストリン 0.6％溶液の使用により分散性が増し，精製水に比べ高い回収率が得られたとの報告がある．また，同研究における注入器の注入角度の比較では，デキストリンの有無や撹拌後の時間にかかわらず，90°が一番高い回収率を認め，45°，0°，－90°の順に回収率が低下したと報告されている[3]．

　また，カリメート®散においても，同様の方法で分散性と回収率が向上したと報告されている[4]．

文献
1) 倉田なおみ：内服薬 経管投与ハンドブック　第 4 版（藤島一郎・監），じほう，pp.346-347，2020
2) 佐藤 裕，他：胃瘻カテーテルからの薬剤投与方法の検討―粘度調整食品を利用した流動性の改善―．日本重症心身障害学会誌，32（1）：113-117，2007
3) 長井紀章，他：デキストリン併用投与がクレメジン細粒経管投与時の低回収率およびチューブ詰まりに与える影響．薬局薬学，6：22-27，2014
4) 長井紀章，他：カリメート®散経管投与時の低回収率およびチューブ詰まりに対するデキストリンの保護効果．医療薬学，39（1）：33-38，2013

（橋本 佳奈）

■薬剤の特徴に合わせた対応と工夫

注入器をチューブに接続する際に，S・M配合散が噴き出してしまったが，なぜか？

S・M配合散は炭酸水素ナトリウムを含むため，懸濁液を「長時間放置する」，「激しく振り混ぜる」，「お湯が高温」などにより二酸化炭素が発生し，噴き出したと考えられます。

● ● □ ●

● 炭酸水素ナトリウム含有時の注意点

　健胃消化剤のS・M配合散などには，炭酸水素ナトリウム（重曹）が約20％含まれている。低温の水を加えたときは分解せず溶解するが，「長く放置する」，「激しく振り混ぜる」と二酸化炭素を放出し，また65℃以上に加温すると急速に分解する[1]。すなわち，「放置時間」，「撹拌」，「温度」の要素によって，二酸化炭素が発生しやすくなる。

● 健胃生薬の有効効果の再検討

　S・M配合散などの健胃消化剤には，ヂアスターゼなどの消化を助ける成分と，反射的に消化液の分泌を促進し消化管運動を亢進して食欲を増進させる健胃生薬が配合されている。例えば，本剤の成分（表）の辛味性生薬であるショウキョウ（生姜）とサンショウ（山椒）の辛味には，「口腔内で爽快感をもたらし，また胃粘膜に直接作用し，反射的に唾液や胃液の分泌を促進して消化管の運動を亢進し，食欲を増す」[2]という作用がある。経口服用時は，相乗効果で作用するが，経管投与時には，この効果が期待できないことを処方医が理解して処方しているか確認する。

表　S・M配合散成人1回服用量（1.3g）中に次の成分を含有

成分	含量	
タカヂアスターゼ	100 mg	
メタケイ酸アルミン酸マグネシウム	400 mg	
炭酸水素ナトリウム（日局）	300 mg	
沈降炭酸カルシウム（日局）	200 mg	
チョウジ（丁子）末（日局）	10 mg	⎫
ウイキョウ（茴香）末（日局）	20 mg	｜
ケイヒ（桂皮）末（日局）	74.5 mg	｜
ショウキョウ（生姜）末（日局）	24.5 mg	健胃生薬
サンショウ（山椒）末（日局）	1 mg	｜
オウレン（黄連）末（日局）	50 mg	｜
カンゾウ（甘草）末（日局）	118 mg	⎭

文献

1) S・M配合散医薬品インタビューフォーム　第1版，2019
2) 高木敬次郎，小澤 光：薬物学（縮刷版），南山堂，pp.394-396，1987

（飯田 純一）

Q37 重質酸化マグネシウムによるチューブ閉塞の対策はあるか？

A 重質酸化マグネシウムは疎水性で分散性が悪く，懸濁しない薬剤の代表です。重質で水に懸濁せずにチューブの先端に粒子が集中するため，チューブの出口が詰まってしまいます。酸化マグネシウム製剤のマグミット®錠などは，粒子径が小さく，容易に崩壊・懸濁するので，チューブが閉塞することなく注入できます。

●重質酸化マグネシウムの特徴

　第十改正日本薬局方までは，「酸化マグネシウム」は5.0gの容積が30mL以上を「軽質品」，「重質酸化マグネシウム」は30mL以下を「重質品」と規定しており，2品目が収載されていた。しかし，第十一改正日本薬局方からは，「酸化マグネシウム」に一本化され，5.0gの容積が30mL以下のものに関しては，別名として「重質酸化マグネシウム」と表示できると明示されている[1]。重質酸化マグネシウム「ケンエー」では，チューブが10Fr.で，10分放置後に撹拌したとき懸濁可能とされている[2]。ただし，チューブサイズにより通過の状況が異なるとされているため要注意である。一方，軽質酸化マグネシウム末は，量が多くフワフワしており，飲みにくく扱いにくいため，ほとんど用いられない。

●酸化マグネシウムの簡易懸濁法

　2004年，祖父江ら[2]は，6錠の酸化マグネシウム製剤が簡易懸濁法可能かどうかを検討し（崩壊懸濁試験と通過性試験を実施），また細粒剤と2種類の錠剤の粒子径を比較した。その結果，平均粒子径はA錠が76μmに対し，重質酸化マグネシウムが147μm，B錠が144μmで，通過性試験ではA錠のみ

が簡易懸濁法の採用が可能と判定され[2]，粒子サイズがチューブの通過性に影響を与えていることが示された．当時，経管投与できる酸化マグネシウムはなかったため，粒子径の小さいマグミット錠が製剤化・販売され，経管投与可能となったことは画期的であった．現在では，重質酸化マグネシウムを粘度調整食品に混ぜて注入する研究も報告されている[3]。

文献
1) 第十七改正　日本薬局方　じほう，2016
2) 祖父江久恵，他：各種酸化マグネシウム製剤の簡易懸濁法による経管投与の検討，日本薬学会第124年会（項目コード：2202），2004
3) 佐藤 裕，他：胃瘻カテーテルからの薬剤投与方法の検討―粘度調整食品を利用した流動性の改善―．第16回日本医療薬学会年会　講演要旨集，p.572，2006

〈寺町 ひとみ，岡村 正夫〉

Q38 タガメット®細粒 20%によるチューブ閉塞の対策はあるか？

A タガメット®細粒 20%では，主薬のシメチジンの苦みのマスキングのため，ポリビニルアセタールジエチルアミノアセテートで細粒剤がコーティングされています。この成分は分散性が悪く，チューブ閉塞のトラブルが起こるため，錠剤に変更して投与します。

●タガメット®細粒の懸濁時データ

　タガメット®細粒は簡易懸濁法に適さず，55℃のお湯で懸濁するとチューブ閉塞を起こす。65℃以上のお湯に入れてかき混ぜると，細粒が凝集し，1つの塊となる（**図1**）。メーカーの説明では，タガメット®細粒を水に懸濁するとシメチジンは水層に移行するため，凝集した塊を除いて投与すればチューブ閉塞の問題を回避できるとのことだったが，実際にタガメット®細粒を25℃常水，55℃および65℃のお湯で懸濁し，10分後にそれぞれの上清中に溶出したシメチジン含量をHPLCで測定すると**図2**のような結果となった。懸濁に用いた

撹拌前

撹拌後

図1　65℃のお湯で撹拌後，1つの塊に凝集するタガメット®細粒

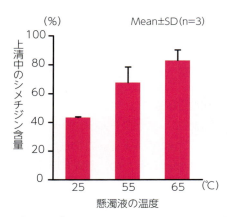

図2　タガメット®細粒懸濁液の上清中のシメチジン含量

お湯の温度上昇とともに溶出量も増加するが，65℃でも約83％の溶出にとどまっている。

すなわち，チューブの閉塞回避のため，65℃で懸濁し，凝集した添加剤を除いて投与したとしても，処方量より少ない量を投与していることになる。

ポリビニルアセタールジエチルアミノアセテート含有時の対応

タガメット®細粒の主薬であるシメチジンの苦みをマスキングするため使用されているポリビニルアセタールジエチルアミノアセテートは，水にはほとんど溶けないが，酸性（pH5.8以下）の水溶液には溶ける性質をもっている。そのため，添加剤として含まれる薬剤（細粒剤，顆粒剤）に簡易懸濁法を適用した場合，多くの薬剤は水に浮くなど分散性が悪く，チューブを閉塞させたり投与器具に残るため，簡易懸濁法に適さないことが知られている。

例えば，ポリビニルアセタールジエチルアミノアセテートを含むグラマリール®細粒10％を55℃のお湯で懸濁すると，細粒は水に浮いた状態で，かき混ぜても分散せず，また，より高温の65℃で懸濁すると凝集し，小さな塊を作る（図3）。

「内服薬 経管投与ハンドブック 第4版」（じほう，2020）に収載されてい

■薬剤の特徴に合わせた対応と工夫

〈55℃:分散性が悪い(水に浮く)〉

〈65℃:撹拌すると小さな塊を作る〉

撹拌前　　　　　　　　　　　撹拌後

図3　グラマリール®細粒の簡易懸濁時の変化

るポリビニルアセタールジエチルアミノアセテートを含む細粒・顆粒剤には，錠剤があり，多くの錠剤で簡易懸濁法は「適」と評価されている（**表**，次頁）。したがって，錠剤へ変更することで，チューブ閉塞を回避でき，投与量を確保することも可能となる。

（石田 志朗）

表 ポリビニルアセタールジエチルアミノアセテートを含む細粒・顆粒剤

一般名	商品名	先発／後発	企業名	分散性	簡易懸濁法評価(注)	同製剤剤形違い	簡易懸濁法評価(注)
イブプロフェン	ブルフェン顆粒20%	先発	科研	—	—	ブルフェン錠100	条3
エペリゾン塩酸塩	ミオナール顆粒10%	先発	エーザイ	悪	不適	ミオナール錠50mg	不適
クラリスロマイシン	クラリスロマイシンDS小児用10%「タカタ」	後発	高田	—	—	クラリスロマイシン錠小児用50mg「タカタ」	適1
クロフェダノール塩酸塩	コルドリン顆粒4.17%	先発	日本新薬	—	—	コルドリン錠12.5mg	適1
ジフェニドール塩酸塩	セファドール顆粒10%	先発	日本新薬	悪	不適	セファドール錠25mg	適1
シメチジン	タガメット細粒20%	先発	大日本住友	悪	条3	タガメット錠200mg	適1
シメチジン	シメチジン細粒20%「ツルハラ」	後発	鶴原	良	適1	シメチジン錠200mg「ツルハラ」	適1
スルタミシリントシル酸塩水和物	ユナシン細粒小児用10%	先発	ファイザー	悪	不適	ユナシン錠375mg	適1
スルピリド	スルピリド細粒10%「アメル」	後発	共和薬品	悪	不適	スルピリド錠50mg「アメル」スルピリド錠100mg「アメル」	適1
スルピリド	スルピリド細粒50%「アメル」	後発	共和薬品	—	—	スルピリド錠50mg「アメル」スルピリド錠100mg「アメル」	適1
スルピリド	ドグマチール細粒10%	先発	アステラス	—	—	ドグマチール錠100mgドグマチール錠200mgドグマチールカプセル50mg	適1
スルピリド	ドグマチール細粒50%	先発	アステラス	良(混ざりにくい)	適1	ドグマチール錠100mgドグマチール錠200mgドグマチールカプセル50mg	適1
チアプリド塩酸塩	チアプリド細粒10%「サワイ」	後発	沢井	悪	不適	チアプリド錠25mg「サワイ」	不適

■ 薬剤の特徴に合わせた対応と工夫

一般名	商品名	先発/後発	企業名	分散性	簡易懸濁法評価[注]	同製剤剤形違い	簡易懸濁法評価[注]
チアプリド塩酸塩	チアプリド細粒10%「JG」	後発	長生堂	悪	不適	チアプリド錠25mg「JG」	適2
	チアプリド細粒10%「日医工」	後発	日医工	やや悪	不適	チアプリド錠25mg「日医工」	適2
	グラマリール細粒10%	先発	アステラス	悪	不適	グラマリール錠25mg グラマリール錠50mg	適2
フラボキサート塩酸塩	ブラダロン顆粒20%	先発	日本新薬	―	―	ブラダロン錠200mg	適1
フルタゾラム	コレミナール細粒1%	先発	沢井	―	―	コレミナール錠4mg	適1
腎不全用必須アミノ酸製剤	アミユー配合顆粒	先発	EAファーマ	良	適1	―	―

注)
適1：10分以内に崩壊・懸濁し，8Fr.チューブまたはガストロボタンを通過する
適2：錠剤のコーティングを破壊，あるいはカプセルを開封すれば，10分以内に崩壊・懸濁し，8Fr.チューブまたはガストロボタンを通過する
適3：投与直前にコーティング破壊を行えば使用可能
条1：条件付通過―チューブサイズにより通過の状況が異なる
条2：条件付通過―腸溶錠のためチューブが腸まで挿入されていれば使用可能
条3：条件付通過
不適：簡易懸濁法では経管投与に適さない

(倉田なおみ・編，藤島一郎・監：内服薬 経管投与ハンドブック 第4版，2020 を参考に作成)

漢方薬を簡易懸濁法で
投与しても問題ないか？

 漢方薬も通常の簡易懸濁法で投与可能です。ただし，他剤と一緒に懸濁する際は配合変化に注意します。

● 通過性試験の結果は？

　ツムラとクラシエの漢方薬のほぼ全製品で通過性試験を行ったところ，すべての製品で経管投与可能であることがわかった。またデータの詳細は「内服薬経管投与ハンドブック」，あるいは日本服薬支援研究会の会員専用Webシステム「簡易懸濁可否情報共有システム」上に公開している。懸濁性があまり良くない製剤があるが（**表1**），温度を少し高めにすると懸濁しやすくなる。また1回当たりの嵩が多くて水が浸透しにくい場合，お湯を吸ったら一度撹拌してから放置するほうが懸濁しやすくなる[1]。

● 電子レンジで温めてよいか？

　20mLと少量の水を電子レンジにかけるとすぐに爆発して，電子レンジ内に薬液がこぼれてしまうことがある。簡易懸濁法の手技で行ったほうが確実で簡便である[1]。

● 配合変化はないか？

　経管投与では，漢方製剤と医療用医薬品を注入器内で同時に懸濁することになる。この場合，漢方製剤中の有効成分と医療用医薬品との配合変化が懸念されるが，この問題を科学的に検証した報告は少ないため，漢方製剤は医療用医薬品とは別に懸濁することが望ましい。

表1 簡易懸濁法で投与する際に注意が必要な漢方製剤
　　―ツムラ漢方製剤エキス顆粒（医療用）―

エキス製剤名	製品番号	簡易懸濁時の留意点※
温経湯	106	他より多少通過性が悪い
黄連湯	120	多めの水で洗浄
五積散	63	多めの水で洗浄
柴陥湯	73	多めの水で洗浄
柴朴湯	96	他より多少通過性が悪い
小青竜湯	19	多めの水で洗浄
辛夷清肺湯	104	注入器内に残るため，多めの水で洗浄
大防風湯	97	多めの水で洗浄
二朮湯	88	多めの水で洗浄
麦門冬湯	29	他より多少通過性が悪い
半夏白朮天麻湯	37	他より多少通過性が悪い
白虎加人参湯	34	他より多少通過性が悪い
茯苓飲合半夏厚朴湯	116	多めの水で洗浄
麻杏薏甘湯	78	多めの水で洗浄
薏苡仁湯	52	多めの水で洗浄

※ 55℃のお湯で5分間自然放置し，8Fr.のチューブを通過させたデータによる留意点

❶ 漢方製剤と酸化マグネシウムの配合変化

　生薬のセンナまたはダイオウの粉末と酸化マグネシウムを分包した場合，黄土色の粉末が経日とともに赤く着色する配合注意がよく知られている。これは，有効成分のセンノシドのアントラキノン類が酸化マグネシウムのアルカリ性により，キノイド型になり，赤色を呈するものであり，薬効には影響しない。ただし，酸化マグネシウムのアルカリ性が，このほかの有効成分に対して加水分解などの化学反応を引き起こさないかについては不明である。

表2に，各種漢方製剤と酸化マグネシウムを簡易懸濁法にて同時懸濁した際の色調変化を示す。多くの漢方製剤で色調に変化が観察される。茵蔯蒿湯，三黄瀉心湯，九味檳榔湯，麻子仁丸料は，ダイオウを含むため着色した可能性もあるが，他の成分と化学反応を起こしている可能性もある。したがって，酸化マグネシウムのように懸濁液がアルカリ性を示すような薬剤との同時懸濁は避けたほうがよいと考える。

栄養チューブからの投与は，胃内の強酸性下では，酸化マグネシウムの影響も相殺されるので，同時に投与しても問題はないと考える。ただし，栄養チューブ内で懸濁液が接触しないように，1つの懸濁液を投与した後は，十分にフラッシュをすることが必要となる。

熊野らの報告[2]によると，蘇葉含有漢方薬水溶液を酸化マグネシウムでアルカリ化すると，液の色が茶色から半夏厚朴湯では暗緑色，香蘇散では深緑色に変化した。またアスコルビン酸で酸性化するといずれも赤紫色に変化し，両成分のアントシアニンによるものと考えられた。

❷ 漢方製剤とニューキノロン系抗菌薬の配合変化

漢方製剤には，石膏，竜骨や牡蠣が含まれるものもある。すなわち，カルシウムを投与することになる。ニューキノロン系抗菌薬は，金属とキレートを形成することにより，吸収が阻害されることはよく知られている。

沼尻ら[3]は，柴胡加竜骨牡蛎湯や桂枝加竜骨牡蛎湯のエキス顆粒製剤とオフロキサシンの同時懸濁下では，オフロキサシンの未変化体の含量が低下することを報告し，カルシウムとキレートを形成によりオフロキサシン吸収量が低下することの可能性を示した。したがって，石膏，竜骨や牡蠣が含まれる漢方製剤と，カルシウムとキレート形成する可能性のあるニューキノロン系抗菌薬（オフロキサシン，ノルフロキサシン，シプロフロキサシン，プルリフロキサシン，トスフロキサシンなど）やテトラサイクリン系抗菌薬（ミノサイクリン，テトラサイクリンなど）は，経口での内服薬の服用方法と同様に，簡易懸濁法においても同時懸濁は避け，抗菌薬を食後，漢方薬を食間に投与することが望ましいと考える。

❸ その他の配合変化

半夏厚朴湯エキス顆粒にクエン酸第一鉄ナトリウム顆粒を混和すると黒色に変化し，ポラプレジンクの混和では濃緑色に変化した。このことから鉄剤・亜

表2　各種漢方製剤と酸化マグネシウムの同時懸濁時の色調変化

	漢方薬[*1]	色調変化[*2]
エキスカプセル	黄連解毒湯	オレンジ色→紅赤色
	麻黄附子細辛湯	茶色→緑黄色
	安中散	緑色→緑黄色
	茵蔯蒿湯	緑色→赤緑色
	三黄瀉心湯	オレンジ色→紅赤色
エキス細粒	九味檳榔湯	茶色→赤茶色
	麻子仁丸料	茶色→紅赤色
	桃核承気湯	茶色→紅赤色
	柴胡桂枝湯	オレンジ色→紅赤色
	苓桂朮甘湯	オレンジ色→茶色
	八味丸料	茶褐色→黒褐色
	小青竜湯	茶色→茶褐色
	当帰芍薬散料	黄土色→黄褐色
	加味逍遙散	茶色→茶褐色
	六君子湯	茶色→茶褐色
	五苓散料	オレンジ色→黄褐色
	桂枝茯苓丸料	赤茶色→茶褐色
	腸癰湯	肌色→黄土色
	大建中湯	なし（茶色）
	補中益気湯	なし（茶色）
	梔子柏皮湯	なし（オレンジ色）
散	ヨクイニンエキス	なし（白色）
錠	ヨクイニンエキス[*3]	なし（白色）

＊1：小太郎漢方製薬の漢方薬1回服用量を使用
＊2：55℃のお湯30mLに同時懸濁10分後に観察

鉛含有製剤などとキレートを形成したと考えられた．以上から，漢方薬と西洋薬との配合変化も今後，検討していく必要がある．

❹ 漢方製剤と他剤との薬物動態学的相互作用

　小青竜湯とアゼラスチン[4]，加味逍遙散または当帰芍薬散とエチゾラム[5]，補中益気湯，六君子湯，全十大補湯のいずれかとレボフロキサシン[6]を併用した場合，他剤の薬物動態に影響がないことが報告されている．

　一方，白虎加人参湯とシプロフロキサシンまたはテトラサイクリン[7]，漢方胃腸薬とレボドパ[8]は，他剤のC_{max}やAUCの低下をもたらすことが報告されているため，簡易懸濁法においても同時に懸濁して投与することは避けることが望ましい．

文献

1) 倉田なおみ：漢方医薬学雑誌，18（4）：137-139，2010
2) 熊野智美，小野寺昭範，木村永一：漢方医薬学雑誌，22（2）：67-71，2014
3) 沼尻幸彦，他：薬局薬学，10，246-251，2018
4) Makino T, et al.：Biol Pharm Bull, 27：670-673, 2004
5) Makino T, et al.：Biol Pharm Bull, 28：280-284, 2005
6) Hasegawa T, et al.：Antimicrob Agents Chemother, 39：2135-2137, 1995
7) Ohnishi M, et al.：Biol Pharm Bull. 32：1080-1084, 2009
8) N. Sunagawa, M, et al.：Yakugaku Zasshi, 126, 1191-1196, 2006

（倉田 なおみ，輿石 徹，石田 志朗）

配合変化

Q40 配合変化に注意しなければならない薬剤とは？

A 簡易懸濁法では数種類の医薬品を同時に懸濁するため，配合変化が発生する可能性が高まります。また，55℃のお湯で懸濁するため，溶液中であることと温度が高いことから配合変化の速度は上がり，崩壊・懸濁時のみならず投与するまでの間にも配合変化が進みます。配合変化の要因としては，pHの変化による加水分解が最も多いほか，光による分解，相互の有効成分による化学反応などがあります。また，配合変化は，簡易懸濁法だけでなく粉砕法においても同様に問題となることを忘れてはなりません。特に，繁用薬のひとつである酸化マグネシウム製剤はアルカリ性が強く，他の薬剤とは別の水で崩壊・懸濁するよう投与者に説明する必要があります。ただし，多量の胃酸があるため，投与は同時でもかまいません。

● □ ●

● 簡易懸濁液のpH

　有効成分の溶解時のpHはインタビューフォーム（IF）から入手可能であるが，簡易懸濁法での崩壊・懸濁液（以下，簡易懸濁液）のpH情報は掲載されていない。薬剤の1回服用量を55℃のお湯30mLで崩壊・懸濁させ10分後の簡易懸濁液を実測したpHと，IFから得た有効成分の溶液または懸濁液のpHとの関係を**図1**に示す。錠剤・カプセル剤など固形製剤には賦形剤などの添加物が含まれるため，簡易懸濁液と有効成分溶液のpHが異なる場合が散見される。簡易懸濁液を実測したpH情報については**付録4**を参照されたい。

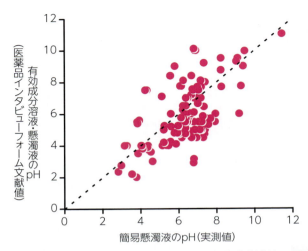

図1 インタビューフォームより得られた有効成分溶液・懸濁液のpH（文献値）と簡易懸濁液のpH（実測値）との比較

●配合変化により起こり得ること

同時懸濁による配合変化で，次のようなことが起こると考えられる。

❶ 薬剤の含量が低下

(1) 酸性／塩基性を示す薬剤との崩壊・懸濁

懸濁液が塩基性に傾く薬剤は，塩基性で不安定または分解されるような薬剤とは，同時に懸濁することはできない。それぞれ酸性と塩基性を示す薬剤を同時に崩壊・懸濁すると，pHに対する影響の強い薬剤の液性を示し，色調が変化したり，粘性が増加することがある（**表1**）。

色調の変化（褐色への変化が多い）は，有効成分の分解が強く疑われる。また，色調が変化しなくても分解されていることがあるので，有効成分の安定性に関する情報を収集し，配合変化の可能性を考える必要がある。

(2) 強い塩基性を示す酸化マグネシウムとの配合変化

酸化マグネシウムの懸濁液はpH10〜11と強い塩基性を示す。そのため，酸化マグネシウムを有効成分とする薬剤は，懸濁液中で配合変化を生じる可能性が高いので，他剤との同時懸濁は避け，単剤での簡易懸濁を行う。また，懸

表1 酸性または塩基性を示した内服薬を同時に懸濁したときのpHと外観変化

酸性 \ 塩基性	リスモダン®カプセル100mg [pH11.0]	クラリシッド®DS小児用10% [pH10.8]	マグミット®錠330mg [pH10.6]	テノーミン®錠50 [pH10.5]	セチロ® [pH10.4]	ケテック®錠300mg [pH10.1]	プリンペラン®錠5 [pH9.8]
パンスポリン®T錠200 [pH2.2]	2.6	2.3	9.2	3.3*	4.6	3.1*	2.2
プラビックス®錠75mg [pH2.3]	2.9	2.5	10.2	6.7	9.4	4.9	2.2
アカルディカプセル®1.25 [pH2.5]	3.2	2.7	10	5.4	4.7	4	2.6
シナール® [pH2.8]	3.7	3.3	10	5.4	8.5	4.3	2.9
ムコダイン®錠250mg [pH2.8]	3.5	3.2	10.4	5.4	7.2	3.8	3
ビブラマイシン®錠50mg [pH3.0]	7.4	3.9	10.5*	8.9	9.7	6.7	2.9
ジルテック®錠10 [pH3.2]	10.2	7.7	10.5	9.9	10.1	8	3.3
アンプラーグ®錠100mg [pH3.2]	4.6	10.1	9.9	8.2*	9.3	5.7	3.3

■:黄色〜褐色に変化　　□:析出・沈殿　　*:粘性増

濁液を単剤で投与する前後に，チューブ内で他の懸濁液との混合を避けるため，フラッシュを行う必要がある。

①レボドパ・カルビドパ水和物

酸化マグネシウム（マグミット®錠）とレボドパ・カルビドパ水和物（メネシット®錠）の懸濁液を絶えず撹拌した条件下では，レボドパの含量が30分後には約74％，60分後には約33％まで大きく低下した（図2）。これは，レボドパが塩基性下で酸化され重合しメラニンを形成するためで，懸濁液は徐々に褐色を呈する。

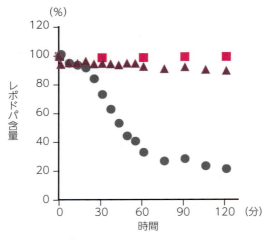

図2 メネシット®錠と酸化マグネシウムの簡易懸濁後における
レボドパ含量の変化

②抗菌薬

　酸化マグネシウム（マグミット®錠）とセフェム系抗菌薬のセファクロル（ケフラール®カプセル）との同時懸濁により含量の低下が確認されている（図3）。また，ペニシリン系抗菌薬のアモキシシリン（サワシリン®錠）や同じくセフェム系抗菌薬のセフジトレンピボキシル（メイアクト®錠）においても酸化マグネシウム（マグミット®錠）との同時懸濁で含量低下がみられている。これは，β-ラクタム環が加水分解を受けて，環が開くためで，これらの場合も色調の変化を伴う。レボドパやセフェム系抗菌薬と酸化マグネシウムを同時懸濁後，静置している場合には，有効成分含量の低下は少ない。したがって，配合変化による含量低下は，撹拌の程度に大きく影響を受ける。

③PPI

・ランソプラゾール

　プロトンポンプ阻害薬（PPI）のランソプラゾール（タケプロン®OD錠）は，胃酸で分解するため腸溶性製剤となっているが，酸化マグネシウム（マグミッ

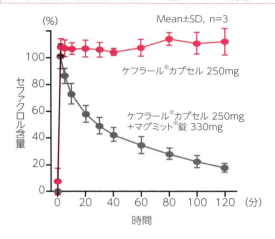

図3 ケフラール®カプセル 250mg とマグミット®錠 330mg の簡易懸濁法施行時におけるセファクロル含量の経時的変化

ト®錠）との同時懸濁により，懸濁液中で腸溶性顆粒の剤皮が溶解し，ランソプラゾールが溶出する．この懸濁液が経管投与され胃を通過した場合，胃酸でランソプラゾールは分解され，その後，小腸に到達した腸溶性顆粒からの溶出量は減少する．この現象は，タケプロン®OD錠とマグミット®錠を同時に懸濁した液を，USP溶出試験（pH1.0 の試験液に供した後，pH6.8 に調製後の溶出量を測定すること）で確認されている（図4）．

- エソメプラゾールマグネシウム水和物

　エソメプラゾールマグネシウム水和物（ネキシウム®カプセル）は，酸化マグネシウム（マグミット®錠）と同時懸濁し30分の放置後にUSPの溶出試験を行ったところ，pH6.8の試験液中では含量の約90％のエソメプラゾールが溶出した．すなわち，ネキシウム®カプセルに含まれる腸溶性顆粒からの溶出はわずかであり，酸化マグネシウムとの併用は30分以内であれば簡易懸濁法が可能であることが示された．一方，崩壊・懸濁後60分では，腸溶性顆粒の剤皮の損傷は大きく，pH6.8の試験液において，約60％の溶出にとどまった（図5）．

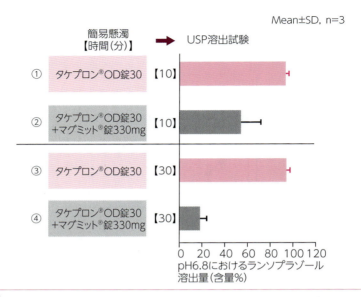

図4 マグミット®錠とタケプロン®OD錠30の簡易懸濁液のUSP溶出試験

・チューブの先端も考慮

　チューブの先端が胃内に留置されている場合は，経管投与後にランソプラゾールやエソメプラゾールが胃酸で分解されるが，一方，チューブ先端が十二指腸まで到達している場合はその問題がないため，同時懸濁での投与が可能である．

　なお，2015年上市されたボノプラザンフマル酸塩（タケキャブ®錠）は，胃

■ 配合変化

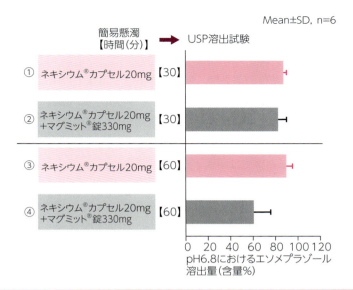

図5　マグミット®錠とネキシウム®カプセルの簡易懸濁液のUSP溶出試験

酸に安定なPPIであるため，簡易懸濁液が塩基性となる場合の選択薬として考えられる。

❷ 含量は低下しないが色調が変化

含量低下はみられないが，懸濁液が鮮やかな色調の変化を示す場合があり，これは金属イオンとのキレート形成によると考えられる。例えば，アスピリンと鉄では紫色を呈する。同時に懸濁していなくても，分包機による一包化で前

に分包した鉄剤のコンタミネーションにより，懸濁液が色を呈する場合もある。

❸ 薬剤が析出しチューブが閉塞

　弱酸性・弱塩基性医薬品は，塩酸やナトリウムなどの塩として製剤中に含まれている。このような医薬品と，**付録4**や**表1（191頁）**に示すような懸濁液が酸性・塩基性を示す薬剤との同時懸濁では，塩の外れた遊離型となるため溶解性が低下し析出する。このような状況では，8Fr. のチューブを通過するが，細い5Fr. のチューブでは閉塞する。

　フレカイニド酢酸塩（タンボコール®錠）と酸化マグネシウム（マグミット®錠）の同時懸濁では，フレカイニド酢酸塩はフレカイニドとなり析出する。フレカイニド酢酸塩単独の懸濁液に比べ同時懸濁液では，明らかに白い沈殿物が増大し（図6），5Fr. のチューブを閉塞する。なお，析出したフレカイニドは，胃内のpH下では溶解するので吸収への影響はないと考えられる（**Q43**参照）。

　細いチューブを使用している場合には，酸化マグネシウムを別に懸濁して投与する。なお，チューブ内でも両懸濁液が混ざった場合には，フレカイニドが析出し閉塞の原因となるので，必ず1つの薬剤投与後にはフラッシュする必要がある。このように，懸濁液中の沈殿量が増大する場合には，投与前にチューブの通過試験を行い，閉塞の有無を確認することでその閉塞の危険性を回避することができる。

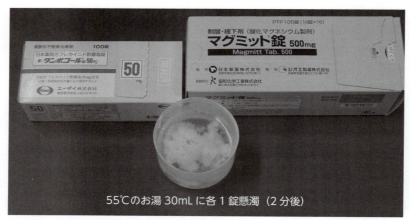

図6　崩壊・懸濁時に起こるタンボコール®錠とマグミット®錠との配合変化

❹ 薬剤の吸収率が低下

　吸収率の低下する配合変化の組み合わせには，内服薬の併用禁忌の薬剤が該当するので，経口投与時と同様の対応が必要である。

(1) 金属キレート形成

　Al，Mg，Fe，Ca，Zn 含有製剤との併用で金属キレートを形成し，吸収が阻害される医薬品を次頁の**表2**に示す。これら薬剤は別に懸濁し，数時間間隔をあけて投与する必要がある。

(2) 制酸剤

　吸着-水酸化アルミニウムゲル，水酸化マグネシウム（マーロックス®懸濁用配合顆粒），ショ糖硫酸エステルアルミニウム塩（スクラルファート水和物，アルサルミン®錠）などの制酸剤は，フェノキソフェナジン塩酸塩（アレグラ®錠）やセフジニル（セフゾン®カプセル），鉄剤，胆汁酸製剤，甲状腺ホルモン製剤を吸着し吸収量が低下するので，両薬剤は別に懸濁し投与間隔を2時間以上あける必要がある。

(3) プロドラッグ

　吸収促進のためにエステル化しているプロドラッグは，酸に比較的安定でも塩基性で加水分解しやすい特性をもつため，懸濁液が塩基性を呈する薬剤とプロドラッグの同時懸濁は吸収率の低下をもたらすかもしれない。したがって，これらは別々に投与する必要がある。

● 課題は情報の少なさ

　数種類の錠剤を粉砕して混合したときや，簡易懸濁法で懸濁したときの配合変化に関する情報は少ない。本項に挙げた例以外にも，懸濁時の配合変化により含量低下・吸収率低下を起こす場合や，有害物質を生成する場合があるかもしれない。したがって，色調や沈殿物量などの外観的な変化が生じた場合は，別々に懸濁して数時間の間隔をあけて投与することが勧められる。また，外観の変化を伴わない配合変化もある。今後の実験データの集積が待たれる。簡易懸濁法における配合変化に関する文献を次々頁の**表3**に挙げる。

（石田 志朗，岡野 善郎，新井 克明）

表2 金属キレート形成により吸収が阻害される薬剤

金属含有製剤	薬剤 分類	薬剤 一般名［商品名］	対応
Al, Mg, Fe, Ca, Zn 含有製剤	ビスホスホネート系骨代謝改善薬	アレドロン酸ナトリウム水和物［フォサマック，ボナロン］	別に懸濁し，30分間投与は避ける
		リセドロン酸ナトリウム水和物［アクトネル，ベネット］	別に懸濁し，30分間投与は避ける
		エチドロン酸二ナトリウム［ダイドロネル］	別に懸濁し，2時間投与は避ける
Al, Mg, Fe, Ca, Zn 含有製剤	抗リウマチ薬	ペニシラミン［メタルカプターゼ］	別に懸濁し，2時間以上あける
	テトラサイクリン系抗菌薬	ミノサイクリン塩酸塩［ミノマイシン］	別に懸濁し，2～4時間以上あける
		ドキシサイクリン塩酸塩水和物［ビブラマイシン］	
		テトラサイクリン塩酸塩［アクロマイシンV］	
	甲状腺ホルモン製剤	レボチロキシンナトリウム水和物［チラーヂンS］	別に懸濁しAl製剤を投与後：8時間・甲状腺ホルモン製剤投与後：4時間あける
			Ca製剤とは4時間・FeとZn製剤とは2時間以上あける
			Mg製剤との同時投与は可
	キノロン系抗菌薬	ノルフロキサシン［バクシダール］	別に懸濁し，キノロン系投与後2時間以上あける
		塩酸シプロフロキサシン［シプロキサン］	
		レボフロキサシン水和物［クラビット］	別に懸濁し，キノロン系投与後1時間以上あける
	免疫抑制剤	ミコフェノール酸モフェチル［セルセプト］	別に懸濁し，ミコフェノール酸モフェチル投与後2時間以上あける
Fe, Zn, Cu 含有製剤	セフェム系抗菌薬	セフジニル［セフゾン］	別に懸濁し，セフジニル投与後3時間以上あける
Ca 製剤	前立腺がん治療薬	エストラムスチンリン酸エステルナトリウム水和物［エストラサイト］	別に懸濁し，2時間以上あける

表 3　簡易懸濁法での配合変化に関する文献一覧

- 矢野勝子，竹澤　崇，望月俊秀，倉田なおみ，他：簡易懸濁法による薬剤経管投与時の主薬の安定性の検討．医療薬学，32（11）：1094-1099，2006
- 清水幸雄，柚原亜美，矢野勝子，他：簡易懸濁法におけるアルカリ性薬剤併用時の低用量アスピリンの安定性の検討．医療薬学 36（1）：31-36，2010
- 緒方文彦，川崎直人，林　友典，西浦早織，他：簡易懸濁法適用時におけるベシル酸アムロジピンを主成分とする製剤（先発品および後発品）の溶出量．医療薬学，36（12）：874-879，2010
- 小川　敦，河崎陽一，正岡康幸，他：バルガンシクロビルの簡易懸濁法適応に向けての基礎的研究；他剤同時懸濁時の安定性の検討．医療薬学，38（8）：534-539，2012
- 矢倉裕輝，柴田麻由，赤崎晶子，他：抗HIV薬の懸濁時における安定性に関する検討．医療薬学，38（10）：634-641，2012
- 小暮利和，菊池　誠，鷲澤尚宏，他：クエン酸第一鉄ナトリウム錠の投与法を変更して経管栄養カテーテルの閉塞を回避できた1例．静脈経腸栄養，25（2）：617-620，2010
- 木村公美，三橋真由美，奈良輪知也，他：簡易懸濁法におけるカペシタビンの安定性；調製液のpHと熱の影響．医療薬学，38（12）：751-756，2012
- Suryani Nelly, Sugiyama Erika, Kurata Naomi, Sato Hitoshi：Stability of Ester Prodrugs with Magnesium Oxide Using the Simple Suspension Method, 医療薬学, 39（6）：375-380，2013
- 長井紀章，緒方文彦，塚本あゆみ，他：デキストリン併用投与がクレメジン細粒経管投与時の低回収率およびチューブ詰まりに与える影響．薬局薬学 6（1）：22-27，2014
- 熊野智美，小野寺昭範，木村永一：簡易懸濁法における蘇葉含有漢方薬投与での注意点；他剤同時懸濁による液性の変化からの検討．漢方医薬学雑，22（2）：67-71，2014．
- 比知屋寛之，大澤大樹，川崎　奏，他：簡易懸濁法において崩壊懸濁液のpHが酸性を示す内服医薬品．薬事新報，2909：29-31，2015．
- 比知屋寛之，松澤大樹，大重吉俊，他：簡易懸濁法において崩壊懸濁液のpHが塩基性を示す内服医薬品．医学と薬学，73（2）：191-193，2016
- 比知屋寛之，大澤大樹，川崎　奏，他：簡易懸濁法において崩壊懸濁液のpHが中性を示す内服医薬品．薬事新報，2932：29-32，2016

Q41 配合変化がわからないため，粉砕法から簡易懸濁法に踏み切れないが，どうすればよい？

簡易懸濁法で考慮すべき配合変化の注意項目は，粉砕法で考慮すべき配合変化の注意項目とほとんど同じで，その項目数は粉砕法より少ないです。

粉砕法では，投与前に水に入れるときだけでなく，粉砕後に分包してから投与するまでの間は安定性の低下が問題となります。また粉砕後に混合していれば配合変化の危険にもさらされ続けています。そして，粉のまま投与できませんから，最後に水に懸濁して投与するまでの配合変化にも注意が必要です。一方，簡易懸濁法では投与前にお湯で崩壊・懸濁する10分間は安定性や配合変化に注意が必要ですが，そこで問題がなければ配合変化はクリアできます。簡易懸濁法は安定性や配合変化に関して粉砕法よりも有利な投与法であると考えられます。

● ○ ●

● 配合変化の危険性は粉砕法でも同じ

「配合変化がわからないので簡易懸濁法は採用できない」と，よく言われる。しかし，粉砕した薬剤を混合して一包化し，長期間にわたり保存する粉砕法のほうが，配合変化のリスクは大きい。簡易懸濁法では，薬剤一つひとつの実験を行い，粉砕・懸濁した薬剤の安定性と経管投与の可否を明確にしてきた。また，GMPに従って製造された錠剤の形で投与直前まで保存できる簡易懸濁法のほうが，粉砕法に比べ品質を保持することができる。

最終的には，粉砕法にしろ簡易懸濁法にしろ，水またはお湯に懸濁して投与する。むしろ今まで，懸濁時の安定性や配合変化について，粉砕法ではあまり問題視されていなかったことのほうが問題と考えられる。看護師や医療スタッ

フが安定性や配合変化に注目・考慮するようになったことも，簡易懸濁法の普及がもたらした成果といえる。

　粉砕法，簡易懸濁法のいずれにおいても，今後は複数の薬剤の懸濁時における安定性や配合変化を明確にしていく作業は残されている。それらの情報は注射薬の配合変化・安定性情報と同じように，製薬企業が新たに医薬品を発売するときに医療現場に公表していってほしい。

● 嚥下困難患者の投薬には薬剤師が積極的に関与

　嚥下困難患者への処方において，簡易懸濁法を行うのか，行わないのか，あるいは粉砕するのかなどの判断には薬剤師が積極的に関与するべきである。薬の専門家（化学者）であり科学者である薬剤師は，薬学的知識を最大限に活用し，粉砕もしくは簡易懸濁を実施する責任，あるいは実施しない責任を患者に対して負うということを念頭に，投与法を慎重に選ばなければならない。

● 医療現場と大学，製薬会社の協力・連携

　簡易懸濁法をすでに実施している施設では，施設で起こっている問題点や配合変化をこまめに収集・公開して，情報を共有するとよい。また，教育研究機関である大学は，設備・能力ある人材ともに恵まれているので，医療現場で起きた問題の原因究明と，そのための実験・研究を医療現場と協力して行い，エビデンスを作って臨床に還元するのが望ましい。

　製薬会社は，以前は医療者からの問い合わせに対し「簡易懸濁法の適否はわからない」との回答がほとんどであったが，質問に対して情報を提供することは問題ないとの厚生労働省の回答や，簡易懸濁法可否情報がインタビューフォームの備考欄に記載されるようになったことを受け，現在では多くの会社が簡易懸濁適否情報を提供するようになった（図）。今後も引き続き，簡易懸濁法に必要な薬剤の基本的な情報（物性としての粉砕の適否，簡易懸濁法の可否，チューブ通過性，崩壊・懸濁後の安定性，懸濁液のpH，成分が安定を保てる液性，製剤の特性など）を充実させて添付文書やインタビューフォームなどで公開し，新しい知見が出た場合には必要な情報が迅速に臨床の場に提供さ

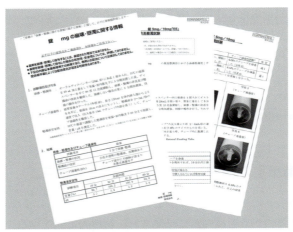

図 メーカーから提供された簡易懸濁法に関する情報

れることを期待する。

　このような役割分担が，病院・保険薬局，大学，製薬会社において行われることが望まれる[1]（76頁，図5）。そして，これらの情報をコーディネートする役割が日本服薬支援研究会と考える。

● 常に最新の情報を入手

　簡易懸濁法を行い実際に配合変化に遭遇した場合は，**Q42**を参考に自ら対応する。そして，未知の事象であれば一人で悩まず日本服薬支援研究会に投げかけて，大学への橋渡しなどを依頼することで，薬学的に明らかにする。医療には不明確な部分もたくさんある。粉砕法・簡易懸濁法にかかわらず，今ある情報を精査・選択し，最新の情報を常に入手するように心がける。日本服薬支援研究会の会員用メーリングリストはメディカルスタッフの日々の悩みに対応してくれる。そして，大学のみならず製薬会社，他施設・病院などとうまく連携できることもある。

文献

1) 新井克明：簡易懸濁法の今後の展望；簡易懸濁法 Up to Date．月刊薬事，48（7）：1067-1075，2006

（新井 克明）

■ 配合変化

配合変化の原因を調べる方法は？

簡易懸濁法で2種類以上の薬剤を崩壊・懸濁した際に確認される配合変化は，色が変わる・色が消えるなどの色調変化，浮遊物が現れるなどの異物出現，特異臭や刺激臭など，さまざまな事象により発見されます。そのような場合，筆者の施設では，以下の方法で原因を調べています。

(1) 処方と同じ薬剤で再度，簡易懸濁法を行い，再現性があるかを確認する。
(2) 再現性がある場合は，処方薬の簡易懸濁法適否や配合変化の情報を集める。また，実際に処方薬の崩壊・懸濁性とpHを測定する。
　①各薬剤の簡易懸濁法の適否情報を再確認する。
　②1薬剤単独で崩壊・懸濁し，それぞれの懸濁液の状態とpHを測定する。
　③2薬剤ずつ，すべての組み合わせで崩壊・懸濁し，懸濁液の状態とpHを確認する。
(3) 添付文書・インタビューフォームなどに記載されている配合変化情報を確認し，さらに水への溶解性，pH，構造式，製剤特性などを薬学的観点より調査し原因を考える。

● ● ○ ●

● チューブ閉塞の原因となった配合変化

　大洗海岸病院（以下，当院）では2005年2月に簡易懸濁法を導入した[1,2]（**Q3**参照）。簡易懸濁法導入後に，当院のトラブル情報収集活動で報告された事例のほとんどは，手技に関する問題や，簡易懸濁法適否の確認不足といったミスが原因だったが，1例だけ薬剤の配合変化が原因と思われる事例に遭遇した。その処方を**表1**に示す。

表1　配合変化が確認された処方例

Rp.		
バイアスピリン®錠 100mg *1	1錠/日	1×朝食後
ガスター®D錠 20mg	2錠/日	2×朝夕食後
タンボコール®錠 50mg	2錠/日	2×朝夕食後
重質酸化マグネシウム細粒 *2	2g/日	3×朝昼夕食後
		7日分

*1：バイアスピリン錠は粉砕
*2：重質酸化マグネシウム細粒はチューブ閉塞を起こしやすいが，明らかに今回の原因ではなかった

● 配合変化の原因を調べる

❶ 再現性の確認

配合変化の原因を明らかにするために，まず服薬タイミング毎に薬剤をまとめて崩壊・懸濁し，配合変化が起こるか確認したところ，朝食後・夕食後の処方で沈殿・浮遊物が発生した（図1）。

❷ 各薬剤単独の崩壊・懸濁性を確認

配合変化に再現性が認められたので，次に各薬剤単独の崩壊・懸濁性を調査

〈朝食後の処方〉　　　　　　　〈夕食後の処方〉

Rp. バイアスピリン®錠　100mg　　　Rp. ガスター®D　　　　20mg
　　ガスター®D錠　　　20mg　　　　　　タンボコール®錠　　50mg
　　タンボコール®錠　　50mg　　　　　　酸化マグネシウム　0.67g
　　酸化マグネシウム　0.67g
　　　　pH 7.5　　　　　　　　　　　　　　pH ＞8.5

図1　処方内容を再現した場合の懸濁性
〔新井克明：簡易懸濁法の今後の展望：簡易懸濁法 Up to Date. 月刊薬事 48（7）:1070, 2006 より引用〕

■ 配合変化

粉砕したバイアスピリン®錠
100mg

ガスター®D錠
20mg

タンボコール®錠
50mg

酸化マグネシウム
0.67g

図2 各薬剤単独の懸濁性

したが，問題はみられなかった（**図2**）。個々の薬剤の崩壊・懸濁性に問題がなかったことから，今回の事象は配合変化であると考え，当該処方の薬剤を2種類ずつ組み合わせて懸濁し，配合変化の原因について調査を行った。

❸ 2薬剤ずつ組み合わせて崩壊性・懸濁性とpHを確認

各薬剤を2種類ずつ懸濁したところ，タンボコール®錠（フレカイニド酢酸塩）と重質酸化マグネシウム細粒の組み合わせのみ，白色沈殿・浮遊物が発生した。この溶液のpHを確認したところ8.0だった。しかし，タンボコール®錠を含む懸濁液でもpH6.0，pH6.5では沈殿がみられなかった（**表2**）。

表2 配合変化のあった処方中の薬剤を2種類ずつお湯に入れて撹拌した時の懸濁性

	バイアスピリン®錠（アスピリン）	ガスター®D錠（ファモチジン）	タンボコール®錠（フレカイニド酢酸塩）	重質酸化マグネシウム細粒
バイアスピリン®錠（アスピリン）		○ pH = 5.0	○ pH = 6.0	○ pH = 7.0
ガスター®D錠（ファモチジン）	○ pH = 5.0		○ pH = 6.5	○ pH > 8.5
タンボコール®錠（フレカイニド酢酸塩）	○ pH = 6.0	○ pH = 6.5		× pH = 8.0
重質酸化マグネシウム細粒	○ pH = 7.0	○ pH > 8.5	× pH = 8.0	

○：懸濁性良好　×：懸濁性不良（沈殿，浮遊物）
タンボコール®錠と重質酸化マグネシウム細粒の組み合わせで白色沈殿・浮遊物が発生し，その溶液のpHは8.0。しかし，タンボコール®錠を含む懸濁液でも，pH6.0，pH6.5では沈殿がみられなかった

Q42 配合変化の原因を調べる方法は？

XIII．備考

〈別表〉
1. pH変動試験
タンボコール静注50mg 4管に対し、酸・アルカリ溶液を添加し、変化を見た。

規格pH	試料pH	0.1mol/L塩酸 mL (A) 0.1mol/L水酸化ナトリウム mL (B)	最終pH又は 変化点pH	移動指数	変化所見
5.3〜5.9	5.6	(A) 0.5mL	5.4	0.2	微量の浮遊物
		(B) 2.0mL	7.3	1.7	白濁、白色沈殿

2. 配合時の注意
タンボコール静注50mgは配合変化の比較的多い薬剤である。特に弱アルカリ性〜アルカリ性及び塩化物を含む薬剤との配合は不安定で、白濁〜ゲル化変化することがある。アルカリ性薬剤及び塩化物を含む輸液等との配合は避けること。希釈する場合は、生理食塩液を使わずブドウ糖液で行うこと。

図3 タンボコール®静注50mgの医薬品インタビューフォーム（改訂第10版）のpH変動試験

❹ **インタビューフォーム情報を確認**

タンボコール®注射剤のインタビューフォームで配合変化情報（図3）を確認したところ、フレカイニドはpH7.3付近で白濁沈殿が発生し、アルカリ溶液中では白濁〜ゲル状になることがわかった。

● 同一成分の他剤でも実験

重質酸化マグネシウム細粒はもともとチューブ通過性が悪いため、チューブ通過性の良い同一成分のマグミット®錠を採用している施設も多い。そこで、マグミット®錠についても同じ実験を行ったところ、重質酸化マグネシウム細粒と同様にタンボコール®錠との配合変化がみられた。ここまでの検証は病院内で行うことができるが、当院にpHメーターがないため、検査科にある尿のpH試験紙を利用して前述の実験を行った。

● 機器を用いた検証

さらに、マグミット®錠とタンボコール®錠を組み合わせた懸濁液の濾液の紫外可視吸収スペクトルを大学の協力を得て測定した（図4）。測定の結果、タンボコール®錠単独の濾液に認められる296nm付近の極大吸収がタンボコー

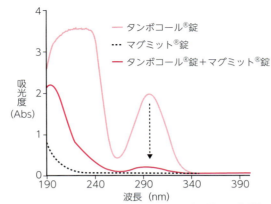

方法：各錠剤1錠を55℃水道水30mLに懸濁。遠心・濾過後に5倍希釈し吸光度測定
タンボコール®錠単独の濾液に認められる296nm付近の極大吸収がタンボ
コール®錠＋酸化マグネシウム懸濁液の濾液ではほとんど認められなかった

図4　簡易懸濁液上清中の吸光度変化

ル®錠＋マグミット®錠の濾液ではほとんど認められず，フレカイニドが沈殿・浮遊物側に存在していることが明らかになった。

この事象で沈殿した薬剤はフレカイニドであり，酸化マグネシウムにより液性がアルカリ側に傾いたために，フレカイニドが析出して白色沈殿と浮遊物が生じたと考えられる。そして，沈殿物を生じるか否かの境界値はpH6.5〜8.0の間だった。この沈殿・浮遊物の投与の適否については **Q44** を参照されたい。

文献

1) 新井克明：簡易懸濁法による内服薬配合変化の一例．薬剤業務支援CD-ROM，全日本薬剤業務研究会，2006
2) 新井克明：簡易懸濁法導入の効果と問題点．医薬ジャーナル，42（3）：991-998，2006
3) 新井克明：簡易懸濁法の今後の展望；簡易懸濁法UptoDate．月刊薬事，48（7）：1067-1075，2006

（新井　克明）

Q43 タンボコール®錠とマグミット®錠を一緒に懸濁したら、浮遊物が発生したが、大丈夫か？

A 発生した浮遊物は、タンボコール®錠の成分であるフレカイニド酢酸塩の酢酸が外れ、フレカイニドが析出したもので、8Fr. 以上の経管栄養チューブであれば通過します。また、フレカイニドの成分は分解されたわけではないので、胃内に入れば環境が酸性となり溶出・吸収されると考えられます。したがって、これらの薬剤の併用投与は可能ですが、閉塞のリスクを考慮すると、臨床現場では避けるべきでしょう。

・ □ ・

● 浮遊物の正体と簡易懸濁法の可否

タンボコール®錠（フレカイニド酢酸塩）とマグミット®錠（酸化マグネシウム）を同時に懸濁すると、タンボコール®錠の成分であるフレカイニドが析出して沈殿・浮遊物が発生する（図1）。これは、マグミット®錠により懸濁

タンボコール®錠＋マグミット®錠の配合変化
図1 析出したフレカイニド

液が強アルカリ性になったために酢酸塩が外れフレカイニドが析出したものであり，成分が分解したわけではない。

筆者らが *in vitro* の条件下で実験を行った結果，pH を酸性側にすることで沈殿・浮遊物は再度溶解し，成分のフレカイニドを回収することができた（図2）。フレカイニドは投与後胃内に入ってすぐに溶解し，通常の動態と同じ経路をたどると考えられるため，薬効にもほとんど影響がないと推測される。また，これらの沈殿・浮遊物は 8Fr. 以上のチューブを通過するので（表），タンボコール®錠とマグミット®錠の併用投与は可能だと考えられる。

ただし，複数の薬剤や粒子の大きな薬剤も同時に懸濁する場合などはチューブが閉塞する危険性が高まるため，アルカリ性の強いマグミット®錠は常に，別に崩壊・懸濁するほうがよいと考える。

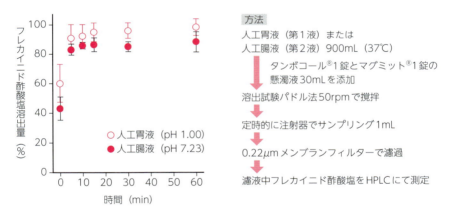

図2 懸濁液に含まれるフレカイニド酢酸塩沈殿物の人工胃液・腸液中での溶出性

表 懸濁液の経管栄養チューブ通過試験

外径 \ 試験回	1	2	3
5Fr.	×	△	△
8Fr.	○	○	○

評価：×（不通） △（通過難） ○（通過）
方法：タンボコール®錠 50mg とマグミット®錠 330mg の各 2 錠を 55℃のお湯 30mL とともに注入器に入れて薬剤を懸濁し，10分後にチューブ（日本シャーウッド社製）の通過性試験を実施

● 酸化マグネシウム細粒による配合変化とチューブ閉塞

　本項で紹介した例のように，多種類の薬剤を服薬している患者に，アルカリ性の強い酸化マグネシウムが処方されている場合は，pH が変動して配合変化を起こす可能性が高くなるため，酸化マグネシウム製剤を別の注入器で投与するほうがより安全である．また，マグミット®錠のような錠剤なら粒子が細かいので 8Fr. のチューブを通過するが，粒子の大きい細粒では細粒自体がチューブに詰まりやすいため，経管投与の場合には細粒は使用せずに，錠剤を使用する．

文献

1) 新井克明：簡易懸濁法による内服薬配合変化の一例．薬剤業務支援 CD-ROM，全日本薬剤業務研究会，2006

（新井 克明）

■配合変化

Q44 塩化ナトリウム（NaCl）を入れると錠剤が懸濁しなくなるが，どうすればよい？

A 塩化ナトリウムと一緒に入れると崩壊・懸濁しない錠剤やカプセル剤があるので注意します。食塩を経管投与するには，栄養剤に混ぜるなどの方法があります。

●なぜ錠剤が懸濁しなくなるのか？

　吉富らが，塩化ナトリウム溶液による錠剤の崩壊・懸濁性への影響について報告している[1]（表）。単独では崩壊・懸濁性が良いのに塩化ナトリウムと混合すると悪くなるのは，錠剤のフィルムコートなどに使用されている添加物のヒプロメロース（ヒドロキシプロピルメチルセルロース；HPMC）による塩析の影響と推定される。

　錠剤だけでなくカプセル剤でも，崩壊・懸濁しない薬剤がある。例えば，ネキシウム®カプセルは，塩化ナトリウム存在下ではカプセルが崩壊・懸濁しない。ネキシウム®のカプセルはゼラチン製ではなく，ヒプロメロース製であるため，塩析により崩壊・懸濁性に影響したものと推定される。

●塩化ナトリウムはどうやって投与すればよいのか？

❶ 食塩を直接投与してはどうか？

　では，塩化ナトリウムを投与したい場合はどうすればよいのか？　食塩1gを20mLの水で溶解させて注入したときに，腸炎を生じた例が報告されている[2]。生理食塩水は0.9％である。したがって食塩1gを約100mL以下の水で溶かすと，ヒトにとって高浸透圧の溶液となる。

表 塩化ナトリウム液中での錠剤の崩壊・懸濁性

商品名	水（約55℃）				10% NaCl（約55℃）				20% NaCl（約55℃）			
	5分	10分	15分	15分後の評価	5分	10分	15分	15分後の評価	5分	10分	15分	15分後の評価
オーグメンチン錠	++	++	+++	○	−	−	−	×	−	−	−	×
ガチフロ錠100mg	+	+	+++	○	−	−	−	×	−	−	−	×
クラビット錠100mg	++	++	+++	○	−	−	−	×	−	−	−	×
クラリシッド錠200mg	+++	+++	+++	○	++	++	+++	○	−	++	++	○
クラリス錠50小児用	++	+++	+++	○	++	++	+++	○	++	++	++	○
クラリス錠200	+++	+++	+++	○	++	++	++	○	++	++	++	○
サワシリン錠250	++	++	+++	○	++	++	++	○	++	++	+++	○
ジスロマック錠250mg	+++	+++	+++	○	++	++	+++	○	−	++	++	×
タリビッド錠(100mg)	++	+++	+++	○	−	−	−	×	−	−	−	×
トミロン錠100	++	+++	+++	○	−	−	−	×	−	−	−	×
バクシダール錠100mg	++	++	++	×	+	++	++	×	−	−	+	×
バクタ錠	+++	+++	+++	○	++	+++	+++	○	+	+	++	×
パセトシン錠250	+++	+++	+++	○	−	−	−	×	−	−	−	×
バナン錠(100mg)	++	+++	+++	○	++	++	++	○	−	−	−	×
ファロム錠150mg	+	+	+	−	−	−	−	×	−	−	−	×
フロモックス錠75mg	++	++	++	−	−	−	−	×	−	−	−	×
フロモックス錠100mg	++	++	++	−	−	−	−	×	−	−	−	×
ミノマイシン錠100mg	++	++	++	○	++	++	++	○	−	−	−	×
メイアクト錠100	+++	+++	+++	−	−	−	−	×	−	−	−	×
パナルジン錠(100mg)	++	++	++	×	−	−	−	×	−	−	−	×
ムコダイン錠500mg	++	++	+++	○	++	++	++	○	++	++	++	○
ラシックス錠40mg	+++	+++	+++	○	++	+++	+++	○	++	++	++	○
ロキソニン錠60mg	++	++	++	×	+	+	+	×	+	+	+	×

−：変化なし　+：周囲に白いモヤモヤが出現　++：部分的に崩壊・懸濁　+++：完全に崩壊・懸濁
×：残留物が原形を残しディスペンサー通過不可
○：残留物が原形を残さず，ディスペンサー通過可
色字：NaCl溶液中で顕著に崩壊・懸濁が困難になった薬剤
□：抗菌薬

（吉富博則，他：簡易懸濁法の問題点．第37回日本薬剤師会学術大会講演要旨集，p.176，2004より引用）

❷ どうやって投与したらいいか？

　食塩を経管投与するには，（A）錠剤・カプセルが懸濁した後に混ぜるか，（B）栄養剤に混ぜるか，（C）栄養剤投与前後の水に溶解して投与するかが挙げられる．Aの場合，錠剤・カプセルの崩壊・懸濁には影響しないが，❶のように溶解する水の量が問題となる．

　また，Bのように栄養剤に食塩を入れると塩析が起きる可能性があるため，大量の食塩を混ぜる場合には注意が必要である[3]が，倉田らの実験では食塩5gを栄養剤100mLに入れてもチューブを閉塞させるほど著しく粘度が増すことはなかった[4]．したがって少量の塩化ナトリウムを栄養剤に混ぜることは臨床上のデメリットを生じることはないと考えられる[5]．しかし塩析の可能性を回避するのであればCの方法もある．

文献

1) 吉富博則，他：簡易懸濁法の問題点　第37回日本薬剤師会学術大会講演要旨集，p.176，2004
2) 森川充洋，泉 俊昌，藤岡雅子，林 泰生，恩地英年，山口明夫：経空腸瘻投与の高張食塩水が原因と思われた限局性小腸炎の1例．日臨外会誌，68（7）：1723-1726，2007
3) 倉本敬二：経腸（経管）栄養療法施行時の薬物療法の留意点．月刊薬事，47（9）：53-61，2005
4) 倉田なおみ：【PEG最前線】薬剤投与からみたPEG．静脈経腸栄養，29（4）：981-987，2014
5) 賀勢泰子：簡易懸濁法の留意点—配合変化を中心に；簡易懸濁法 Up to Date．月刊薬事，48（5）：723-730，2006

（輿石 徹）

鉄剤と同時に懸濁すると
問題になる薬剤はあるか？

 鉄剤と同時に懸濁することで，金属キレートが形成され吸収が阻害される薬剤や，吸着などにより吸収が阻害される薬剤があります。

● 同時懸濁に気を付けたい薬剤

　鉄剤と同時に懸濁すると問題になる代表的な薬剤と対応策の例を**表**に示す。これ以外にも制酸剤と併用することで，制酸剤との物理的吸着による吸収阻害，または難溶性の鉄重合体が形成されることによる吸収阻害が報告されている[1]。また，甲状腺ホルモン製剤（難溶性の複合体形成）やペニシラミン製剤（金属キレート形成）との併用によっても吸収が阻害される。一方，制酸剤との併用による臨床上の影響は少ないとの報告もあるが[2]，添付文書上，これらの薬剤とは別々に懸濁し，投与間隔をあける必要がある。

文献
1) 藤田孟, 他：鉄化合物の物性からみた鉄の腸管吸収機構へのアプローチ．医学のあゆみ，87（13）：711-716，1973
2) 水上恵美, 他：鉄剤と各種制酸剤の相互作用の検討．医療薬学，28（6）：559-563，2002

（安藤 哲信）

**表　鉄剤との同時懸濁で金属キレートを形成する代表的な薬剤と対応策
（添付文書に投与間隔の記載があるもの）**

分類	一般名（商品名）	対応策
ニューキノロン系抗菌薬	レボフロキサシン水和物（クラビット）	別々に懸濁し，クラビットを投与後，1～2時間以上投与間隔をあける
	メシル酸ガレノキサシン（ジェニナック）	別々に懸濁し，ジェニナックを投与後，2時間以上投与間隔をあける
セフェム系抗菌薬	セフニジル（セフゾン）	別々に懸濁し，セフゾンを投与後，3時間以上投与間隔をあける
テトラサイクリン系抗菌薬	ミノサイクリン塩酸塩（ミノマイシン）	別々に懸濁し，両剤の投与間隔を2～4時間以上あける
パーキンソニズム治療薬	レボドパ・カルビドパ・エンタカポン（スタレボ）	別々に懸濁し，スタレボを投与後，2～3時間以上投与間隔をあける
末梢COMT阻害薬	エンタカポン（コムタン）	別々に懸濁し，コムタンを投与後，2～3時間以上投与間隔をあける
ビスホスホネート系骨代謝改善薬	アレンドロン酸ナトリウム（フォサマック）	別々に懸濁し，フォサマックを投与後，30分以上投与間隔をあける
	エチドロン酸二ナトリウム（ダイドロネル）	別々に懸濁し，ダイドロネルを投与後，2時間以上投与間隔をあける
ウィルソン病治療薬	塩酸トリエンチン（メタライト）	別々に懸濁し，鉄剤を投与後，2時間以上投与間隔をあける

光に不安定な薬剤を簡易懸濁法で投与する際の注意点は？

 光に不安定な薬剤は崩壊・懸濁時に含有量が低下する可能性があるため，できるだけ投与直前に懸濁して，光の曝露を避けるようにします。また，懸濁に時間のかかる薬剤は，崩壊中の含量低下を防止するために遮光した器具や遮光袋の使用が推奨されます。一方，光に不安定な薬剤を粉砕した場合は，粉砕してから水に入れて投与するまでの長期間，遮光する必要があります。

● 遮光による薬物量の維持

　光に不安定な薬剤としてビタミン製剤，ニューキノロン系抗菌薬や降圧薬のニフェジピン製剤がよく知られている。

　図1は，光に不安定なメチコバール®錠500μg（メコバラミン）を用いて簡易懸濁法を行ったときの主薬含有量を示している。遮光せずに放置すると，

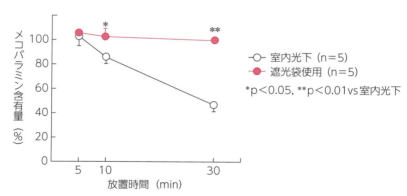

図1　室内光下と遮光袋を使用したときのメコバラミン含有量
〔座間味義人，安藤哲信：光に不安定な薬は簡易懸濁法で投与できる？　薬局，60（8）：2928，2009 より改変〕

10分間放置では約80％に，30分放置では約50％に含有量が減少した。それに対して遮光袋に入れて崩壊・懸濁すると（図2），放置時間が長くなっても薬物量は減少しなかった。したがって，光に対して不安定な薬剤でも，遮光袋を使用すれば経管投与が可能となる。図3のようにあらかじめ遮光された器具もある。

薬剤を注入器に入れ，お湯を吸い取る

キャップをした注入器を遮光袋に入れる

遮光袋の中で崩壊・懸濁させる

図2　遮光袋を用いた遮光の仕方

簡易懸濁法容器「けんだくん」 アダプターキャップ付

【連絡先】エムアイケミカル株式会社　tel：072-781-1000

図3 その他の遮光器具

文献

1) 座間味義人，安藤哲信：光に不安定な薬は簡易懸濁法で投与できる？　薬局，60（8）：2925-2928，2009

（座間味 義人，安藤 哲信）

■ 注意を要する薬効群

注意を要する薬効群

抗悪性腫瘍薬を経管投与するのに，良い方法はあるか？

抗悪性腫瘍薬は簡易懸濁法により投与できますが，その際に必要なのが，ケミカルハザードへの対応です。患者自身が経管投与できるのが望ましいのですが，多くの場合は介護者により投与されます。投与にあたっては，マスク，手袋，ガウンなどを使用し，抗悪性腫瘍薬からの曝露をできるだけ避け，注入器などの機器は使い捨てにします。懸濁中の注入器なども机上に直接置かず，常に専用トレーなどの中に入れるようにします。

■　□　■

● 抗悪性腫瘍薬の取り扱い

　欧米では，抗悪性腫瘍薬を取り扱う医療従事者での職業性曝露の危険性について，1970年後半から警告的内容の報告がなされ，その取り扱いに関するガイドラインが1980年後半から1990年にかけて制定された。

　一方，わが国では1991年に日本病院薬剤師会がガイドライン（抗悪性腫瘍剤の院内取扱い指針）を作成し1994年に見直され，その後2005年に「抗悪性腫瘍剤の院内取扱い指針　抗がん薬調製マニュアル」として上梓され，2009年，2014年，2019年と改訂され現在第4版[2]が発行されている。また，日本医療機能評価ver.6においても，薬剤師のがん化学療法への参画が評価項目として明確になった。

　最近は抗悪性腫瘍薬を取り扱う調製者・看護師の尿中抗悪性腫瘍薬濃度や，環境からの抗悪性腫瘍薬検出について報告がなされ，その曝露が大きく問題視されるようになっている。しかし，これらの研究の多くは注射剤が対象である。

内服薬に関しては，調製時や投与時の曝露に関するデータがあまりみられない。「抗悪性腫瘍薬の院内取扱い指針　抗がん薬調製マニュアル　第4版」では，文献を元に内服薬を含む抗悪性腫瘍薬の取扱い危険度を示した付録表を掲載しているので，参考にして取り扱うとよい。簡易懸濁法により経管投与可能な抗悪性腫瘍薬を**表1**に示す。

● 在宅での注意事項

❶ がん患者の全身状態と抗悪性腫瘍薬投与

がん患者の全身状態を表す指標として，ECOG（Eastern Cooperative Oncology Group）が提唱するPerformance Status（PS，パフォーマンス・ステータス）がある[1]。これは，がん患者の生存状態をPS0〜PS4の5段階で評価するもので（**表2**），通常，PS0〜PS2ががん薬物療法の対象となる。しかし，PS3でも消化管が使用できないなどの理由で栄養摂取のために胃瘻が造設され，内服の抗悪性腫瘍薬が胃瘻から投与される場合がある。投与法を検討する前に，全身状態の悪いPS3の患者に抗悪性腫瘍薬を投与すべきかを薬学的に判断する必要がある。

❷ 抗悪性腫瘍薬投与時の介護者への曝露

（1）投与時の曝露

介護者が抗悪性腫瘍薬を投与している場合は，介護者への曝露が懸念され，そのため抗悪性腫瘍薬ならではの準備が必要となる。さらに，介護者が高齢であることも多いため，介護者の視力が低下していたり，指先などの運動能力が低下していたりすることが考えられ，薬剤に曝露する危険性が一層高まる。

（2）排泄物による曝露

患者家族には投与時の曝露だけでなく，排泄物を通じた曝露についても説明する必要がある。ただし，体から排泄される時点で毒性はかなり弱くなっていると思われるため，家族が神経質になり過ぎないように配慮する必要もある。

参考までに，米国がん看護協会（ONS）では，抗悪性腫瘍薬投与後の患者に関する廃棄物の取り扱いを決めており，抗悪性腫瘍薬投与後48時間以内の患者の体液や排泄物は，抗悪性腫瘍薬が混入しているものとして扱う，としている。具体的には，①化学療法後48時間以内はトイレにフタをして2回流す，

■ 注意を要する薬効群

表1 内服抗悪性腫瘍薬の崩壊懸濁試験および通過性試験結果の一覧表

No.	薬品名	崩壊懸濁試験結果	通過性試験結果	最終評価	No.	薬品名	崩壊懸濁試験結果	通過性試験結果	最終評価
1	(後) アナストロゾール錠 1mg「EE」	○	○	適1	21	アリミデックス錠 1mg	○	○	適1
2	(後) アナストロゾール錠 1mg「F」	○	○	適1	22	アロマシン錠 25mg	○	○	適1
3	(後) アナストロゾール錠 1mg「FFP」	○	○	適1	23	イレッサ錠 250mg	○	○	適1
					24	インライタ錠 1mg	○	○	適1
4	(後) アナストロゾール錠 1mg「JG」	○	○	適1	25	インライタ錠 5mg	○	○	適1
5	(後) アナストロゾール錠 1mg「KN」	○	○	適1	26	(後) エキセメスタン錠 25mg「NK」	○	○	適1
6	(後) アナストロゾール錠 1mg「NK」	○	○	適1	27	(後) エキセメスタン錠 25mg「テバ」	○	○	適1
7	(後) アナストロゾール錠 1mg「NP」	○	○	適1	28	(後) エスエーワン配合カプセル T20	○	○	適1
8	(後) アナストロゾール錠 1mg「SN」	○	○	適1	29	(後) エスエーワン配合カプセル T25	○	○	適1
9	(後) アナストロゾール錠 1mg「ケミファ」	○	○	適1	30	(後) エヌケーエスワン配合カプセル T20	○	○	適1
10	(後) アナストロゾール錠 1mg「ザイダス」	○	○	適1	31	(後) エヌケーエスワン配合カプセル T25	○	○	適1
					32	グリベック錠 100mg	○	○	適1
11	(後) アナストロゾール錠 1mg「サワイ」	○	○	適1	33	グルカロン錠 187.5mg	○	○	適1
12	(後) アナストロゾール錠 1mg「サンド」	○	○	適1	34	クレスチン細粒	○	○	適1
13	(後) アナストロゾール錠 1mg「テバ」	○	○	適1	35	サレドカプセル 100mg	○	○	適1
14	(後) アナストロゾール錠 1mg「トーワ」	○	○	適1	36	サレドカプセル 50mg	○	○	適1
15	(後) アナストロゾール錠 1mg「マイラン」	○	○	適1	37	スーテントカプセル 12.5mg	○	○	適1
16	(後) アナストロゾール錠 1mg「日医工」	○	○	適1	38	ステロジンカプセル 200mg	○	○	適1
					39	スプリセル錠 20mg	○	○	適1
17	(後) アナストロゾール錠 1mg「明治」	○	○	適1	40	スプリセル錠 50mg	○	○	適1
					41	ゼローダ錠 300	○	○	適1
18	アフィニトール錠 5mg	○	○	適1	42	タイケルブ錠 250mg	○	○	適1
19	アフィニトール錠 2.5mg	○	○	適1	43	タシグナカプセル 150mg	○	○	適1
20	アフィニトール分包散 3mg	○	○	適1	44	タシグナカプセル 200mg	○	○	適1

(次頁につづく)

Q47 抗悪性腫瘍薬を経管投与するのに，良い方法はあるか？

No.	薬品名	崩壊懸濁試験結果	通過性試験結果	最終評価	No.	薬品名	崩壊懸濁試験結果	通過性試験結果	最終評価
45	(後) タモキシフェン錠 10mg「日医工」	○	○	適1	66	(後) ビカルタミド錠 80mg「サワイ」	×	−	不適
46	(後) タモキシフェン錠 20mg「日医工」	○	○	適1	67	(後) ビカルタミド錠 80mg「サンド」	×	−	不適
47	(後) タモキシフェン錠 10mg「明治」	○	○	適1	68	(後) ビカルタミド錠 80mg「タイヨー」	×	−	不適
48	(後) タモキシフェン錠 20mg「明治」	○	○	適1	69	(後) ビカルタミド錠 80mg「トーワ」	○	○	適1
49	タルセバ錠 100mg	○	○	適1	70	(後) ビカルタミド錠 80mg「マイラン」	×	−	不適
50	タルセバ錠 150mg	○	○	適1	71	(後) ビカルタミド錠 80mg「明治」	○	○	適1
51	タルセバ錠 25mg	○	○	適1	72	(後) ビカルタミド錠 80mg「F」	○	○	適1
52	ティーエスワン配合カプセル T25	○	○	適1	73	(後) ビカルタミド錠 80mg「KN」	○	○	適1
53	ティーエスワン配合顆粒 T20	○	○	適1	74	(後) ビカルタミド錠 80mg「TCK」	○	○	適1
54	ティーエスワン配合OD錠 T20	○	○	適1	75	(後) ビカルタミド錠 80mg「日医工」	○	○	適1
55	ティーエスワン配合OD錠 T25	○	○	適1	76	フェアストン錠 60mg	○	○	適1
56	テモダールカプセル 100mg	○	○	適1	77	フェマーラ錠 2.5mg	○	○	適1
57	テモダールカプセル 20mg	○	○	適1	78	フトラフールカプセル 200mg	○	○	適1
58	(後) トレミフェン錠 40mg「サワイ」	○	○	適1	79	(後) フルタミド錠 125mg「KN」	○	○	適1
59	(後) トレミフェン錠 60mg「サワイ」	○	○	適1	80	(後) フルタミド錠 125mg「マイラン」	○	○	適1
60	ネクサバール錠 200mg	×	−	不適	81	フルダラ錠 10mg	○	○	適1
61	(後) ビカルタミド錠 80mg「NK」	○	○	適1	82	ペラゾリン細粒 400mg	○	○	適1
62	(後) ビカルタミド錠 80mg「NP」	○	○	適1	83	マブリン散 1%	○	○	適1
63	(後) ビカルタミド錠 80mg「あすか」	○	○	適1	84	ユーゼル錠 25mg	○	○	適1
64	(後) ビカルタミド錠 80mg「アメル」	○	○	適1	85	ロイケリン散 10%	○	○	適1
65	(後) ビカルタミド錠 80mg「ケミファ」	×	−	不適	86	ロイコボリン錠 25mg	○	○	適1
					87	ロイコボリン錠 5mg	○	○	適1

注) 内服経管投与ハンドブックの「適2」は不適とした。

〔村上雅裕, 他：経口抗がん薬における簡易懸濁法の適応可否に関する検討. 社会薬学, 35 (1)：34-37, 2016 より引用〕

表2 ECOGのPerformance Status（PS）

Score	定義
0	全く問題なく活動できる。 発病前と同じ日常生活が制限なく行える。
1	肉体的に激しい活動は制限されるが，歩行可能で，軽作業や座っての作業は行うことができる。 例：軽い家事，事務作業
2	歩行可能で自分の身の回りのことはすべて可能だが作業はできない。 日中の50％以上はベッド外で過ごす。
3	限られた自分の身の回りのことしかできない。 日中の50％以上をベッドか椅子で過ごす。
4	全く動けない。 自分の身の回りのことは全くできない。 完全にベッドか椅子で過ごす。

（Common Toxicity Criteria, Version2.0 Publish Date April 30, 1999
http://ctep.cancer.gov/protocolDevelopment/electronic_applications/docs/ctcv20_4-30-992.pdf
JCOGホームページ http://www.jcog.jp/ より引用）

② 48時間以内は性交渉を避ける，などとしている。

❸ 抗悪性腫瘍薬曝露回避のための準備

　在宅で抗悪性腫瘍薬を経管投与するために必要な準備として，第1に患者・介護者への抗悪性腫瘍薬曝露の危険性に関する情報提供，第2に薬剤投与のための手袋，マスク，ゴーグル・めがね，エプロンなどの準備が挙げられる。

　曝露の相対的な危険性は，日本病院薬剤師会作成の「抗がん薬の取扱い基準」に準じてランクⅠ＞Ⅱ＞Ⅲの順（**表3**）と考えるとよい。ただし，Ⅲであっても薬剤の性格上，細心の注意が必要である。また，Ⅳは毒性が不明であるため同様の注意が必要である。

　簡易懸濁法の手技は，カップを利用したカップ法と，カテーテルチップなどを利用したシリンジ法に大きく分類される。抗悪性腫瘍薬を経管投与する場合は，曝露を最小限にとどめるため，原則としてシリンジ法を用いるべきである。

表3 抗悪性腫瘍薬の取扱い基準

危険度	判定基準
Ⅰ	①毒薬指定となっているもの ②ヒト催奇形性または発がん性が報告されているもの ③ヒトで催奇形性または発がん性が疑われるもの 上記のいずれかに該当するもの
Ⅱ	①動物実験において催奇形性，胎児毒性または発がん性が報告されているもの ②動物において変異原性（in vivo あるいは in vitro）が報告されているもの 上記のいずれかに該当し，Ⅰに該当しないもの
Ⅲ	変異原性，催奇形性，胎児毒性または発がん性が極めて低いか，認められていないもの
Ⅳ	不明（変異原性試験，催奇形性試験または発がん性試験が実施されていないか，結果が示されていないもの）

〔遠藤一司，他：抗悪性腫瘍薬の院内取扱い指針　抗がん薬調製マニュアル第4版（日本病院薬剤師会・監），じほう，2019 より引用〕

● 器具の交換時期と廃棄方法

　手袋，マスクは抗悪性腫瘍薬が付着する可能性が高いため，毎回交換する。その他の器具・資材に関しても，経済的に難しいかもしれないが，毎回の交換が理想である。また，本来ならばエプロンも毎回交換すべきだが，汚染がなければ数日程度で交換するとよい。ただし，再使用時や保管の際には，エプロン表面に触れないよう注意する必要がある。また，ゴーグルやめがねは使用後にウェットティッシュで拭くとよい。

　抗悪性腫瘍薬の調製時に生じたゴミはすべて医療廃棄物として処理する。医療廃棄物の処理方法は，薬剤を調剤した医療機関，保険薬局もしくは訪問看護担当者の指示を仰ぐ。

　抗悪性腫瘍薬の経管投与については，まだ十分なエビデンスがないため，細心の注意を払って患者あるいは介護者へ指導する必要がある。

文献

1) Oken MM, et al：Toxicity And Response Criteria Of The Eastern Cooperative Oncology Group. Am J Clin Oncol, 5（69）：649-655, 1982
2) 遠藤一司，他：抗悪性腫瘍薬の院内取扱い指針　抗がん薬調製マニュアル第4版（日本病院薬剤師会・監），じほう，2019
3) 村上雅裕，他：経口抗がん薬における簡易懸濁法の適応可否に関する検討．社会薬学，35（1）：34-37, 2016

（座間味 義人，天野 学，倉田 なおみ）

テモゾロミドを懸濁投与する際に注意することは？

テモゾロミドは悪性神経膠腫の治療に使われる抗悪性腫瘍薬（毒薬）で，細胞毒性があるため，簡易懸濁は直接注入器内で行います。脱カプセルは被曝のリスクが高くなるので行いません（図）。また，投与準備の段階からマスク・手袋などで防護し，使用した器具などは薬剤の付着があるため，その都度廃棄します。

・ ・ ・

● 製剤の特徴 [1]

　テモゾロミドの先発品のテモダール®は，1号および2号の硬カプセル剤なので，55℃のお湯でカプセル剤を溶解することが重要である。また，原薬は水に対して溶けにくいため（溶解濃度：3.1 mg/mL），しっかりフラッシュしてルート内などに留まらないようにする。また，酸性pHで安定であるが，pH＞7で活性体のMTICに分解するため，調製・投与時の防護が求められる [2, 3]。後発品はフィルムコートの錠剤だが，先発品と同様に55℃のお湯での崩壊懸濁（適1）ができる。

● 細胞毒性薬剤の経管投与マニュアル [4]

　平成26年度日本病院薬剤師会学術委員会学術第6小委員会の「経管投与患者への安全で適正な薬物投与法に関する調査・研究」では「細胞毒性のある薬剤の経管投与マニュアル」が作成され，調剤時や与薬・投与時の注意点などがまとめて記載されているので参考にされたい。

■ 注意を要する薬効群

Step 1　投与準備

【用意するもの】防護服，手袋，注入器，注入器のフタ，お湯，廃棄用ジッパー付きビニール袋
作業を開始する前に防護服を着用。防護服の袖口に覆うように手袋を装着

Step 2　テモダール®カプセルの準備

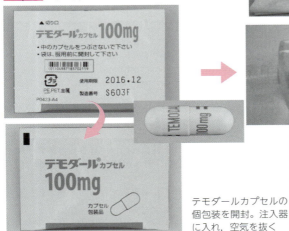

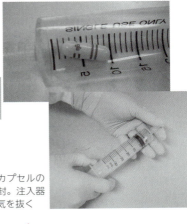

テモダールカプセルの個包装を開封。注入器に入れ，空気を抜く

Step 3　お湯に入れ，崩壊・懸濁させる

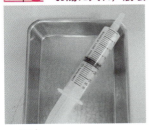

Step 4　投与

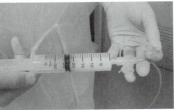

崩壊・懸濁したら経管投与する。投与後はルートに薬剤が残らないよう，しっかりフラッシュする

Step 5　廃棄

注入器，キャップを廃棄用ジッパー付きビニール袋に入れる。最後に手袋の表面を素手で触らないようにして手袋を外し，ビニール袋に入れる。しっかりジッパーを閉じて廃棄する

図　簡易懸濁法によるテモゾロミドの投与手順

Q48　テモゾロミドを懸濁投与する際に注意することは？

● 抗悪性腫瘍薬取扱いのマニュアル[5]

「抗悪性腫瘍薬の院内取扱い指針　抗がん薬調製マニュアル第4版」は注射剤の調製マニュアルだが，手袋の選定方法やガウンテクニック，注射薬と経口抗悪性腫瘍薬の取扱い危険度の一覧表など，抗悪性腫瘍薬を取り扱う基本が書かれているので参考にされたい．

文献

1) テモダール®カプセル医薬品インタビューフォーム（改訂第14版），2019
2) Baker SD, et al：Absorption, metabolism, and excretion of ^{14}C-temozolomide following oral administration to patients with advanced cancer. Clin Cancer Res, 5 (2)：309-317, 1999
3) Denny BJ, et al：NMR and molecular modeling investigation of the mechanism of activation of the antitumor drug temozolomide and its interaction with DNA. Biochemistry, 33 (31)：9045-9051, 1994
4) 倉田なおみ，他：平成26年度学術委員会学術第6小委員会報告　経管投与患者への安全で適正な薬物投与法に関する調査・研究（最終報告）．日本病院薬剤師会雑誌, 51 (10)：1157-1162, 2015
5) 遠藤一司，他：抗悪性腫瘍薬の院内取扱い指針　抗がん薬調製マニュアル第4版（日本病院薬剤師会・監），じほう，2019

（飯田 純一）

■ 注意を要する薬効群

麻薬製剤の内服薬を経管投与するのに良い方法はあるか？

医療用麻薬の徐放性製剤は，カプセル内の顆粒・細粒に製剤学的工夫が施されていますが，カプセルから出した顆粒・細粒を粉砕しなければ，チューブからの投与が可能です。ただし，薬剤の種類や投与量によっては，チューブの内径の太さを確認したり注入液を工夫する必要があります。また，簡易懸濁法でモルヒネ塩酸塩錠からモルヒネ水を調製することもできます。

● チューブからの投与が可能な麻薬製剤

現在わが国で販売されている医療用麻薬のなかで経管投与が可能な内服薬は，徐放性の細粒剤ではモルペス®細粒，顆粒剤ではパシーフ®カプセル，MSツワイスロン®カプセル，カディアン®スティック／カプセルである（表）。し

表 麻薬の細粒剤，顆粒剤の比較

商品名	MS ツワイスロン	カディアン	パシーフ	モルペス
一般名	モルヒネ硫酸塩水和物	モルヒネ硫酸塩水和物	モルヒネ塩酸塩水和物	モルヒネ硫酸塩水和物
剤形	カプセル	カプセル，スティック	カプセル	細粒
平均粒子径 (mm)	0.6〜1.0	1.0〜1.7	0.6	< 0.5
基本投与回数 (回)	2	1	1	2
甘味層	なし	なし	なし	あり

かし，この4種類の製剤をチューブ通過させるには，チューブ内径と注入液を工夫する必要がある[1]。

● 細粒剤，顆粒剤を経管投与するための一工夫

　モルペス®細粒の場合，注入液に精製水など界面活性作用の小さい液体を用いると，注入器やチューブ内に付着する薬剤の量が多くなることが確認されている[1,3]が，界面活性作用のあるカゼインナトリウムを含む牛乳や経腸栄養剤を注入液（溶媒）として用いることで，薬剤の付着量を減らせる。

　また，顆粒剤の場合，チューブの閉塞が問題となることがあるが，注入液を粘度の高い嚥下補助ゼリーなどに変更することで，注入液中に顆粒を分散させ，一度に注入口に集まるのを防ぐとともに，チューブの閉塞を起こしにくくすることが可能となる[1,2]（図）。

● 簡易懸濁法を用いたモルヒネ水の調製

　簡易懸濁法を用いたモルヒネ塩酸塩錠からのモルヒネ水の調製方法が報告されている[4]。モルヒネ塩酸塩10倍散に水を加えてモルヒネ水を調製する従来の方法では，雑菌の繁殖のため長期保存ができず，患者に何度も来院してもらう必要がある。一方，簡易懸濁法を用いた方法では，モルヒネ塩酸塩錠の処方日数の上限が30日分なので，患者の来院回数を大幅に減らすことができる。

 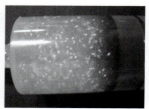

注入液：精製水　　　　　注入液：嚥下補助ゼリー

図　注入液による顆粒剤の分散性の差

文献

1) 髙田慎也，江口久恵，加藤則夫，和泉啓司郎：モルヒネ徐放性製剤（顆粒，細粒）における経管投与時の通過性・付着性の検討．Palliative Care Research, 3（2）：101-107, 2008
2) 橋谷 進，他：経管からの硫酸モルヒネ徐放性製剤（カディアン®）の投与方法の検討．Pharma Medica, 22（4）：149-153, 2004
3) 国分秀也，他：硫酸モルヒネ徐放性細粒（モルペス®細粒）における経管投与時のシリンジおよびカテーテルへの付着の検討．新薬と臨牀，52（4）：461-469, 2003
4) 横山雄一，他：簡易懸濁法を用いたモルヒネ塩酸塩錠投与法の検討．医療薬学，40（3）：160-164, 2014

（座間味 義人，髙田 慎也，天野 学，倉田 なおみ）

Q50 抗ウイルス薬の経管投与の適否は？

ほとんどの抗ウイルス薬は過酷試験で安定であるため，簡易懸濁法でも安定であると考えられます。チューブ通過性に関しては，単剤であれば8Fr.を通過できますが，抗HIV薬の多剤併用療法などでは閉塞の可能性が高まります。

● 抗ウイルス薬の簡易懸濁法での安定性

　抗ウイルス薬は，注射剤は少なく，多くが錠剤やカプセル剤（硬カプセル剤，軟カプセル剤）であり（表），一部に顆粒剤，ドライシロップ剤が存在する。そのため，嚥下困難患者にはチューブを介した投与の選択が多くなる。

　ほとんどの抗ウイルス薬は過酷試験で安定であることから，簡易懸濁法による55℃のお湯の中でも安定であると推察できる。矢倉らは，抗HIV薬の懸濁時における温度安定性を55〜80℃において試験し，ビリアード®錠（テノホビル ジソプロキシルフマル酸塩）が80℃・60分間放置で，成分含量が約92％まで有意に低下することを報告している[1]。また小川らは，バリキサ®錠（バルガンシクロビル塩酸塩）の55℃での簡易懸濁法において，他剤同時懸濁時の安定性に問題がないことを示している[2]。

　ヘプセラ®錠（アデホビルピボキシル），バルトレックス®錠（バラシクロビル塩酸塩），バリキサ®錠（バルガンシクロビル塩酸塩）の有効成分は吸収促進のためのプロドラッグであり，エステル体となっている。エステル体はアルカリ性下で加水分解を受けやすいので，塩基性薬剤，特に酸化マグネシウムとの同時懸濁は避けるべきである。光に不安定な薬剤もあるが，簡易懸濁中の光の曝露によりどの程度分解するかは不明である。

■ 注意を要する薬効群

表　抗ウイルス薬の分類と簡易懸濁法の適否

分類	商品名 ［一般名］	懸濁時間	8 Fr. 通過性	備考
抗インフルエンザウイルス薬	タミフル®カプセル ［オセルタミビルリン酸塩］	5分以内	○	ゼラチンカプセル（ドライシロップ剤あり） 光・温度に安定
抗B型肝炎ウイルス薬	ゼフィックス®錠 ［ラミブジン］	5分以内	○	フィルムコート錠 光・温度に安定
	ヘプセラ®錠 ［アデホビルピボキシル］	5分以内	○	素錠 アルカリで加水分解
	エンテカビル錠 0.5mg 「トーワ」 ［エンテカビル水和物］	5分以内	○	フィルムコート錠 光・温度に安定
抗C型肝炎ウイルス薬	リバビリン錠200mg RE「マイラン」 ［リバビリン］	5分以内	○	フィルムコート錠 酸，アルカリで分解
抗ヘルペスウイルス薬	ゾビラックス®錠 （顆粒剤もある） ［アシクロビル］	5分以内	○	素錠 光・温度に安定, pH3, 100℃でわずかに分解物
	バルトレックス®錠 （顆粒剤もある） ［バラシクロビル塩酸塩］	亀裂後5分以内	○	フィルムコート錠 アシクロビルのエステル体：アルカリで分解
抗サイトメガロウイルス薬	バリキサ®錠 ［バルガンシクロビル塩酸塩］	亀裂後10分以内に崩壊しない	―	フィルムコート錠 ガンシクロビルのエステル体：アルカリで分解
抗HIV薬	レトロビル®カプセル ［ジドブジン］	10分以内	○	硬カプセル 熱に安定，酸・アルカリに比較的安定，光に不安定
	エピビル®錠 ［ラミブジン］		○	フィルムコート錠 光・温度に安定
	コンビビル®配合錠 ［ジドブジン・ラミブジン配合錠］		○	フィルムコート錠 光・温度に安定

（次頁につづく）

分類	商品名 [一般名]	懸濁時間	8 Fr. 通過性	備考
抗HIV薬	ザイアジェン®錠 [アバカビル硫酸塩]	5分以内	○	フィルムコート錠 光・温度に安定
	ビリアード®錠 [テノホビルジソプロキシルフマル酸]	10分以内	○	フィルムコート錠 光に安定，長期保存でわずかに含量低下
	ビラミューン®錠 [ネビラピン]	5分以内	○	素錠 光・温度に安定
	インテレンス®錠 [エトラビリン]		○	素錠 温度に安定，8時間の光照射でわずかに着色
	レイアタッツ®カプセル [アタザナビル硫酸塩]	5分以内	○	硬カプセル 光・温度に安定
	シーエルセントリ®錠 [マラビロク]	5分以内	○	フィルムコート錠 光・温度に安定
	エプジコム®錠 [ラミブジン・アバカビル硫酸塩配合錠]	亀裂後 5分以内	○	フィルムコート錠 光・温度に安定
	ツルバダ®錠 [エムトリシタビン・フマル酸テノホビルジソプロキシル配合剤]	亀裂後 10分以内	○	フィルムコート錠 光・温度に安定
	レクシヴァ®錠 [ホスアンプレナビルカルシウム水和物]	亀裂後 5分以内	○	フィルムコート錠 光・温度に安定
	ストックリン®錠 [エファビレンツ]	亀裂後 10分以内×	—	フィルムコート錠 温度に安定，6日間の光照射で脱色
	カレトラ®配合錠 [ロピナビル・リトナビル合剤]	亀裂後 10分以内×（時間をかければ完全崩壊）	不適	フィルムコート錠（液剤あり：エタノール含） ロピナビル：温度に安定，光・酸に不安定
	アイセントレス®錠 [ラルテグラビルカリウム]			フィルムコート錠 光・温度に安定

—：実験未実施

〔文献 2），3），4）を参考に作成〕

● 抗ウイルス薬の剤形と簡易懸濁法の適否

　錠剤はフィルムコート錠が多く，バルトレックス®錠，バリキサ®錠，抗HIV薬ではエプジコム®配合錠（ラミブジン・アバカビル硫酸塩），ツルバダ®配合錠（エムトリシタビン・テノホビルジソプロキシルフマル酸塩），レクシヴァ®錠（ホスアンプレナビルカルシウム水和物）は，錠剤に亀裂を入れることで10分以内に崩壊・懸濁する[3]。ストックリン®錠（エファビレンツ），カレトラ®配合錠（ロピナビル・リトナビル）は錠剤に亀裂を入れても崩壊・懸濁せず，適用不可である[3]。抗HIV薬の簡易懸濁法の適否については，吉田らの詳細な報告が参考になる[4]。

　硬カプセル剤の抗ウイルス薬は，55℃のお湯で問題なく崩壊・懸濁する。軟カプセル剤は，有効成分は粉末であるが，製剤設計上，中鎖脂肪酸トリグリセリドに溶解した製剤である。製剤特性上，水には溶けにくいが，55℃のお湯で10分放置することで，カプセルの残渣はあるものの内容物は放出され，有効成分はチューブへの付着もなく通過することがアミティーザ®カプセルで確認されている[5]。

● 抗ウイルス薬のチューブ通過性

　抗ウイルス薬のチューブ通過性については，単剤であれば8Fr.を通過できるが，抗HIV薬は多剤併用療法（HAART）が行われるため，チューブ閉塞の可能性が高くなる。増田らは，ザイアジェン®錠（アバカビル硫酸塩）＋エピビル®錠（ラミブジン）＋レイアタッツ®カプセル（硫酸アタナザビル）の3剤同時懸濁では，8Fr.チューブは閉塞するが12Fr.では通過したと報告している[6]。一方，バリキサ®錠と他剤の2剤同時懸濁液は8Fr.チューブを問題なく通過している[2]。

　抗ウイルス薬のなかには食事が吸収に影響するものもあり，簡易懸濁法によるチューブを介した投与においても，各薬剤の特性を十分に考慮する必要がある。

文献

1) 矢倉裕輝,他：抗HIV薬の懸濁時における安定性に関する検討.医療薬学,38（10）：634-641,2012
2) 小川 敦,他：バルガンシクロビルの簡易懸濁法適応に向けての基礎的研究―他剤同時懸濁時の安定性の検討―.医療薬学,38（8）：534-539,2012
3) 倉田なおみ・編：内服薬 経管投与ハンドブック（第3版),じほう,2015
4) 吉田 文,他：内服困難なHIV/AIDS患者への経管投与は可能か？.薬局,60（8）：130-136,2009
5) 石田志朗,他：アミティーザ®カプセルの簡易懸濁法による経鼻経管チューブを介した投与.薬学雑誌,40（5）：285-290,2014
6) 増田純一,他：簡易懸濁法を用いた抗HIV薬投与の有用性について.日本エイズ学会誌,10（4）：410,2008

(石田 志朗)

Q51 疥癬の患者に簡易懸濁法でイベルメクチンを投与できるか?

イベルメクチンは簡易懸濁法で投与できます。ただし，経管投与する際は，投与量を確保するために，注入器の選択や向き，フラッシュのほか，経鼻胃チューブの場合は 30°のベッドアップが重要となります。

● □ ■

● イベルメクチンと経管投与

疥癬はヒゼンダニが原因で発症する感染症であり，高齢者に多い疾患であることから，時に高齢者施設での集団発生が問題となる[1]。イベルメクチン（ストロメクトール®錠）は単回投与を基本としているため，特に経管投与では投与量の確保に注意を払うことが重要となる。

● イベルメクチンの投与量に影響を及ぼす簡易懸濁法の条件[2-4]

❶ 簡易懸濁時の水温

イベルメクチンは難水溶性だが，崩壊・懸濁時の水温は常温と 55℃の違いで投与量に影響は与えないとの報告がある。

❷ 懸濁器具の種類

ストロメクトール®錠の簡易懸濁後の経管投与において，懸濁器具としてディスペンサー，懸濁ボトル，クイックバッグを用いる場合は，各器具の洗浄（フラッシュ）操作を 1 回行うことによりイベルメクチンを約 100％投与することが可能である（図1）。しかし，懸濁器具がシリンジ，薬盃，けんだくんの場合は，フラッシュ後も投与量の約 10％の損失がみられ，特にけんだくんでは，フラッシュ操作を行わないと約 23％の損失があったことが報告されている。

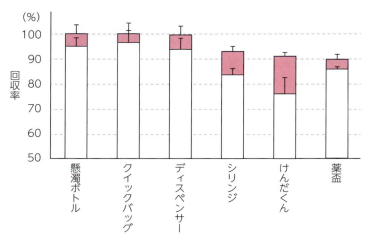

図1　懸濁器具別のイベルメクチン回収率
〔尾関理恵，湯浅奈絵，赤木圭太，他：簡易懸濁法に用いる懸濁器具の比較とストロメクトール®錠の投与量に及ぼす影響．医療薬学，45（2）：88-96，2019より引用〕

❸ 注入器の筒先の位置と注入角度

　経管栄養用注入器（中央口）を使用して，注入角度がイベルメクチン回収率（フラッシュ後）に及ぼす影響を検討したところ，回収率は真下（90％）＞斜下（87％）＞水平（79％）＞斜上（77％）の順に高かった。一方，注入器（横口）では，斜下（95％）＞真下（90％）＞水平（72％）＞斜上（73％）の順に回収率が高かった。横口注入器では筒先を上にした場合は回収率が68％と，投与量の損失が大きいため注意が必要である。

❹ 注入器のフラッシュの有無

　注入器で簡易懸濁後に経管投与し，さらに注入器内に白湯を吸い取り，残った薬を振って洗い流し，筒先を真下に向け再投与する手技（フラッシュ）を行うことで回収率は10％有意に上昇した。

● 経鼻胃チューブ使用時の各因子が投与量に及ぼす影響[3]

❶ 経鼻胃チューブの材質

　ストロメクトール®錠を簡易懸濁させた後にポリ塩化ビニル，エチレン酢酸

ビニル，ポリウレタン製，シリコン製のチューブを使用して経管投与したところ，イベルメクチン回収率に変化はなかった．

❷ 経鼻胃チューブの太さ

長期留置に汎用されている外径 8 ～ 12Fr. の経鼻胃チューブにおけるイベルメクチン回収率を比較したところ，有意差は認められなかった．

❸ 経鼻胃チューブのたるみ

経鼻胃チューブに落差 20cm のたるみがある場合とない場合で回収率を比較したところ，有意差はなかった．

❹ フラッシュ水容量

ポリ塩化ビニル製で 12Fr.・120cm の経鼻胃チューブ（内容積 $6.9cm^3$）を使ってストロメクトール®錠を懸濁投与した後，5mL と 20mL でフラッシュ操作を行った場合の回収率に有意な差はみられなかった．

❺ ベッドアップの有無

ベッドアップありの場合のイベルメクチン回収率は 91％で，ベッドアップなしの場合の 82％に比べて有意に高かった（$P < 0.05$）．

● イベルメクチンの簡易懸濁法による適正な投与方法

簡易懸濁法で推奨される注入器の投与手技と錠剤投与における血漿中イベルメクチン濃度を，ウサギを用いて比較したところ，簡易懸濁法による経管投与後の血漿中濃度推移は錠剤の経口投与とほぼ同様の推移を示した（図 2）．また，投与時の $AUC_{192h}/Dose$ は両者で有意な差は認められなかった（$P > 0.05$，表）．

表　錠剤投与および簡易懸濁法による経管投与時の AUC

	$AUC_{192h}/Dose$ (ng・h/mL / mg/kg)
錠剤の経口投与	878 ± 216
簡易懸濁法による経管投与	774 ± 47

（n=3，平均値±標準偏差）

AUC：血中濃度 - 時間曲線下面積

〔大谷真理子，小茂田昌代，他：医療薬学，38（2）：78-86，2012 より引用〕

この結果を受け，疥癬診療ガイドライン（第3版）[5]では，イベルメクチンの簡易懸濁法による経管投与での手技の注意点として，①ベッドアップ30°，②注入器の注入角度を真下か斜め下にして投与，③投与後のフラッシュを行うこと——が明記されている（図3）。

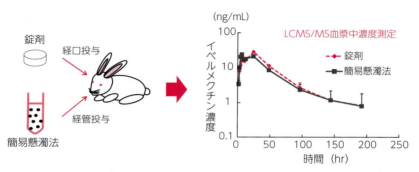

図2 ストロメクトール®錠の経口と簡易懸濁法による経管投与の生物学的同等性比較

〔大谷真理子，小茂田昌代，他：簡易懸濁法の器具および手技がストロメクトール®錠の投与量に及ぼす影響．医療薬学，38（2）：78-86, 2012 より引用〕

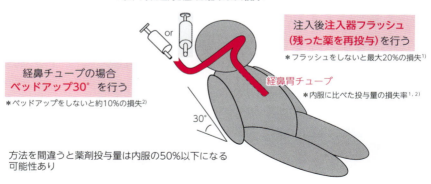

図3 イベルメクチン経管投与の推奨方法
＊ストロメクトール®錠の場合の損失率

1) 大谷真理子，廣田孝司，小茂田昌代，他：簡易懸濁法の器具および手技がストロメクトール®錠の投与量に及ぼす影響．医療薬学，38（2）：78-86, 2012
2) 金永進，湯浅奈絵，酒巻智美，小茂田昌代，他：簡易懸濁法におけるストロメクトール®錠の有効性に影響を与える要因に関する研究．医療薬学，40（9）：515-512, 2014

汎用されている注入器を使用し，簡易懸濁法でイベルメクチンを経管投与する場合は，看護師と連携を取り，イベルメクチン投与量の損失を防ぐ情報提供が重要と考える．

文献

1) 大滝倫子：疥癬の歴史，30年周期について．疥癬対策パーフェクトガイド（南光弘子・編），pp.30-41，秀潤社，2008
2) 大谷真理子，他：簡易懸濁法の器具および手技がストロメクトール錠の投与量に及ぼす影響．医療薬学，38：78-86，2012
3) 金永 進，他：経鼻チューブを使用した経管投与がストロメクトール®錠の投与量に及ぼす影響．医療薬学，40：515-521，2014
4) 尾関理恵，湯浅奈絵，赤木圭太，他：簡易懸濁法に用いる懸濁器具の比較とストロメクトール®錠の投与量に及ぼす影響．医療薬学，45（2）：88-96，2019
5) 石井則久，他：疥癬診療ガイドライン（第3版）．日皮会誌，125：2023-2048，2015

〔小茂田 昌代〕

簡易懸濁法を用いた服薬支援

軽症嚥下困難で簡易懸濁法はどのように利用できる？

軽症嚥下困難は口腔期障害と咽頭期障害に大きく分けられ，飲み込める食塊の性状（粘性）が異なります。簡易懸濁法では，障害に応じて粘性を変えて投与します。

● ● ●

● 嚥下運動の障害の時期に合わせた服薬支援

嚥下運動は①口腔期，②咽頭期，③食道期の3期に分けられる。口腔期は食塊を形成し，舌で口腔から咽頭に送り込む時期である。咽頭期は食塊を咽頭から食道に流し込む時期で，食塊が誤って気管に入らないよう，喉頭蓋が気管の入り口をふさぐ（図）。

障害がみられる時期により，飲み込める食塊の状態は異なるため，服薬支援の仕方が異なる。

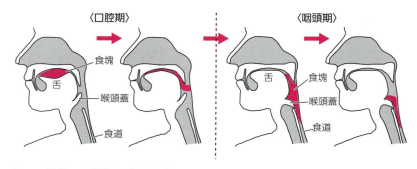

図　口腔期〜咽頭期の嚥下運動

❶ 口腔期障害

　舌運動は悪いものの嚥下反射に問題がない状態，すなわち口腔内から咽頭へ送り込めないような口腔期障害では，舌運動に頼らず咽頭へ流し込むのがよいとされている．このような状態では，粘性をもたせるべきでないとされているため，口腔期障害患者の服薬では，通常の簡易懸濁法を用いるのがよいと思われる．

❷ 咽頭期障害

　舌運動は良いため咽頭には送り込めるものの嚥下反射に問題があるような状態，すなわち咽頭期障害の患者では，咽頭内で塊としてまとまるような状態にすることで，誤嚥を防止できるとされている．咽頭期障害のある場合は簡易懸濁後，増粘剤（ソフティアS®，トロメリンHi®など）などを用いて粘性を上げると服薬が可能になることが多いといわれている．

　そのほか，患者によっては嚥下補助を目的としたゼリー状のオブラート（おくすり飲めたね®，らくらく服薬ゼリー®など）や水分補給に利用されるゼリー（らくらくごっくんゼリー®，のみや水®など）を用いると服用できる場合もある．

　前述の増粘剤などの医療・介護向け製品が入手しにくい場合，スーパーやコンビニエンスストアで簡便に入手できるゼリー状の栄養補助食品（ウイダーinゼリー®など）を用いてもよいだろう．

● 増粘剤・ゼリー状栄養補助食品と薬剤の併用時の留意点

　栄養補助食品などにはグレープフルーツ果汁が入ったものもあるため，薬物の血中濃度上昇に対して注意が必要である．さらに，酸味料が添加されているものを用いる場合は，酸性化で苦味が生じる薬剤もあるため，味の変化や分離にも注意が必要となる．

文献

1) 藤島一郎：嚥下障害と薬剤の内服．内服薬　経管投与ハンドブック　第4版（倉田なおみ・編，藤島一郎・監），じほう，pp.77-82，2020
2) 井上紀子：チームで取り組むリスクマネジメント．服薬介助：総論，月刊薬事，48（9）：79-85，2006
3) 石田志朗，岡野善郎：チームで取り組むリスクマネジメント．服薬介助：服薬補助剤の評価，月刊薬事，48（9）：87-92，2006
4) 藤島一郎：口から食べる―嚥下障害Q＆A，中央法規，pp.16-37，1998
5) 日本静脈経腸栄養学会：コメディカルのための静脈経腸栄養ハンドブック，南江堂，pp.360-369，2008

（天野 学，米井 聖子）

Q53 嚥下補助ゼリーを用いた服薬時の注意点は？

A 嚥下補助ゼリーには，増粘剤，甘味料，酸味料，香料などが含まれていますが，酸味料を含む嚥下補助ゼリーではpHが低く，薬剤の苦みをマスキングするために施されている剤皮を溶かしてしまうため，注意が必要です。また，個々の患者で嚥下能力や嗜好は異なるため，患者に適した嚥下補助ゼリーを選択することが重要です。

・ □ ・

● 服用感を改善するための酸味料

　現在，多種多様な嚥下補助ゼリーが発売されている（**付録1**参照）。まず使用にあたっては，嚥下補助ゼリーの組成や使用説明書を確認する必要がある。多くの嚥下補助ゼリーには，増粘剤，甘味料，酸味料，香料などが含まれ，服用感を改善するために酸味料を含んでいる嚥下補助ゼリーは，pH3～4の酸性を示す。

　マクロライド系抗菌薬のクラリスロマイシンやアジスロマイシンは苦みがあるため，ドライシロップ剤が剤皮で覆われている。この剤皮は酸性下で溶解するため，これら薬剤を酸性の嚥下補助ゼリーと一緒に服用すると口の中で苦みを感じる。小児が嚥下補助ゼリーを使ってこれら薬剤を服用した時には，苦みを感じて薬嫌いになるおそれがあるので使用を避けなければならない（**16頁，「第2章　粉砕指示処方応需時の対応」**参照）。

　嚥下補助ゼリーの使用説明書には注意事項として「抗生物質等のお薬とまぜると色が変わったり，苦味が増す場合があります」との記載がある。酸性の嚥下補助ゼリーが使用できない場合は，酸味料を含まない中性の商品（おくすり飲めたね®・チョコレート味，ゼリーオブラートおくすりレンジャー®・スイーツパック，お薬じょうず®服用ゼリー・顆粒タイプ）を使用する。

● 甘味料と糖質，フレーバー

　多くの嚥下補助ゼリーは甘味料としてステビアやアスパラテームなどの人工甘味料を使用しているが，一部の商品では糖質が含まれるため，糖質の制限を受けている患者への使用は，医師との相談が必要な場合もある。

　嚥下補助ゼリーには，さまざまなフレーバーが使用される。代表的なのはリンゴ，ピーチ，ブドウなどだが，漢方薬専用の嚥下補助ゼリーには，チョコレートやココアのフレーバーが使用されている。これらは味のマスキング効果が強く，漢方薬独特の味や苦みをマスキングしてくれる効果がある。

● 嚥下能力と補助ゼリーの性状

　嚥下補助ゼリーの多くは，クラッシュ状のゼリーと水からなる形状をしているが，錠剤の服薬時に使用すると，嚥下補助ゼリーのみが先に咽頭へ送られ，口腔内に錠剤が残ることも少なくない。したがって，嚥下補助ゼリーのなかでも粘稠性の高い「ペースト状のオブラート」が好まれる場合もある。また，モリモト医薬から，ゼリーと水が分離しない「eジュレ」が市販されており，クラッシュ状のゼリータイプの商品で上手く服薬できない場合に選択肢の一つとなるかもしれない（嚥下補助ゼリーの特徴については，**付録1，Q29**を参照）。

（石田 志朗，岡野 善郎）

■簡易懸濁法を用いた服薬支援

Q54 小児の投与量調節に簡易懸濁法は応用できる？

A 投与量調節への応用は有用性が高いと考えられます。
小児の投与量は低用量であるため，より正確な調剤が求められますが，薬剤によっては，粉砕したものを水に溶いて投与する従来の方法よりも，簡易懸濁法のほうが適切な投与量を確保できることが実験的に証明されています。

● ◻ ●

● 錠剤の投与量調節に応用

　筆者らの実験では，粉砕法でワーファリン®錠（ワルファリンカリウム）0.7錠/回を調剤した場合は薬剤の損失があったのに対して，簡易懸濁法を応用した方法では薬剤の損失が少なく抑えられた（図1）。ワルファリンカリウムは，光や吸湿に対して安定性が悪いといわれているが，通常の条件下では含量低下が起こらないという多くのデータがある。したがって，本実験での含量のロスは，注入器で吸い取るときに生じ，注入器に薬剤が残ってしまったことが主な原因であると考えられる。

　この実験結果から，小児で細かい投与量調節を行う場合，薬剤によっては，簡易懸濁法を応用すると薬剤の損失が少なく，粉砕法より有用性が高いと考えられる。

● カプセル剤（内容物が液体）の投与量調節に応用

　ラステット®S（エトポシド）1カプセルの液体内容物に注入器を差し込み，1/2量を投与するように医師から指示を受けた患者が，うまく内容物を吸い取ることができなかった。そこで，ラステット®S 1カプセルをお湯で崩壊・懸濁させた後，ガラス製ピペットで懸濁液を吸い取ると，ほとんど薬剤損失がな

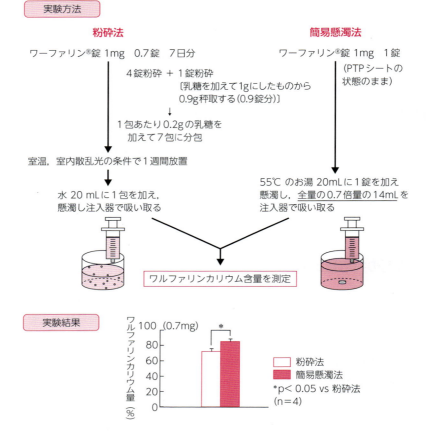

図1　粉砕法と簡易懸濁法の薬剤残存量の比較

(座間味義人, 他：医療と薬学, 73：433-438, 2016 より引用)

く半量ずつに調製することができた (図2)。

　この実験結果から, ラステット®Sカプセルの場合, 半量を採取する器具としてはピペットのような全量のロスを生じない簡単な構造の器具が適していると考えられる。

処方　ラステット®S 25mg カプセル　1カプセル　2×朝夕

【従来の方法】　ラステット®S 25mg　1カプセルの液体内容物に注射器を差し込んで内容物を吸い取り，その半量ずつを2回に分けて投与

【問題点】
- カプセル内の薬剤が硬く，内容物が取り出せない
- 医療従事者以外が調製する場合，注射器の使用自体が危険

実験方法

① ラステット®S 25mg　1カプセルを55℃のお湯 10mL で崩壊・懸濁
② ガラス製ピペット or ディスポ注射器を用いて 5mL を採取

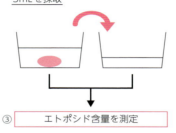

③ エトポシド含量を測定

実験結果

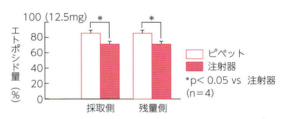

*$p < 0.05$ vs 注射器 (n=4)

図2　ピペットと注射器の薬剤残存量の比較

〔北村佳久，他：医療薬学，31（9）：755-760，2005 より引用〕

文献

1) 座間味義人，他：光に対して不安定な薬剤を経管投与する際の有用な投与法の開発．医療と薬学，73：433-438，2016
2) 北村佳久，他：カプセル内が液体薬剤である医薬品の投与量調節方法について―小児患者を想定したラステット® S25 を用いた検討．医療薬学，31（9）：755-760，2005

（座間味 義人，北村 佳久）

腸瘻の患者に在宅で経管投与する際の留意点は？

 簡易懸濁法により腸瘻カテーテルから投薬を行う場合は2点に注意します。
まず，懸濁を行った薬剤が腸瘻の細いチューブを通過することができるかを確認すること。もう1点は，ゆっくり投与することです。

● ▫ ▪

● 腸瘻のメリットとデメリット

腸瘻は，厳密には直接腸に穿刺してできた瘻孔を指す。しかし，一般的には胃瘻の管が空腸以降へ達している状態を腸瘻と呼んでいる。

腸瘻の使用目的は，チューブの先端を空腸あたりに送り込むことによって，逆流を防止することである。また，通常のチューブには側孔がついており，胃内容物を側孔から排出できるため，逆流を二重に予防できる構造となっている。このため，誤嚥により肺炎を繰り返す患者へ導入すると，誤嚥減少により肺炎などを起こしにくくなるのが利点といえる。一方で，胃瘻に比べチューブが細くなっているため，詰まりやすいのが欠点である。

● 腸瘻での簡易懸濁法のポイント

❶ 薬剤のチューブ通過性を確認

初回投与前に，崩壊・懸濁した薬剤が腸瘻の細いチューブを通過できるかをあらかじめ確認する必要がある。胃瘻であれば通過する薬剤でも，腸瘻では通過しにくいことがある。経鼻胃チューブを使う場合にもいえるが，「内服薬 経管投与ハンドブック」で通過性の確認を行い，同書に対象薬剤のデータがなければ，腸瘻チューブと同じ径のチューブで通過性試験を行うことが大切である。

チューブ自体よりも接続チューブとの接合部がさらに細くなっていることもあるので，初回投与時は十分に注意しながら注入するよう投与者に説明する。

❷ ダンピング症候群を回避するため，ゆっくり投与

小腸内に急速に栄養剤を送り込むことによって起こる循環の変化や低血糖などを，ダンピング症候群と呼ぶ。腸瘻からの経腸栄養剤の投与では，経腸栄養用ポンプを使い投与速度を考慮することが推奨されている。例えば，2週間以上絶食した後のEN（enteral nutrition：経腸栄養）は消化管の委縮を考慮し，25mL/時以下で開始する。

また，薬剤を簡易懸濁法で投与した場合，どのくらいの投与速度が適切かについては，現在のところデータはない。そのような理由から，腸瘻からの薬剤投与は可能な範囲で，ゆっくりと投与すべきだと思われる。また，下痢などの症状が現れれば，医師と相談して薬剤の変更などを考慮する必要がある。

文献

1) 藤島一郎：胃瘻（gastrostomy），腸瘻（jejunostomy, enterostomy）．内服薬 経管投与ハンドブック 第4版（藤島一郎・監），じほう，p.69，2020
2) 石田けい子，天野 学，宮岡弘明：在宅における簡易懸濁法の実際，コミュニティケア，4：57-59，2006
3) 蟹江治郎：胃瘻PEG合併症の看護と固形化栄養の実践，日総研，p.14，2004
4) 第4回HEQ研究会学術用語委員会報告，PEGに関する用語の統一，HEQ研究会学術・用語委員会，2005
5) 日本静脈経腸栄養学会・編：静脈経腸栄養ハンドブック，南江堂，p.180，2011

（天野 学）

在宅患者では簡易懸濁法はどのように行われている？

 在宅では，嚥下能力が低下し，食べ物や薬をうまく飲み込むことが困難な高齢患者にしばしば遭遇します。最近の知見では，高齢者のサルコペニア（加齢性筋肉減少症）による筋力低下も嚥下障害の一因と言われています。簡易懸濁法は，経鼻胃管や胃瘻・腸瘻を造設した患者に適する経管投与法であるとともに，軽度嚥下障害で食形態を工夫して食べている患者の服薬方法としても使われます。最近では，在宅小児患者への投与時の用量調節にも活用されています。

● 在宅患者の状態に応じた服薬支援のポイント（図）

❶ 患者状態を確認する

(1) 薬を飲み込めるかどうかを確認

　高齢者の服薬では，若年者と比べて筋力が 25 〜 40％低下し，嚥下障害が起こりやすい。嚥下障害があると，口腔内が渇いたり，水や薬の飲み込みが悪くなったり，むせたりすることがある。唾液を空嚥下することができるかなどで嚥下機能をチェックし，薬を飲み込めるか確認する。

(2) 口の中を確認

　飲み込んだように見えても，薬が上顎にくっついたり，薬が口の中に残っていることがある。また口腔内崩壊錠であっても，嚥下能力の低下した患者では，喉頭蓋谷に滞留することがあるので，観察を行う。

(3) チューブの先端の位置に注意

　チューブの先端が胃にあるか腸にあるかで，投与できる薬剤（腸溶錠など）が変わってくるため必ずチェックする。

実際に服薬の場面に立ち会い，患者の服薬状況をより詳細に把握し，評価と計画を行うことにより，適切な服用形態の選択へつなげることができる

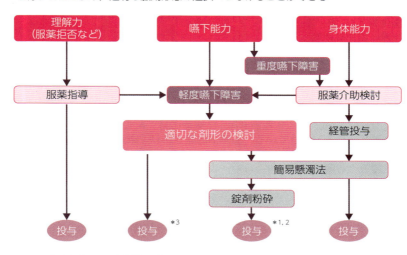

*1 服薬補助ゼリー，水分補給ゼリー
*2 とろみ添加，栄養補助食品
*3 散剤，細粒剤，水剤，外用剤，注射剤，速崩壊性薬剤，ゼリー製剤，経皮吸収型薬剤

図　服薬に関する因子の評価と計画の流れ　　　（倉田なおみ氏作成スライドより改変）

❷ 患者個々に適切な剤形を検討する

(1) 軽度の嚥下障害患者

嚥下能力の低下が軽度な患者には，口腔内崩壊錠や嚥下補助ゼリーなどを活用する。

(2) 嚥下リハビリテーション中の患者

嚥下リハビリテーションを開始する患者には，簡易懸濁法を活用して，湯呑みに飲みきれる量の水で薬を崩壊・懸濁し，ストローなどを用いると口から服用できるようになる場合もある。必要に応じて懸濁液にとろみをつけると，より服用しやすくなることもある。

❸ その他

併用薬・サプリメントの使用状況と配合変化の有無を確認する。

● 簡易懸濁法が在宅医療に貢献できた症例

患者情報：45歳／要介護5
既往歴：橋部脳梗塞
現病歴：(橋部)脳梗塞による症候性てんかん・脂質異常症
経過：2008年12月1日脳梗塞発症
A病院にて加療，胃瘻造設後，B病院に転院しリハビリを行う。B病院退院後，在宅療養支援診療所Cでの往診が開始となり，医師の指示により薬剤師による訪問薬剤管理指導開始となった。
- ADL（日常生活動作）：①四肢麻痺，②気管切開：人工呼吸器管理，③意思疎通は眼球移動のみで行っている，④嚥下困難があり，栄養，薬剤ともに胃瘻より注入
- 在宅療養上の問題：①介護者は妻一人，②経済的負担（家計を支えていた人が要介護5）
- 処方薬：バファリン配合錠A81，ランソプラゾールOD錠15mg，リピトール®錠10mg，ウルソ®錠100mg，バルプロ酸ナトリウム細粒20％「EMEC」，水酸化アルミニウム・ゲル・水酸化マグネシウム懸濁用配合DS

❶ 患者と家族の状況を把握する

筆者が本症例への訪問薬剤管理指導を開始したのは，脳梗塞の加療とリハビリのための約1年間の入院を経て在宅療養を開始したのと同時であった。

患者を取り巻く状況は，今まで家計を支えていた夫が45歳の若さで脳梗塞を発症し，要介護5となってしまい，介護者は妻一人で，経済的に苦しい状況にあった。

これらの状況を踏まえ，経済面，利便性，加えて薬剤の安定性に鑑みて，筆者は簡易懸濁法の導入を介護者である妻に勧めた。

❷ 簡易懸濁法の導入時の問題点

(1) 簡易懸濁法の方法は時間が経つと自己流に

妻は，リハビリのため入院していたB病院で簡易懸濁法について指導を受けていたが，筆者が訪問を開始した当初は，すべての錠剤を自分で粉砕してお湯（約55℃）に懸濁し投与していた。このように，病院などで簡易懸濁法の説明を受けても，時間が経つと介護者の独自の解釈が加わり，自己流となっていることがあるので注意する。

(2) 慣れた手順を変えたくない

簡易懸濁法が自己流となっていたので，改めて説明しようとしたが，受け入

表 分包の提案

分包1	バファリン配合錠A81，ランソプラゾールOD錠15mg，リピトール®錠10mg，ウルソ®錠100mg
分包2	バルプロ酸ナトリウム細粒20％「EMEC」，水酸化アルミニウム・水酸化マグネシウム配合DS

れが困難であり，むしろすべての錠剤を粉砕してほしいとの要望があった。

しかし処方薬は，粉砕法で配合変化を起こす薬剤（バルプロ酸ナトリウム細粒20％「EMEC」，バファリン配合錠A81など）であったため，介護者に，処方薬は粉砕して一つにまとめると，酸とアルカリで配合変化を起こしてしまうことを説明したうえで，配合変化を起こす薬剤は別にして分包すること（表）を提案した。

介護者には，粉砕して一つにまとめてはいけない科学的な理由が明確になり，また，粉砕の手間が不要なことについても納得を得られた。配合変化防止の対応も行ったため，薬剤師に信頼を置くようになり，簡易懸濁法も本来の方法で行うことを受け入れてくれた。

その結果，投与直前まで錠剤のまま保管され，薬の安定性が保証できるようになった。また，錠剤のままで管理されているため，減量時の対応もスムーズに行うことができるようになった。

● 在宅での簡易懸濁法の導入・継続のポイント

本症例のように，入院中に簡易懸濁法の説明を受け導入されても，時間が経つと介護者の自己流となってしまうことがある。また，退院後の主治医が粉砕指示に変更することもあるため，訪問薬剤管理指導を行う際は，簡易懸濁法での経管投与が正しく施行されているか，経管投与患者に不必要な粉砕指示が出ていないかを必ず確認する必要がある。

このような事例を踏まえ，患者が入院から在宅療養に移行する際は，患者の退院前カンファレンスに参加できるようにすることが大切である。カンファレンスでの，入院中のチームから在宅のチームへの申し送りも重要であるが，退院前に患者や家族との顔合わせができると，その後の訪問薬剤管理指導や簡易

懸濁法のスムーズな導入が可能となる。

文献

1) 日本薬剤師会・監：在宅医療 Q & A　令和3年版，pp.96-130，じほう，2021
2) 秋下雅弘・編著：高齢者のポリファーマシー，pp.206-226，南山堂，2016

（篠原 久仁子）

簡易懸濁法に関する情報の活用

 簡易懸濁法は調剤指針にはどのように記載されている？

 調剤指針の第十四改訂版[1)]が2018年9月30日発行されています。薬剤師業務は多様かつ複雑になる一方ですが，簡易懸濁法については第十二改訂（2006年4月）以来，具体的な手法とともに掲載され続けています。

● 医療現場における簡易懸濁法の位置づけ

　第十四改訂 調剤指針では，製剤各条の1　経口投与する製剤，①錠剤，②カプセル剤に続いて，簡易懸濁法の記載はp192〜193に［参考］として具体的な手法（下記参照）と簡易懸濁法実施例（日本服薬支援研究会HP）が紹介されている。

　調剤指針は，薬学生のほとんどが実習や講義で手にする代表的な書籍であり，簡易懸濁法は薬剤師が服薬支援を行うために理解しておくべき方法と考えられていることがうかがえる。

　「第十二改訂 調剤指針」と「調剤学総論」に記載されたことで一定の認知が得られ，大半の教科書，実習書に掲載されている。「調剤学総論」では簡易懸濁法について，倉田らが約1,000品目の錠剤・カプセル剤について検討し，およそ8割が適用可能であることを見出したことや，粉砕法での問題点を解決でき，作業も簡便であることが，マグミット®錠などの例とともに掲載されている。

　現在では，調剤学関連の教科書や実習書には簡易懸濁法が必ず掲載され，講義だけでなく実習にも取り入れられるようになった。2016年に実施された第

> **簡易懸濁法**
>
> 　簡易懸濁法とは，嚥下障害のある患者，経管栄養などを施行されている患者の薬剤投与方法として，近年注目されてきた方法である。服用時に錠剤・カプセル剤の1回分服用量をカップに入れ，およそ55℃の温湯20mLに入れてかき混ぜ，10分間自然放置する。崩壊・懸濁させた懸濁液を注入器（ディスペンサー）に吸い取り経管投与する。
>
> 　簡易懸濁法の利点は粉砕化に伴う問題点の解決である。問題点とは，物理化学的安定性への影響（光・温度・湿度・色調変化），調剤者への影響（接触・吸入による健康被害），調剤業務の猥雑化（調製時間の増大）などがあげられる。
>
> 　しかし，すべての薬剤が簡易懸濁法で投与可能とはならない。例えば疎水性で水に懸濁しない薬剤，注入器に吸い取れない薬剤，注入器内に残留する薬剤，注入した薬剤が経管栄養チューブを閉塞させるものなどが適応外となる。
>
> 　簡易懸濁法は，各々の薬剤の物性を検討した後に実施することが重要である。また，注入器への吸引や経管栄養チューブの通過性を検討する際に「内服薬 経管投与ハンドブック」などが参考になる。
>
> 　　　　　　（日本薬剤師会・編：第十四改訂 調剤指針，薬事日報社，p.192，2018 より引用）

　101回薬剤師国家試験にも簡易懸濁法が選択肢の1つとして出題されて以来，たびたび登場するようになった。また，実務実習では病院，薬局を問わずに体験したことが報告されており，本法が服薬支援方法として認識される"知識の時代"から"実践の時代"に移ったといえよう。

文献
1）日本薬剤師会・編：第十四改訂 調剤指針，薬事日報社，pp.192-193，2018

（宮本 悦子）

■ 簡易懸濁法に関する情報の活用

採用薬の簡易懸濁法リストを作成する良い方法は？

A じほうから「内服薬 経管投与ハンドブック 第4版」（2020年9月発刊）のデータ版が販売されています。本データでは，医薬品名など直接入力する必要はなく，採用薬を選択することで独自の一覧表を作成することができます。

● 簡易懸濁法で役立つデータの入手方法

　第3版の発行より5年ぶりに「内服薬 経管投与ハンドブック 第4版」（じほう刊）が内容を充足して発刊された。同書に掲載されているデータ版が販売されている。

> [じほう　経管投与ハンドブックデータ購入方法]
> 「医薬品データ販売のご案内」（以下のURL）を参照
> http://www.jiho.co.jp/cd/product/kiso/tabid/266/Default.aspx

　また，日本服薬支援研究会では，会員専用のウェブシステム「簡易懸濁可否情報共有システム」（次頁の図）で情報共有を行っている。本システムに搭載の機能として，①適否情報の検索（経管投与ハンドブックの情報も検索可能），②自施設で行った試験結果の投稿，③適否情報要望医薬品リクエスト，④すでに登録されている適否情報について自施設で行った結果追加——などがある。詳しくは，日本服薬支援研究会ホームページ（http://fukuyakushien.umin.jp/index.html）を参照されたい。

（飯田 純一）

第5章・簡易懸濁法Q&A

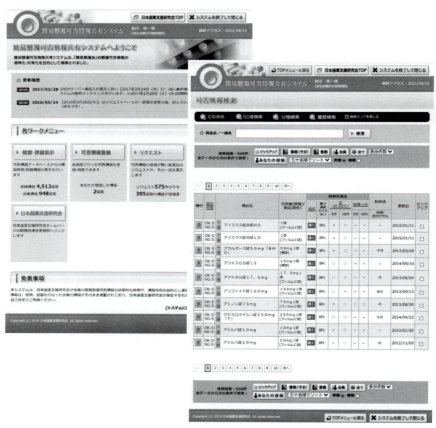

図 簡易懸濁可否情報共有システム

「内服薬 経管投与ハンドブック」に掲載されていない薬の簡易懸濁法適否は，どう判断するのか？

簡易懸濁法の適応確認試験として，崩壊懸濁試験とチューブ通過性試験を行い，判定することができます。試験方法については23頁「第3章　簡易懸濁法適否基準」を参照してください。また，日本服薬支援研究会ホームページの会員専用Webシステムの「簡易懸濁可否情報共有システム」では，新薬などの情報も共有されています。

（飯田 純一）

Q60 同じ一般名・剤形にもかかわらず，先発品と後発品で簡易懸濁法の適否が異なるのはなぜか？

有効成分が同じでも先発品と後発品のそれぞれの製品で添加剤の種類や錠剤の硬度，懸濁後の液のpHなどは異なります[1-4]。また近年では，服用しやすさを高める製剤技術が，①口腔内崩壊錠，②苦味などのマスキング，③錠剤の小型化，④製剤の微粒子化――などに応用されており，これにより溶解性が異なる例もあります。

・ ▫ ・

「後発医薬品の生物学的同等性試験ガイドライン」[5]の緒言には，「経口製剤では，溶出挙動が生物学的同等性に関する重要な情報を与えるので，溶出試験を実施する」とある。先発品と後発品の溶出試験結果では，37℃を条件に同等であることが証明されているが，溶出挙動は生物学的に同等であっても，崩壊は製品ごとに異なる。製薬企業ごとに製法や製剤処方に関する特許をもっていることが多く，同じ一般名の薬であっても製薬企業ごとにその製造方法は異なる。たとえ全く同じ製造過程であったとしても，打錠圧やフィルムコートの厚さなどによっても崩壊性は異なり，したがって簡易懸濁法の適否も異なる。そのため簡易懸濁法の適否は一薬剤ずつ確認する必要がある。

実際に，水に難溶性の医薬品について検討した研究において[3]，同じ主成分の製剤でも剤形や製薬企業の違いにより，溶解量や溶解速度に差があることが示されている。また，時間とともにお湯の温度が懸濁時の55℃から低下するのに伴い，溶解量も低下することが示唆されている。また，医薬品インタビューフォーム（IF）より得られた有効成分溶液のpH（文献値）と，実測した簡易懸濁液のpHを比較したところ[6]（**図**），製品を懸濁したときのpHは全く予測できないことが示されている。

現時点では，このような情報はまだ少ない。しかし，厚生労働省「医薬品の販売情報提供活動に関するガイドライン」と「医療用医薬品の販売情報提供活

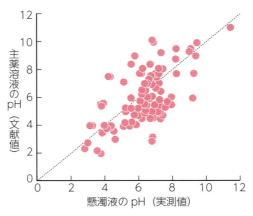

図 医薬品インタビューフォームより得られた有効成分溶液の pH(文献値)と測定した懸濁液の pH(実測値)との比較

動に関するガイドラインに関する Q & A について(その3)」[7]により,IF に安定性等の情報が記載できるようになった。さらに,日本病院薬剤師会「IF 記載要領 2018(2019 年更新版)」[8]の備考に,「調剤・服薬支援に際して臨床判断を行うにあたっての参考情報」が設けられ,「(1)粉砕」と「(2)崩壊・懸濁性及び経管投与チューブの通過性」が新設された。これにより,製薬企業に剤形の資料や崩壊・懸濁性,経管投与チューブの通過性などの試験データなどがある場合は,情報提供が得られるようになった。今後,さらに情報の充実が進むことが期待される。

文献

1) 矢野勝子,倉田なおみ,他:簡易懸濁法におけるプラバスタチン製剤の先発医薬品と後発医薬品の比較検討.医療薬学,34(7):699-704,2008
2) 宮本悦子,他:経口後発医薬品の溶出試験と簡易懸濁法の適否に関する検討.医療薬学,33(11):942-947,2007
3) 小林道也,他:難水溶性薬物の簡易懸濁法施行時における先発品と後発品の溶解性の比較.薬剤学,74(1):93-98,2014
4) 松井萌,他:ランソプラゾール口腔内崩壊錠の後発品に対する簡易懸濁法の適用可否.応用薬理,94(3/4):33-35,2018
5) 後発医薬品の生物学的同等性試験ガイドライン,薬生薬審 0319 第 1 号,令和 2 年 3 月 19 日

6) 石田志朗, 岡野善郎：安定性・配合変化（3）配合変化を予測するための懸濁液 pH 情報を知りたい. 薬局, 60（8）：2929-2936, 2009
7) 医療用医薬品の販売情報提供活動に関するガイドラインに関する Q & A について（その3）（https://www.mhlw.go.jp/content/000545828.pdf）
8) 日本病院薬剤師会「医薬品インタビューフォーム記載要領 2018（2019 年更新版）」について（https://www.jshp.or.jp/cont/19/1226-4.html）

〔飯田 純一，倉田 なおみ〕

Q61 簡易懸濁法が添付文書や日本薬局方に掲載される可能性は？

A 日本服薬支援研究会では，簡易懸濁法の調剤指針への掲載を目標に掲げていましたが，2006年の第十二改訂で実現しました（**Q57**参照）。また，2019年には簡易懸濁法に関するデータが医薬品インタビューフォーム（IF）へ掲載できるようになりました。次の目標は添付文書への掲載です。これが実現すれば，その試験法である崩壊懸濁試験，チューブ通過性試験が日本薬局方に掲載される可能性があります。

● 適応外使用である認識を

簡易懸濁法は，粉砕法に比べて多くのメリット[1]があり，安全で確実な経管投与が可能であるため，患者の安全確保とQOL向上につながる。2017年3月開催の日本薬学会第137年会で，簡易懸濁法の開発者である倉田氏が「簡易懸濁法の開発と普及」において，第40回佐藤記念国内賞を受賞した。これにより簡易懸濁法が医療現場において必要なものであることが認められた。従来の粉砕法に代わる新しい投与法といえるが，一方で粉砕法と同様，添付文書の用法・用量（通常，経口投与）には記載されておらず，すなわち，簡易懸濁法も適応外使用となる（**Q4**参照）。

● 米国の添付文書では

プロトンポンプインヒビターのエソメプラゾール（ネキシウム®カプセル）が2011年7月にわが国で承認された。同剤は米国では2001年2月に承認を受けており，その添付文書に経管投与法が具体的に掲載されている（**表1**）。そこには経口投与の場合と経鼻胃管を留置している場合（すなわち経管投与の場

表 1　米国の Nexium®（ネキシウム®カプセル）の投与法

> <u>For patients who have difficulty swallowing capsules</u>, one tablespoon of applesauce can be added to an empty bowl and the NEXIUM Delayed-Release Capsule can be opened, and the pellets inside the capsule carefully emptied onto the applesauce. The pellets should be mixed with the applesauce and then swallowed immediately. The applesauce used should not be hot and should be soft enough to be swallowed without chewing. The pellets should not be chewed or crushed. The pellet/applesauce mixture should not be stored for future use.
>
> <u>For patients who have a nasogastric tube in place</u>, NEXIUM Delayed-Release Capsules can be opened and the intact granules emptied into a 60 mL syringe and mixed with 50 mL of water. Replace the plunger and shake the syringe vigorously for 15 seconds. Hold the syringe with the tip up and check for granules remaining in the tip. <u>Attach the syringe to a nasogastric tube and deliver the contents of the syringe through the nasogastric tube into the stomach.</u> After administering the granules, the nasogastric tube should be flushed with additional water. Do not administer the pellets if they have dissolved or disintegrated.
>
> The suspension must be used immediately after preparation.

（米国 NEXIUM®添付文書より）

合）に分け，投与方法が詳細に示されている。経管投与ではお湯（約55℃）ではなく50mLの水に脱カプセルで懸濁して投与されるが，米国版簡易懸濁法といえる[2]。

●インタビューフォームへの掲載

　日本病院薬剤師会学術委員会では，2012年度の重点的な活動領域の一つとして「薬事法未承認の成分，適応，用法・用量などの医薬品の有効かつ安全な使用法に関する方策」が取り上げられ，承認されていない成分や適応，用法・用量などを含む医薬品の使用に関する問題点の収集と，これらの医薬品を必要とする人への有効・安全な使用法に関する活動が行われた。そのなかで第8小委員会の簡易懸濁法に関する活動として「経管投与患者への安全で適正な薬物投与法に関する調査・研究」をテーマに，2015年度の最終報告（第6小委員会へ変更）で，経管投与患者に対する薬学的管理チェックシートと内服薬の経管投与時のマニュアルが発表された[3]。

表 2 医療用医薬品の販売情報提供活動に関するガイドラインに関する Q & A について（その 3）の事務連絡

> Q1　患者の状態に応じ，医療現場の判断で簡易懸濁，粉砕等を行う際に参考となる医薬品の安定性等の情報について，インタビューフォームへ記載の上，情報提供することは可能か。

A1
　販売情報提供活動ガイドラインでは，医療関係者から製造販売業者に対し，未承認薬・適応外薬等に関する情報提供について求めがあった場合に行うことは差し支えないこととしている。
　インタビューフォームは，添付文書の内容を補完し，調剤等に際して必要な情報を提供することを目的として，医薬品の適正使用のために必要となる情報提供資材として，医療関係団体の要請をもとに作成されたものである。
　嚥下困難者及び小児に対する投薬治療に際し，これまで医療現場の判断で簡易懸濁，粉砕等が行われてきた実態があることに鑑み，製造販売業者が，簡易懸濁，粉砕等を行った際の医薬品の安定性等に関する情報を，インタビューフォームに記載の上，情報提供することについては，ガイドライン上の医療関係者からの求めがあった場合として整理することで差し支えない。
　ただし，その記載にあたっては，承認上認められていない用法等であることを考慮して，試験法の明示など記載事項・内容については，一定の共通ルールに従って行われることが求められる。また，インタビューフォームに記載した簡易懸濁，粉砕等に関する情報を抜粋してホームページに掲載する場合は，インタビューフォームに記載した内容を過不足なく記載すること。

（https://www.mhlw.go.jp/content/000545828.pdf）

　このような背景から，わが国においても近い将来，簡易懸濁法による経管投与が添付文書に掲載されることが期待される。しかし添付文書は，薬機法の規定に基づき，医薬品の適用を受ける患者の安全を確保し，適正使用を図るための公的文書であることから，その変更には法的な整備が必要となる。

　そのようななか，2018 年に厚生労働省から「医療用医薬品の販売情報提供活動に関するガイドライン」が発出され，その円滑な運用を確保するため，翌年 9 月にガイドラインに関する Q & A の事務連絡が発出された。そのなかでは**表 2** の通り，簡易懸濁法に関する情報をインタビューフォームに記載しても問題ないとの考え方が示され，これを受け「IF 記載要領 2018（2019 年更新版）」では，備考の項目に「調剤・服薬支援に際して臨床判断を行うにあたっての参考情報」として「（1）粉砕」と「（2）崩壊・懸濁性及び経管投与チュー

表3 医薬品インタビューフォーム記載要領2018（2019年更新版）における簡易懸濁法に関連する項目

XⅢ．備考
1．調剤・服薬支援に際して臨床判断を行うにあたっての参考情報
（1）粉砕
　経口剤を粉砕あるいは脱カプセルした後の主剤等の安定性の情報がある場合は，試験条件及び試験結果を記載．これらの加工を明示的に禁止している場合は，その理由を「Ⅷ．11．適用上の注意」に記載し，本項からは参照させる．
　粉砕後の製剤を服用した際の薬物動態の検討結果がある場合は，本項に記載．

（2）崩壊・懸濁性及び経管投与チューブの通過性
　経口剤を温湯等の中に放置した際の崩壊性・懸濁性の情報がある場合は，水温，液量等の条件及び試験結果を記載．崩壊・懸濁のために予め製剤を破壊しておく，放置せず振盪する等が必要な場合はその旨を付記する．懸濁液として調製した後の主剤等の安定性の情報がある場合は，試験条件及び試験結果を記載．
　懸濁液を服用した際の薬物動態の検討結果がある場合は，本項に記載．

（https://www.jshp.or.jp/cont/19/1226-4.html より一部抜粋）

ブの通過性」が新設された（**表3**）．添付文書を補完するIFに簡易懸濁法で投与する際に必要なデータが掲載できるようになった．

● 経管投与患者の安全性を確保するために

　簡易懸濁法による経管投与は適応外使用であるため，医薬品副作用被害救済制度の対象にならない可能性がある．したがって，患者の安全性を確保する観点からも，添付文書に簡易懸濁法に関する情報が掲載されるべきである．それが実現すれば，その試験法である崩壊懸濁試験，チューブ通過性試験が日本薬局方に掲載される可能性がある．

文献

1) 倉田なおみ：簡易懸濁法のメリット．内服薬 経管投与ハンドブック 第3版（倉田なおみ・編，藤島一郎・監），pp.11-18，じほう，2015
2) 安藤哲信：TOPICS 簡易懸濁法による経管投与が適応内使用になることに期待！．薬局，64（1）：8，2013
3) 日本病院薬剤師会学術委員会学術第6小委員会：経管投与患者への安全で適正な薬物投与法に関する調査・研究（最終報告）．日病薬誌，51（10）：1157-1159，2015

（安藤 哲信）

調剤支援システム・電子カルテでの簡易懸濁法の運用

 現在使用している調剤支援システムで簡易懸濁法の適否を表示する良い方法はあるか？

 使用しているシステムによりますが，新しいシステムであれば簡易懸濁法などの患者状態を入力できるようになっています。古いシステムでは簡易懸濁法などの情報入力に対応していないことが多いのですが，処方チェック機能を利用すれば，配合変化のチェックだけでなく，簡易懸濁法の適否のチェックを行うこともできます。

● ○ ●

●古い自動錠剤分包機を使用して簡易懸濁法を行う

　大洗海岸病院（以下，当院）では，2015年12月，新たに自動錠剤分包機を購入したので，それ以前の旧システムと新システムの両方の実例を紹介する。
　簡易懸濁法の適否をチェックするために，既存システムをカスタム化すると費用が発生してしまい簡単にはできないということであれば，今ある最低限のシステムを利用する。
　当院でも買い替える前の古いシステムを使用していた際には，自動錠剤分包機の処方チェックシステムを利用して，簡易懸濁法の適否の自動チェックを行っていた（**Q3**参照）。

❶ 自動錠剤分包機の既存のシステムを利用する方法

①自動錠剤分包機の薬品マスタで，未登録のフラグや備考欄などを利用して簡易懸濁法の可否を登録する。
②薬品マスタに空いているフラグがなく，新規登録も不可の場合は，簡易懸濁法の可否は印字用薬品名の前に「◆バイアスピリン®錠」などのように印（◆）をつけて識別する。
③配合変化の管理は，併用注意や禁忌の警告音や注意表示を利用する。

(1) 薬品マスタのフラグが利用できる場合

薬品マスタのフラグに余裕がある場合は，フラグに適否の内容を登録する。**表1**のように登録し，フラグをチェックすることで見逃しはなくなる。

(2) 薬品マスタのフラグが利用できない場合

フラグが利用できない場合は，とにかくチェックできる何かを表示させる。例えば，医薬品を登録する際に頭に記号（◆）などの印をつけておく（**表2**）。入力すると画面上では薬剤名の頭に記号がついているので，それを見るだけ

表1 フラグ例

フラグ	内容
0	簡易懸濁法可
1	半割すれば簡易懸濁法可
2	簡易懸濁法不可→粉砕は可
3	簡易懸濁法・粉砕→どちらも不可

表2 記号例と表示例

記号例	意味		表示例
印なし	簡易懸濁法 OK	→	ラシックス®錠
△	半錠にすれば簡易懸濁法 OK	→	△ シンメトレル®錠
◆	簡易懸濁法不可，粉砕法ならOK	→	◆ バイアスピリン®錠
×	簡易懸濁法・粉砕法どちらも不可	→	× パリエット®錠

で，誰でも気づけるようにできる。

❷ 大洗海岸病院の例

当院で，古い自動錠剤分包機を使用していた当時は，処方箋も手書き処方箋で運用していたため，簡易懸濁法対象患者かどうかは，処方箋にチェック欄を設け（図1），医師に記入してもらい，薬剤部で処方受付時にこの欄を確認していた。また，自動錠剤分包機の処方チェック機能を活用し，簡易懸濁法適否のチェックをしていた。

(1) 自動錠剤分包機の併用注意・併用禁忌の警告音を利用

自動錠剤分包機の基本的な機能として，併用注意，併用禁忌の薬剤が併用された際，警告を発し，メッセージが画面に表示されるシステムになっている。当院でもこのシステムを活用して，簡易懸濁法不適の薬剤の見逃し防止に利用していた。また，警告メッセージだけでなく，備考に「×」印を表示するようにし，画面上で薬剤名とともに確認できるようにしていた（図2）。

(2) 登録手順

①薬品マスタに"ダミーの薬剤"として「●●● 簡易懸濁法 ●●●」を登録（図3）。
②簡易懸濁法不適の薬剤のマスタを開き，併用禁忌薬剤登録欄に「●●● 簡易懸濁法 ●●●」を登録する。
③経管栄養患者の処方を入力する際，1品目めの薬剤として「●●● 簡易懸濁法 ●●●」を必ず入力する。
④「●●● 簡易懸濁法 ●●●」と簡易懸濁法不適の薬剤が同時に入力されると禁忌薬剤の組み合わせとして警告メッセージが出る（図4）。

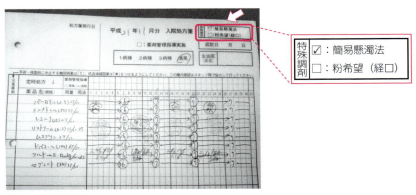

図1　処方箋例

図2　処方入力画面

図3　警告画面

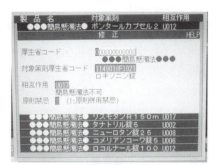
図4　禁忌薬剤登録画面

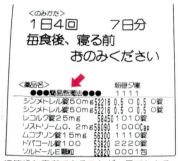
経管投与患者であることが一目でわかる
図5　薬袋の表示例

　このように登録しておくと，簡易懸濁法不適の薬剤を誤って入力しても，警告が発せられるので，容易に気づく。また，薬袋やラベルにも印字され，表題のように印字されるため，経管投与の患者であることが明確になり，他の医療スタッフにもわかりやすくなる（図5）[1]。

🔴 新しい自動錠剤分包機で簡易懸濁法を行う

❶ 患者マスタと薬品マスタに簡易懸濁法情報を登録可能

　最近の新しい自動錠剤分包機のシステムであれば，患者マスタや薬品マスタに，簡易懸濁法の詳細情報を設定するフラグが備わっている。システム導入の際フラグを新たに作成するのであれば，2014年度日本病院薬剤師会学術第6小委員会で作成されたチェックシート（http://www.jshp.or.jp/gakujyutu/houkoku/h26gaku6.pdf）が参考になる。

❷ 大洗海岸病院の例

(1) 患者マスタに投与経路を登録

当院で使用している自動錠剤分包機の患者マスタには「投薬区分」という項目があり，プルダウンすると患者の嚥下関連の状態を選択できる（**図6**）。選択肢には①通常，②粉砕，③簡易懸濁（経管），④簡易懸濁（経口とろみ），⑤簡易懸濁（経鼻），⑥簡易懸濁（食道瘻PTEG），⑦簡易懸濁（胃瘻），⑧簡易懸濁（PEG-J），⑨簡易懸濁（腸瘻），⑩錠剤のまま簡易懸濁せずにとろみだけをつける錠剤とろみがある。

当院では，入院時初回面談などで患者状態を収集し，本システムに登録している。

(2) 薬品マスタに簡易懸濁法の適用条件を登録

患者マスタと同様に，薬品マスタにも簡易懸濁法の情報を登録できるようにした（**図7**）。薬品マスタでは，「簡易懸濁」という項目がある。

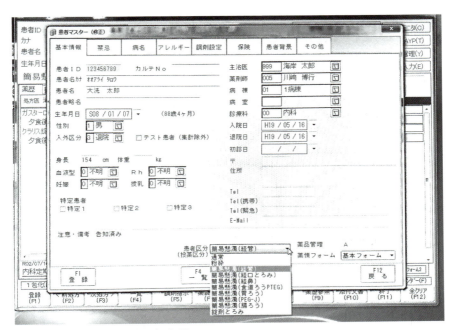

図6 新システム簡易懸濁法 患者マスタ

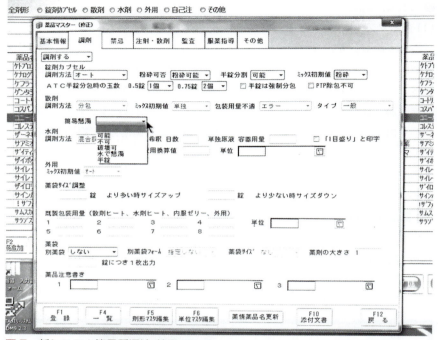

図7　新システム簡易懸濁法 薬品マスタ

　選択肢には，①可能，②不可，③破壊可，④水で懸濁，⑤半錠があり，薬剤特性に合わせて選択する．

(3) 入院処方箋への表示

　患者マスタと薬品マスタに情報を登録しておくと，処方箋上に自動的に簡易懸濁情報が表示される（図8）．また，薬袋や分包紙にも，患者の嚥下状態や「水で懸濁」などの簡易懸濁法の手技を表示できる（図9）．

文献

1) 新井克明：簡易懸濁法導入の効果と問題点，医薬ジャーナル，42（3）：991-998，2006

（新井　克明）

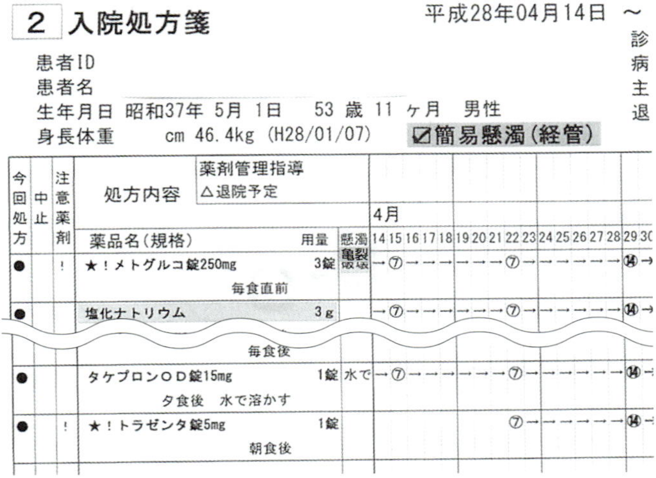

2 入院処方箋　　平成28年04月14日 〜

診 病 主 退

患者ID
患者名
生年月日 昭和37年 5月 1日 53 歳 11 ヶ月 男性
身長体重 cm 46.4kg (H28/01/07)　☑簡易懸濁(経管)

今回処方	中止	注意薬剤	処方内容	用量	懸濁	4月 14 15 16 17 18 19 20 21 22 23 24 25 26 27 28 29 30
			薬剤管理指導 △退院予定			
			薬品名(規格)	用量	懸濁	
●		!	★!メトグルコ錠250mg 毎食直前	3錠	亀裂破壊	→⑦→→→→→→⑦→→→→→→⑭→
●			塩化ナトリウム … 毎食後	3g		→⑦→→→→→→⑦→→→→→→⑭→
●			タケプロンOD錠15mg 夕食後 水で溶かす	1錠	水で	→⑦→→→→→→⑦→→→→→→⑭→
●		!	★!トラゼンタ錠5mg 朝食後	1錠		⑦→→→→→→⑭→

図8　簡易懸濁法の情報が入った処方箋

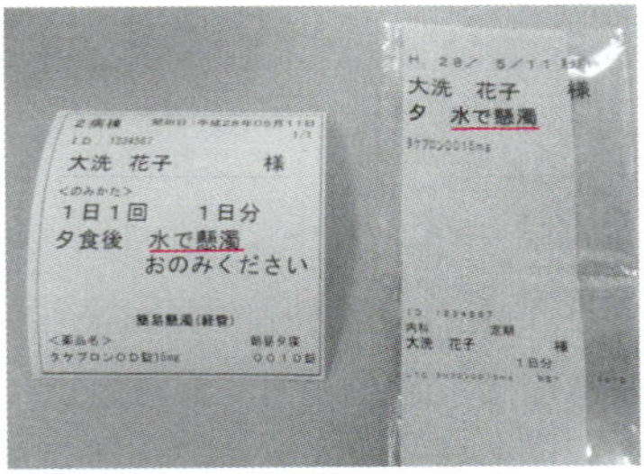

図9　印字された簡易懸濁法の手順

電子カルテに簡易懸濁法の適否を表示させたいが，良い方法はあるか？

 電子カルテの薬剤マスタに簡易懸濁法の適否を記号で表示する方法や，処方オーダー時のチェック機能を活用する方法があります。システムによって運用方法は異なると思われますが，電子カルテに簡易懸濁法の適否を表示し，さらに医師が処方オーダー時に簡易懸濁法での投与指示と薬剤の適否をシステム上でチェックできれば，疑義照会を減らすこともでき，効率的な運用が可能となります。

・ ・ ・

● 電子カルテ上で最低限のチェックを可能とする方法

　電子カルテ上で，医師の処方オーダー時に薬剤や用法ごとの経管投与指示が可能で，かつチェック機能が実装されている場合は，チェック機能を活用するとよい。例えば，簡易懸濁法不適の薬剤が選択された場合に「経管指示（簡易懸濁）不適薬剤です。＊＊＊＊＊（代替薬）に変更してください」と表示するだけでも効果的である。

　使用中のシステムにおいて，処方オーダー時に選択できる指示が"経管投与"や"粉砕指示"と登録されている場合は，マスタの見直しを含め"簡易懸濁法指示"に変更することで，より正確に簡易懸濁法適否を表示できる。また，この形式はマスタの再整備の際に対応できる可能性があり，比較的容易に変更できると思われる。ただし，このような対応が可能であってもマスタやチェックデータの整備は薬剤部で行い，運用方法の変更は医師・看護師ら関係者の十分な理解を得たうえで実施することが重要である。

　上記のようなチェック機能がない場合は，事前に簡易懸濁法可能薬剤リストを医師や看護師に渡しておいたり，または簡易懸濁法の適否情報を表す記号をあらかじめ取り決め，薬剤マスタの薬剤名に記号を付けて登録するという方法

もある。

文献

1) 北川加奈子, 他:簡易懸濁法とシステム導入. 大津市民病院雑誌, 8:34-39, 2007
2) 菅原拓也, 他:簡易懸濁法導入と電子カルテおよび調剤支援システムへの対応. 日本病院薬剤師会雑誌, 44(7):1057-1060, 2008

(世良 庄司)

簡易懸濁法に適した調剤支援システムの機能はあるか？

各メーカーの調剤支援システムのフラグ制御機能が，簡易懸濁法運用時に役立ちます。通常，どのメーカーのシステムでも，フラグ制御により簡易懸濁法のための一包化や，その際のコメントなどを分包紙や薬袋などへ記載することが可能であり，必須の機能と考えられます。

そのほかにも，簡易懸濁法を実施する際に便利な機能があります。以下にまとめますので，これらの機能の実装の有無をシステム選定時の判断材料としてください。

● 簡易懸濁法に役立つ調整支援システムの機能

❶ 必須機能

医薬品マスタで簡易懸濁法の適否や適用可能条件をフラグ管理でき，分包制御や薬袋，分包紙などへのコメント記載が可能であることは必須である。

❷ 実装されていたほうがよい機能

(1) 簡易懸濁法適否チェックと代替薬の表示

電子カルテで，処方オーダ時に自動チェックする機能が実装されていない場合は，調剤時に確認ができると，簡易懸濁法不適薬剤を見逃さずに済む。また，あらかじめ代替薬を登録できれば，効率的な運用につながる。

(2) 配合変化チェック

簡易懸濁法可能薬剤同士で配合変化を起こす場合は，あらかじめチェックする機能があれば，投薬現場であわてることがない。

(3) 簡易懸濁法関連情報を搭載

簡易懸濁法に関するデータベースがあらかじめ搭載されていれば，マスタメンテナンスが軽減でき，また代替薬の提案にも活用できる。

❸ **その他サブシステムなどで実装されていたほうがよい機能**

　簡易懸濁法の適否一覧や関係情報を院内で公開・共有できる機能があると，院内の周知に活用できる．また，持参薬鑑別報告書などの作成時に，簡易懸濁法の適否，適用条件，代替薬などが表示できると便利である．

文献

1) 陣上祥子，他：簡易懸濁法による経管投与に対応した調剤支援システムの構築と運用．医療薬学，34（4）：333-340，2008
2) 小川陽子，他：院内LANを用いた簡易懸濁法可否データベースによる情報共有．日本病院薬剤師会雑誌，49（12）：1281-1286，2013
3) 渡邊政博，他：簡易懸濁法に関わる情報提供の迅速化と適正化を支援するデータベースの構築．医薬品情報学，17（2）：69-76，2015
4) 陸丸幹男，他：電子カルテと連動した簡易懸濁法処方オーダーの構築．九州薬学会会報，69：15-18，2015
5) 前田美由紀，他：病棟薬剤師による情報共有ツールを活用した簡易懸濁法の運用とその効果．九州薬学会会報，71：41-44，2017

（世良 庄司）

医療連携

在宅で簡易懸濁法をスムーズに導入するには？

経鼻胃管，胃瘻・腸瘻造設患者に，退院後の在宅療養でも適切に簡易懸濁法を継続してもらうため，投与現場に立ち会い簡易懸濁法の手順を説明するとともに，困った時に対応できるようサポートします。

● 在宅での投与現場に立ち会う

　在宅移行後に簡易懸濁法を行うにあたり，薬剤師は薬剤交付時に口頭で説明するだけでなく，簡易懸濁法を初めて行う家族や看護師，介護スタッフの理解度や投与状況を把握するためにも，投与準備から同席するのがよい。準備から投与までの間，立ち会いながら説明することで，簡易懸濁法の手順やメリットについても理解が深まると考えられる。

　在宅では，嚥下困難患者の食事に腸溶錠が粉砕して振りかけられるなど，介護者の知識不足による間違った投与方法がなされていることも多い。また，簡易懸濁法を行っている場合でも介護者の自己流の解釈による不適切な投与方法が散見される。薬剤師が一度限りでなく，定期的に投与に立ち会うことで，正確に状況を把握でき，不適切な投与方法で患者が不利益を被るのを防ぐことができる。また，投与者と顔の見える関係が作られ連携もスムーズになるだろう。

● 投与者への説明のポイントとアフターケア

　簡易懸濁法の説明時には，手順の説明書など投与者が困ったときに参照できるものを渡しておく。また個別の薬剤の対応として，温度によっては崩壊・懸濁時に凝固してしまう薬剤（タケプロン®錠など）は分包紙に「水で懸濁する」

などの指示を印字したり（**Q62**参照），投与直前にコーティング破壊する薬剤は別包にするなど，対策を講じておくことが大切である。

投与者には，何かあった場合はすぐに薬剤師に連絡するよう伝え，問い合わせがあった際はすぐに対応し，可能な限り現場に出向いて対応するなど，問題解決に積極的に取り組むよう努める。

●超高齢社会を迎えて

年齢とともに，理解力，嚥下能力，歩行などの日常生活能力（ADL）が低下し，在宅での服薬管理は困難を伴うようになる。介護度が重度になるほど訪問介護による支援が欠かせなくなる。

わが国は2025年には，団塊の世代が75歳以上となり，3人に1人が65歳以上となるなど，急速に高齢化が進む。住み慣れた地域で自分らしい暮らしを全うできるよう，医療・介護・予防・住まい・生活支援が一体的に提供される「地域包括ケアシステム」の構築が社会的に求められている（**図**）。

本システムを支えるには，従来の医療・介護サービスの提供体制を改革し，地域の医療・介護・福祉に関連する多職種（医師，歯科医師，看護師，薬剤師，栄養士，ケアマネジャー，MSW，介護士，作業療法士など）が連携・協働し，地域のチーム医療を推進していくことが重要となる。

（篠原 久仁子）

図　地域包括ケアシステムの姿

老健や特養施設への簡易懸濁法の導入方法は？

 まずアポイントメントを取って訪問し，説明とともにデモンストレーションを行い，経済面も含むメリット・デメリットを理解してもらいます。また，導入後はトラブルにすぐ対応できるよう備えておく必要があります。

● 伝えたい簡易懸濁法のメリット

　平成23年老人保健事業推進等補助金老人保健健康増進事業「摂食嚥下障害に係る調査研究事業報告」によると，摂食嚥下障害は老健で45.3％，特養で59.7％に認められた。さらに高齢化が進んだ現在は，これよりもさらに増えていると考えられる。

　このような背景を踏まえ，2020年4月の調剤報酬改定では経管投薬支援料100点が導入された。経管投薬が行われている患者で簡易懸濁法を開始する際に，医師の求めなどに応じて，患者の同意を得たうえで薬局が必要な支援を行った場合に算定される。算定要件を表に示す。

　施設に対し簡易懸濁法の導入を相談する際には，メリットとして，①経管栄

表　経管投薬支援料の算定要件

○胃瘻または腸瘻による経管投薬を行っている患者
○服薬支援は，以下の場合に患者の同意を得て行うものであること 　・保険医療機関からの求めがあった場合 　・家族らの求めがあった場合など，服薬支援の必要性が認められる場合で，医師の了解を得たとき
○簡易懸濁法による薬剤の服用に関して必要な支援を行った場合 　・簡易懸濁法に適した薬剤の選択の支援 　・患者の家族・介護者が簡易懸濁法により経管投薬を行うために必要な指導 　・必要に応じて保険医療機関への患者の服薬状況と，その患者の家族らの理解度に関わる情報提供

養チューブ閉塞回避が可能，②投与時に処方薬を確認できるため，処方変更・中止時の対応が容易，③細いチューブでの投与が可能なため，患者のQOLが向上する——などを説明したうえで，簡易懸濁法のデモンストレーションを行うと理解が得られやすい。また，患者だけでなく投与者にも，薬剤曝露の危険性が低下するメリットがあることを伝えるのも重要である。

　さらに，施設では，経管投与の患者だけでなく，嚥下困難のため薬剤を粉砕して経口投与する患者も多く，その大多数は長期処方で配合変化のおそれも高いと考えられる。説明の際は，このような粉砕法の患者にも簡易懸濁法は対応できることや，投与者が薬剤をその場で粉砕して投与する必要がなくなり負担軽減になることなども伝える。施設が導入をためらわないよう，万全の準備をして説明とデモンストレーションを行うとともに，導入後は，定期的なアフターフォローを行い，簡易懸濁法が正しく実施されているかどうかを確認する。

●病院と施設の違い

　簡易懸濁法を病院で導入する場合と施設で導入する場合の大きな違いとして，医師，看護師，薬剤師らの医療スタッフの関係性が挙げられる。病院では，すべての職種が同じ施設内にいるため，何かあったときに連携がとりやすいが，老健や特養などの施設では，担当の医師や保険薬局は決まっていても，すぐに連絡が取れるとは限らないため，連携を取ることが難しいケースがある。

　したがって，導入の際も，医師，看護師，薬剤師，介護スタッフが一堂に会する機会を得ることは難しい。全員に説明をしたうえで同意を得る必要があるため，まず処方する医師の同意から得るように試みる。医師とのアポイントメントは短時間でもよいので，施設回診の際に時間を取るのがよい。

●百聞は一見に如かず

　投与者である看護師と介護スタッフには，まず実際に崩壊・懸濁する様子を見てもらうとわかりやすい。薬剤は崩壊・懸濁するものであれば何でも構わないが，デモンストレーションを行うのであれば，よりインパクトのあるカプセル剤もよい。また，粉砕法での経管投与がうまくいかない例を紹介することで，

簡易懸濁法のメリットがわかりやすく，「粉にすればなんでも経管投与できる」という誤解も解けると思われる。経管投与できない薬剤については，薬剤師に聞くように伝えておけば，以降，看護師と介護スタッフと，よりコミュニケーションが取りやすくなる。

　説明とデモンストレーションの後は，実際に看護師と介護スタッフに，簡易懸濁法の実技を体験してもらうとよい。その際，使用するディスペンサーやポットは，持参するほうがスムーズだが，施設内にあるものを使わせてもらい，特別な準備をしなくても現在使用している器具でもできるということを納得してもらうと，導入時期もより早くなる。

●メリットだけでなくデメリットも説明を

　説明の際は，簡易懸濁法のデメリットも伝えたうえで，経管投与にはデメリットを上回るメリットがあることを理解してもらう。また，老健では薬剤費は施設負担となる。そのため，ドライシロップや散剤よりも錠剤のほうが薬価の安い場合が多く，薬剤費が安くなる可能性があることは導入を後押しする情報の一つとなる。

●アフターフォローと医療連携

　簡易懸濁法導入後も，トラブルは起きた際に迅速にフォローし，きめ細かな対応ができるよう準備しておく。あらかじめ連絡先（夜間も含め）を決めておくほか，機会があれば施設を訪問し，状況の確認を行っておくとよいだろう。

　通常の調剤業務を行っていても，他施設の医師や看護師と話し合う機会はそれほど多くない。しかし，簡易懸濁法の導入は，さまざまな職種や施設との連携が深まる良いきっかけにもなる。施設だけでなく，地域の保険薬局同士でも簡易懸濁法を広めていくことで，薬薬連携もスムーズにできるようになる。また，施設を訪問する際には，訪問薬剤管理指導を行い，患者の処方へも介入できるとよい。

文献

1) 平成23年度保健健康増進等事業（老人保健事業推進費等補助金）：摂食嚥下障害に係る調査研究事業報告

（近藤　幸男）

■ 医療連携

簡易懸濁法は医師，看護師にはどの程度普及しているのか？

診療報酬の栄養サポートチーム加算（週1回，200点）では，NSTの構成要員として，栄養管理に係る所定の研修を修了した常勤薬剤師が含まれているため，NST実施施設の医師・看護師への啓発は進んでいると考えられますが，例えば，日本医師会や日本看護協会への直接の啓発活動はまだ途上です。特に在宅医療に関わる職種に対しては，インタビューフォームなどを使い積極的に情報発信していく必要があるでしょう。

● NSTの研修プログラムに簡易懸濁法

　日本病態栄養学会作成のNSTの臨床研修プログラムには「簡易懸濁法の実施と有用性の理解」が盛り込まれ，簡易懸濁法はNST活動の重要な要件となっている。これを受け簡易懸濁法認定指導薬剤師（2021年現在，全国に19名在籍は，各施設・地区でNST対象に研修を行っており，医師・看護師へも徐々に広がりをみせている。PDN（ペグドクターズネットワーク）による九州PEGサミットでは，簡易懸濁法のブースが出され体験コーナーが設けられるなどの動きもみられる。

　簡易懸濁法を理解してもらうためには，メリットとして，①調剤時問題点の解決，②投与時の問題（経管栄養チューブ閉塞）の回避，③配合変化のリスク低下，④投与可能薬品の増加，⑤投与時に再確認可能（リスクの回避），⑥中止・変更の対応が容易（経済的ロスの削減），⑦細いチューブの使用可能（患者QOLの向上）などがあることを伝えるとよい。また，Q61（**267頁**）で紹介した通り，令和元年9月6日の事務連絡により，インタビューフォーム上での簡易懸濁法に関する情報提供が認められており，医師・看護師への啓発活動に有用と考えられる。

今後，在宅医療のますますの普及とともに簡易懸濁法の必要性が高まることは確実であり，在宅医療に関わる全ての職種に対する普及啓発は必要不可欠と考えられる。特に訪問看護師は，薬剤関連の作業に多くの時間を取られ，他の看護業務に大きな影響が出ている。訪問看護ステーションに簡易懸濁法の普及を進めることで，現場の看護師を積極的にサポートしていく必要がある。

〔近藤　幸男〕

■医療連携

簡易懸濁法を開業医に理解してもらうには？

 アポイントメントを取ったうえで簡易懸濁法のメリットの説明に伺い，患者が苦労していることを相談事項として挙げ，それが簡易懸濁法により改善されることを説明します。ただ，簡易懸濁法への切り替えを医師へ提案しても，顔が見えない関係では上手くいかない可能性があるため，普段から良好なコミュニケーションをとることが重要です。また，簡易懸濁法が導入できたらそれで終わりではなく，必ず患者宅での結果がどうであったのかを報告します。

- ◦ ▪

● 医師への説明内容

　医師が薬剤の投与方法まで気が回らないことも多く，"服用できなければ「粉砕」の指示を出して終わり"といった事例は散見される。薬物投与について医師が関心をもつのは，患者が投与方法の変更に対応できるか，今までと同様に薬物療法を行えるかであり，薬剤師から，経管投与時の粉砕法で生じるさまざまな薬学的問題，例えば，①吸湿や露光などによる薬剤の変質，②長期管理される分包内での配合変化，③抗がん薬のように取扱者の安全をおびやかす曝露――などについて，誠意をもって説明する必要がある。

　このような薬学的問題点に対して，簡易懸濁法が解決策となること，また，投与方法や処方変更への対応が簡便になり患者・投与者の利便性も高くなること，その結果として薬物療法の継続が可能になることを理解してもらうのが重要である。薬剤師は積極的に処方医と患者の橋渡し役を担い，特に，抗がん薬のように曝露への注意が必要な場合は，投与に用いるデバイス（クイックバッグ，第4章参照）に関しても提言を行っていく。

●簡易懸濁法による抗がん薬投与の注意点と手順

❶ 患者自身が投与する場合

投与の際，薬剤に曝露した器具などによる薬剤の拡散防止に留意するよう伝える。具体的には，下記のポイントに注意する。

(1) 細胞毒性のある薬剤は，なるべく素手で触らないように直接デバイスへ入れる
(2) 注入器や懸濁用容器などは必ずディスポーザブルの器具を使う
(3) ディスポーザブルでない器具・用具（乳鉢，乳棒，スパーテル，秤量紙など）を使用する際は，抗がん薬専用のものを選ぶ
(4) 細胞毒性のある薬剤と他の薬剤で別の注入器具を使っている際には，細胞毒性のある薬剤を先に注入し，他の薬剤は後で注入し，十分な水でフラッシングを行う。細胞毒性のある薬剤のみを投与する場合や，他の薬剤と同時に注入する場合には，注入器の中に薬剤を残さないように慎重に注入し，注入器を直ちに廃棄する。新しい注入器に水を吸いフラッシングを行う
(5) 注入の際には接続部からの漏れを防ぐため，注入時の加圧は慎重に行う
(6) 注入を終了し，片付けを行った後は十分に手洗い・うがいを行う

❷ 家族・施設職員らの介助者が与薬・投与する場合

介助者自身の曝露予防と曝露した器具などによる拡散の防止に留意する。具体的には，下記のポイントに注意する。

(1) ディスポーザブルのマスク，手袋（できればキャップ，保護メガネ，ガウン）を着用する
(2) シートから出した錠剤・カプセル剤は素手で扱わず，ディスポーザブルの手袋などを用いる
(3) 与薬者以外の者が投与を行うときは適当な伝達方法で，抗がん薬であることを知らせる

上記に加え，前項の「❶患者自身が投与する場合」の（2）〜（6）についても指導する。実際に患者宅で行った事例を，表のようにまとめ，開業医に示すと理解を得やすいと思われる。

（近藤 幸男）

表　事例のまとめ方の例

患者情報
- 86歳男性　脳梗塞，左片麻痺，胃瘻造設後
- 要介護5　2週間に1回訪問
- 生活スタイル：自宅にて妻と二人暮らし。薬は妻が管理

管理方法
- お薬カレンダー

管理における問題点
- 妻は不安が強く，理解力は低い
- 経管投与の操作

工夫した点
- わかりやすい説明や表示が必要
- 栄養剤と薬の投与方法を図にして記載
- 薬はすぐに溶けるものだけ錠剤，それ以外は散剤（簡易懸濁法を併用）

Q69 他の医療スタッフに簡易懸濁法を説明する際に活用できる資材はあるか？

2017年日本病院薬剤師会第6学術小委員会が簡易懸濁法調査に基づく各種マニュアルを作成しました。https://www.jshp.or.jp/gakujyutu/houkoku/h26gaku6.pdf で参照できます。

　日本病院薬剤師会第6学術小委員会で作成した薬剤の経管投与時マニュアル，トラブル発生時マニュアル，器具の洗浄・消毒マニュアルの内容を以下にまとめる。

● 薬剤の経管投与時マニュアル

❶ 懸濁時間
1. 事前に，55℃温湯を用い10分間で懸濁可能な薬剤であるかの情報を収集する。
2. 薬剤を注入器等に入れる。
3. 55℃温湯を20mL程度吸い取る。
4. 最長10分間放置後，撹拌する。
5. 懸濁状態を確認する。
    注1）10分で懸濁しない錠剤は，懸濁前に乳棒や器具により破壊してから用いる。
    注2）10分以内に懸濁すれば，投与可能となる。懸濁時間は短いほどよい。
    　　→懸濁時間が短い，OD錠が推奨される。
    注3）懸濁後の長時間の放置は，有効成分の分解や配合変化の危険性等が考えられるため避ける。

❷ 投与時の状況
1. 懸濁時間の10分間を待つことが作業上難しい場合，作業手順を待たないように一部変更して業務の負担を減らす対応策を検討する。

- 懸濁する時間が短い OD 錠を積極的に用いる。
- 栄養剤の投与開始時に薬剤を温湯に入れる。栄養剤の投与が終わる頃には薬剤は崩壊している。
- 栄養剤の投与後にこだわらず，投与直前や途中の投与も考慮する。
- 投与時にベッドサイドで懸濁するのではなく，詰所などで準備する。
- 懸濁する患者の人数が多いと，最後の患者まで温湯を入れると，最初の患者はすぐに 10 分になることもある。

2. 投与方法
1) 患者の姿勢：座位または仰臥位ならば上体を高くするか右向きにする。身体に変形があり，座位や右側臥位・腹臥位などとれない場合は，呼吸が楽な体位を選択する。
2) 栄養剤が投与されている場合は，投与を停止し，栄養剤と薬剤の相互作用を防止するため経管栄養チューブを 20mL 程度の水または白湯でフラッシュする。
3) 懸濁液が入った注入器を経管栄養チューブに接合し，懸濁液を注入する。
    - 注入時，①注入器と経管栄養チューブの接合部を押さえる。
      　　　　②経管栄養チューブが閉塞する可能性があるので注意する。
    - 閉塞しやすい薬剤は，閉塞しない薬剤への変更を検討する。
    - 注入器を細かく振り懸濁液を撹拌しながら注入すると閉塞しにくい。
    - 懸濁液注入中，嘔吐しないか等，患者の状態にも注意を払う。

❸ フラッシュ法
1. 懸濁液を経管栄養チューブに注入後，注入器に水または白湯を 20mL 程度吸引し，撹拌後に残存する薬剤を経管栄養チューブへ注入する。
2. 水分の摂取量に制限がある場合，フラッシュする水または白湯の量に注意する。

❹ 経管栄養チューブの汚染
- 注入器は原則使い捨てであるが，やむを得ず繰り返し使用する場合には汚染及び感染に留意し，消毒を確実に行う。
- 簡易懸濁液調製前には手指を十分に洗い清潔を保つ，または手袋を使用する。
- 簡易懸濁液調製場所の机の上などをアルコール等で消毒し，清潔に保つ。
- 経管栄養チューブの汚染防止のために，懸濁液投与後には必ず，20mL 程

度の水または白湯でフラッシュする。
- 経管栄養チューブの汚染により，閉塞を引き起こす場合がある。
- 食酢（約 4%）を 10 倍程度に希釈して経管栄養チューブに充填することで，チューブ内の汚染を防ぐ。

● トラブル発生時マニュアル

❶ 閉塞時
1. ［禁止］経鼻胃管の場合，ガイドワイヤーやスタイレットを使用しての再開通は禁止[1]
2. 洗浄の試み
3. 胃瘻の場合，洗浄用ブラシ（PDN ブラシ）の使用など
4. 消化酵素剤の充填の検討（栄養剤による閉塞の場合）

❷ 懸濁が不完全で薬剤が崩壊しきらない
1. 懸濁時間の確認
    → 10 分経過したか？
2. 水の温度の確認
    → 懸濁開始時 55℃を確認
    → 水剤等の混合による温度低下の有無の確認
3. 薬剤と NaCl の同時懸濁の確認（ヒプロメロースが溶解しにくくなる）
    → NaCl の別投与
    （食塩水にして栄養剤に入れる，フラッシュ水に食塩を入れるなど）
4. 漢方薬と他剤を同時懸濁していないか？
    → 単独での懸濁
    → 他の大量の散剤についても同様
5. 処方の見直しを検討

❸ 懸濁液の変色
1. 原因薬剤の追及
    →（例）
    - レボドパ製剤と鉄含有製剤の同時懸濁による黒変（問題あり）
    - セフェム系抗生物質と酸化マグネシウムの懸濁による変色（問題あり）

- カプセルの色素や漢方薬により特異な色調を呈する（問題あり）

● 器具の洗浄・消毒マニュアル

薬剤を経管投与する際に使用する器具は原則として単回使用が望ましい
手技を行う際には標準的な手指衛生と手袋を用いる

❶ 全般的注意点
1. 理想的にはそのまま専用ラインに接続して投与できる RTH（ready-to-hang）製剤の使用が感染予防の観点から望ましい
2. 経腸栄養剤の多くは無菌製剤であるが，開封すると時間経過とともに細菌が増殖する
3. H_2 受容体拮抗薬や PPI を投与している患者では，より厳重な清潔操作を行う
4. 経管投与チューブの汚染は閉塞の原因となるだけではなく，感染源にもなりえる
5. 経管投与容器，経管投与チューブ，シリンジなどは複数の患者に用いない

❷ 洗浄
1. 使用する容器はその都度洗浄を行う
2. 経管投与容器への直接の栄養剤の継ぎ足しは行わない
3. 8 時間以上室温で放置すると 1,000CFU/mL 以上に微生物が増殖[2,3]
4. ベッドサイドで容器に移し替えるだけでも微生物混入[4]
5. 水洗浄，熱湯洗浄，中性洗剤による洗浄単独ではいずれも衛生状態の維持に不十分
6. 中性洗剤で洗浄後に食器乾燥機等で乾燥させる
7. 乾燥させることが難しい状況であれば，水で洗浄した後に浸漬消毒する

❸ 消毒
1. 消毒の前に必ず洗浄を行う
2. 消毒は 0.01％（100ppm）次亜塩素酸ナトリウムによる浸漬消毒を行う
3. 経管投与チューブやシリンジは消毒液をフラッシュするなどの工夫を行い，内部に空気が入らないように浸漬する

❹ 乾燥

1. 洗浄・消毒後には十分な乾燥が必要
2. 経管投与チューブなどは乾燥しにくいため，乾燥が難しいようであれば次回使用時まで浸漬消毒したままにしておく

文献

1) 経腸栄養用チューブ等に係る添付文書の「禁止・禁忌より」（平成19年6月15日薬食）
2) 日本静脈経腸栄養学会 編：静脈経腸栄養ガイドライン第3版，照林社，2013
3) 日本感染管理ネットワーク（ICNJ）編：INFECTION CONTROL 2011 秋季増刊 感染対策ズバッと問題解決ベストアンサ171，メディカ出版，2011
4) PEGドクターズネットワーク：PDNレクチャー（http://www.peg.or.jp/lecture/index.html）
5) 疋田茂樹，他：経腸栄養剤の細菌増殖の予防対策．JJPEN，20：73-76，1998
6) 宇佐美真，他：投与栄養剤の調製法．日本臨床，49：213-217，1991
7) Roy S, et al.：Bacterial contamination of enteral nutrition in a paediatrichospital, J Hosp Infect, 59：311-316, 2005
8) Oie S, Kamiya A：Comparison of microbial contamination of enteral feeding solution between repeated use of administration sets after washing with water and after washing followed by disinfection：J Hosp Infect, 48：304-307, 2001

（近藤 幸男）

簡易懸濁法の今後の可能性

Q70 簡易懸濁法の医療経済上のメリットは？

A 簡易懸濁法の推進による医療経済上の大きなメリットとして，以下の4つが挙げられます。
①散剤・細粒剤と錠剤の薬価差による経費節減
②調剤時間の削減
③投与中止・変更時の無駄な薬剤廃棄の削減
④投与中止・変更時の作業時間と手間の削減

― ― ―

●散剤・細粒剤と錠剤の薬価差による経費節減

　同じ投与量でも剤形が違うと薬剤費が大きく異なることは，薬剤師以外の職種は意外に知らない。
　一般的に，散剤・細粒剤と錠剤を比較すると，散剤・細粒剤のほうが薬価が高い。粉砕法では，散剤・細粒剤の製品が市販されていれば，錠剤を粉砕せずにできるだけその製品を使うため，使用した薬剤の金額が高くなる。一方，簡易懸濁法を導入すると，散剤・細粒剤で行われていた処方が錠剤で調剤されるようになり，使用する薬剤の金額が下がる。
　感染症の患者に抗菌薬を投与した際の細粒剤と錠剤の薬剤費の比較を表に示す。例えば，メイアクト®MSは同じ力価の細粒剤と錠剤で薬価に1日あたり360.9円もの差がある。したがって，調剤方法を簡易懸濁法に切り替えることで，5日間治療の薬剤費が1,804.5円も安くなる。このように簡易懸濁法を採用することは，薬剤の適正使用を推進することのみならず医療費の節約にも貢献することになる。

表 細粒剤から錠剤へ剤形を変更時の経費節減効果

商品名	薬価*(円)	1日量	投与日数	金額(円)	錠剤との差額(円)
クラビット®細粒10%	81.10	5g	5日分	2,027.5	401.5
クラビット®錠500mg	325.20	1錠	5日分	1,626	
セフゾン®細粒小児用10%	84.00	3g	5日分	1,260	364.5
セフゾン®カプセル100mg	59.7	3カプセル	5日分	895.5	
クラリシッド®・ドライシロップ10%(100mg/1g)	67.4	4g	5日分	1,348	773
クラリシッド®錠200mg	57.5	2錠	5日分	575	
メイアクト®MS細粒10%	166.3	3g	5日分	2,494.5	1,804.5
メイアクト®MS錠100mg	46.0	3錠	5日分	690	

＊：2021年薬価改定価格

● 調剤時間の削減

❶ 調剤とは

　薬剤の取り揃えという行為だけを見て判断すると簡単なことのように思えてしまうが，実際には「調剤」は，薬剤を取り揃える前に，まず，処方薬間の相互作用や投与量など，多くのことをチェックしたうえで，患者個々の状態に合わせて，処方薬の投与可否までも判断し，必要に応じて剤形変更や処方変更を医師に提案するなどの高度な作業を指す．薬剤師は「調剤」により，毎日多くの疑義を発見・是正して，無駄な投与を防ぎ，患者の健康被害や国・病院の多大な損失である訴訟による支払いまでも防いでいる．

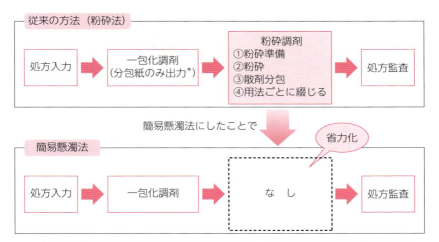

* : 当院では当時散剤分包紙に印字ができなかったため，リスクマネジメント対策として自動錠剤分包機で患者名，服用時期を印字した分包紙を出力し，散剤の分包紙にホチキスでとめていた

図1 当院における粉砕法（従来）と簡易懸濁法（現在）の調剤方法の違い

❷ 粉砕法と簡易懸濁法の作業の差

　粉砕法での「つぶし」調剤は，作業の見た目が派手なので，仕事をしているというイメージが強いが，その実，有能な薬剤師にただやみくもに錠剤を粉砕させているだけの行為で，時間もかかり，マンパワー的には大変な損失である。

　大洗海岸病院（以下，当院）における粉砕法（従来）と簡易懸濁法（現在）の調剤方法の違いを図1に示す[1]。従来の方法は，処方された錠剤を相互作用を考慮して1品目ごとに粉砕し，それぞれを別々に分包して用法ごとにホチキスでとじるという調剤方法だった。

　簡易懸濁法導入後は，粉砕調剤（図1の「なし」部分）が完全に省力化された。そこで，実際の処方箋からこの省力化された粉砕調剤の所要時間を割り出したところ，1カ月あたり29時間にもなることがわかった（図2）。簡易懸濁法を採用することで薬剤師が29時間も別の有益な作業，患者への服薬支援などを行うことができるようになり医療経済と患者サービスに大きく貢献したといえる。

〔粉砕調剤の所要時間（1カ月平均）〕
①粉砕準備時間	3.6 時間
②粉砕時間	9.3 時間
③散剤分包時間	4.1 時間
④綴じる時間	12.0 時間
合　計	29.0 時間

結果，簡易懸濁法導入により29.0時間/月を削減できた

図2　簡易懸濁法導入により削減できた時間

❸ 削減された調剤時間を薬剤管理指導にあてる

　簡易懸濁法導入により削減された調剤時間29時間を薬剤管理指導にあてた場合のシミュレーションを図3に示す。シミュレーション結果は約277万円/年の経済効果が得られるというものだった。

　シミュレーションに際して，薬剤管理指導1件の所要時間を平均30分と仮定し，1カ月で58件と想定。薬剤管理指導料1（特に安全管理が必要な医薬品が投薬または注射されている患者に行う薬剤管理指導）と薬剤管理指導料2（その他の薬剤管理指導）が1：1の比率で29件ずつ行われたと仮定し，1カ月の増収額はそれぞれ110,200円（3,800円×29件）＋94,250円（3,250円×29件）となり，合計204,450円となる。年間では，2,453,400円（204,450円×12カ月）の増収となる。

……①

　また，平均在院日数を15日とすると，薬剤管理指導2回に1回の割合で退院指導となり，退院時加算は29件で1カ月の増収は26,100円（900円/件×29件）となる。年間では，313,200円（26,100円/月×12カ月）の増収となる。

……②

　したがって，簡易懸濁法導入により，**年間2,766,600円（①＋②）増収**となる（図3）。

　今回2021年4月の診療報酬に当てはめてシミュレーションしたが，当院の当時（2005年）の結果も最終的にこのシミュレーションを超える効果が出ていた。今後導入される病院でも処方内容からこのようなシミュレーションを行ってみるとよいだろう。

	1件	増加件数/月	増収益（¥）	
			月	年
薬剤管理指導1[*1]	¥3,800	29	110,200	1,322,400
薬剤管理指導2[*2]	¥3,250	29	94,250	1,131,000
退院時加算	¥900	29[*2]	26,100	313,200
合　計			230,550	2,766,600

簡易懸濁法導入により¥2,766,600/年の増収

*1：特に安全管理が必要な医薬品が投薬または注射されている患者に行う薬剤管理指導
*2：*1以外の薬剤管理指導

図3　簡易懸濁法導入で削減できた時間を薬剤管理指導にあてたシミュレーション

●投与中止・変更時の無駄な薬剤廃棄の削減

　臨床の現場では，患者の容体の変化に応じて処方が変更になることがしばしばある．複数の散剤が混合されていたり，複数の錠剤を粉砕して調剤されていたりする場合には，変更になった薬剤だけでなくその処方すべてを廃棄して再調剤を行う以外にない．しかし，簡易懸濁法で調剤されていれば投与直前まで服用する薬剤の確認が可能なので，直前に投与中止になった錠剤だけを抜くことで，その他の薬剤を無駄に廃棄することがない．もし，これを日本全国の病院で計算することができれば，莫大な医療費を節約していることが判明するのではないかと思われる．

●投与中止・変更時の作業時間と手間の削減

　各施設の調剤方法により異なるが，中止・変更薬を含む投与薬を粉砕して混合してある場合，中止・変更の処理には多職種にわたる手間と時間を要することになる．つまり，変更前の薬剤の中止処理，必要薬剤での再処方（医師），再調剤（薬剤師），再調剤薬の病棟での確認，再セット（看護師または薬剤師），さらにはそのための事務処理（事務職員）など多職種の人手と時間を要することになる．それに対し，簡易懸濁法の場合は錠剤のままなので，同様に労力はかかるが，わかりやすい分だけ事故につながりにくい利点がある．ただし，一

包化調剤されている場合には，その処理にかかる手間と時間は，他の中止変更薬と同様，容易にできる作業ではない。

● その他のメリット

そのほかにも，当院では以下のようなメリットを現場で実感している。
① 看護師，介護者や患者家族の投薬の労力を減らせた。
② 看護師，介護者や患者家族の投薬の労力が減ったので，ケアに力を注げるようになった。
③ 多くの散剤・細粒剤を削除でき，医薬品費の削減ができた。
④ 散剤・細粒剤を薬剤ごとに分包していた場合に比べ，分包紙の消費が大きく減り（1枚約2円×消費数）費用も節減された。
⑤ 薬のロスがなくなった分，十分な薬効が現れ，投与量を減らすことができた可能性がある。
⑥ 配合変化が特定しやすくなり，同時投与では効果が減弱・消失する組み合わせが報告されてきた。そのため，リスクを事前に回避できるようになった。

このように，細かい内容まで入れれば書ききれないほど，簡易懸濁法の導入は医療経済の面で貢献している。

文献

1) 新井克明：簡易懸濁法導入の効果と問題点．医薬ジャーナル，42（3）：991-998，2006
2) 賀勢泰子：簡易懸濁法の留意点―配合変化を中心に；簡易懸濁法 Up to Date（倉田なおみ・連載コーディネイト）．月刊薬時，48（5）：89-96，2006
3) 岡村正夫，他：簡易懸濁法実施手技の検討；簡易懸濁法 Up to Date（倉田なおみ・連戦コーディネイト）．月刊薬事，48（3）：75-78,2006
4) 宮本悦子：医薬品の品質評価に関する研究―簡易懸濁法導入と製剤情報―．日本薬学会第127年会講演要旨集，p.133，2007

〔新井 克明，倉田 なおみ〕

Q71 日本服薬支援研究会は，どのような活動をしているのか？

A　「摂食嚥下障害」，「運動障害」，「健康長寿」，「がんケア」，「医療安全」，「小児」の6部門に分かれて活動し，各地での簡易懸濁法セミナー開催や認定薬剤師制度の運営などを行っています。詳細は日本服薬支援研究会のホームページを参照してください（http://fukuyakushien.umin.jp/）。

● 日本服薬支援研究会の事業内容

日本服薬支援研究会の主な活動は，次の6部門に大きく分けられる。
(1) 摂食嚥下障害：簡易懸濁法のみならず，経口投与の際の最適な剤形や服薬の工夫も含む
(2) 運動障害：片麻痺，関節リウマチ・パーキンソン病，抗がん薬による爪囲炎などに対応する
(3) 健康長寿：近年問題となっているフレイル，サルコペニアと関連する栄養管理，褥瘡，感染予防も含む活動を行い，服薬する患者の問題だけでなく，広く未病・予防についても考える
(4) がんケア：多くの患者が悩んでいるシャンプーやマスクなど生活用品も含めた相談に対応できるような薬剤師支援も行う
(5) 医療安全：薬剤師の在宅医療への参入が求められ，ポリファーマシー，プレアボイド，患者の安全な服薬に関する
(6) 小児：服薬支援は高齢者のみならず小児においても重要。欧州では小児の剤形としてミニタブレットが研究されている。日本薬剤学会小児製剤フォーカスグループとともに研究を進める

この6部門で以下の事業を行っている。
　①研究会の開催など，簡易懸濁法の研究・普及に関する事業

②医療・介護現場における問題点の抽出，研究機関（大学・企業など）との連携による研究
③医療・介護施設間の連携強化による簡易懸濁法実施施設の見学斡旋業務
④国内外関係学会との連携および国際交流
⑤機関誌その他刊行物の発行
⑥その他，本研究会発展のために必要な事業

　具体的には，年1回の総会の開催や，各地区での簡易懸濁法実技セミナー，メーリングリストを用いた会員相互の質疑応答，簡易懸濁法認定薬剤師制度の運営，内服薬経管投与ハンドブックの刊行，大学と共同開催の簡易懸濁法実技セミナーなどを行っている。また，正しい簡易懸濁法の普及のために認定試験を行い，認定薬剤師・認定指導薬剤師制度を実施している。詳しくは日本服薬支援研究会のホームページ（http://fukuyakushien.umin.jp/）を参照されたい。

（近藤 幸男）

■ 簡易懸濁法の今後の可能性

簡易懸濁法の普及率は？

A 簡易懸濁法研究会（現・日本服薬支援研究会）が2007年6〜11月に全国の病院967施設に対して行ったアンケート調査[1,2]によると，約50％の施設が簡易懸濁法を実施していました。その後，2013年1〜5月に日本病院薬剤師会学術第6小委員会が全国の病院753施設に対して行ったアンケート調査では526施設（70％）が回答し，そのうち78％の施設が簡易懸濁法を実施していました[3]。

● 2007年時点の普及率

簡易懸濁法研究会では2007年，967施設にアンケート調査を行った。調査対象施設は，全国の厚生連病院120施設，済生会病院82施設，徳洲会病院39施設，赤十字病院93施設，日本療養病床協会633施設で，各団体のアンケート回答率は，厚生連98％（118施設），済生会63％（52施設），徳洲会100％（39施設），赤十字97％（90施設），療養型34％（218施設）だった。それによると，経管栄養投与患者に対して簡易懸濁法を実施している割合は，経管栄養投与患者数が最も多かった療養型で69％，次いで多い徳洲会で62％だった。赤十字病院は大半の施設で経管栄養投与患者の割合が10％以内と低いにもかかわらず，簡易懸濁法実施率は57％と高い値を示していた（図1）。

● 2013年時点の普及率

前述の調査の6年後，2013年1〜5月に日本病院薬剤師会学術委員会学術第6小委員会が「経管投与患者への安全で適正な薬物療法に関する調査・研究」において，全国の病院753施設にアンケート調査を行った（表）。その結果によると，調査施設の実に98％で経管投与が実施されており（図2-1），78％の

図1 経管栄養投与患者の「簡易懸濁法」実施率（2007年調査）

表 経管薬物投与の実態把握に関するアンケート調査の回収率

	徳洲会病院	済生会病院	赤十字病院	厚生連病院	医師会病院	社会保険病院	日本慢性期医療協会の一部病院	国公私立大学病院	各都道府県代表の一般病院	合計
依頼数	62	80	93	113	48	51	54	111	141	753
回収数	62	44	91	38	33	42	34	72	110	526
回収率	100.0%	55.0%	97.8%	33.6%	68.7%	82.4%	62.9%	64.9%	78.0%	69.9%

施設で簡易懸濁法が実施されていた（図2-2）。一方で，59％の施設では，患者が経鼻胃管，胃瘻，腸瘻のいずれを使用しているかを把握しておらず（図2-3），71％の施設では，留置しているチューブの先端の位置が胃なのか腸なのかを把握していなかった（図2-4）。また，嚥下能力の評価・投与方法に関する薬剤師対象の活動基準はほとんどの施設（92％）がもっておらず（図2-5），嚥下障害患者の投与方法に薬剤師が関与している施設は53％に留まった（図2-6）。

超高齢化とともに簡易懸濁法の普及率は急激に上昇しているが，単なる調剤方法の普及に留まらず，患者の服薬を正しく支援できる投与方法として，内容の充実した普及が望まれる。

■簡易懸濁法の今後の可能性

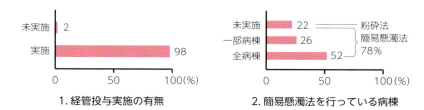

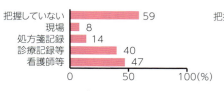

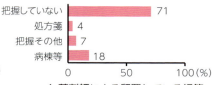

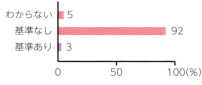

図2 経管投与患者に関するアンケート結果（2013年調査）

文献

1) 簡易懸濁法研究会：簡易懸濁法Q&A Part2 実践編，（倉田なおみ・監），じほう，p.124，2009
2) 西園憲郎，他：日赤薬剤師会「簡易懸濁法に関するアンケート調査」集計結果 H18.1とH19.6との比較．静脈経腸栄養，24：595-598，2009
3) 平成25年度学術第6小委員会：経管平成25年度学術委員会学術第6小委員会報告；経管投与患者への安全で適正な薬物療法に関する調査・研究．日病薬誌，50（9）：1060-1064，2014

（新井 克明）

簡易懸濁法は
今後どうあるべき？

 近年，患者の高齢化，在宅医療の普及などにより臨床現場で簡易懸濁法の普及が急速に進んでいます。簡易懸濁法は，患者の利益と医療従事者・介護者の利益のどちらをも充実させることで，医療をより良いものにします。どんなに広く普及した後でも正しく実施されるよう，環境を整え，皆で協力し合っていくことが重要です。

● ○ ●

●簡易懸濁法誕生から研究会発足まで

　簡易懸濁法は，日本中で薬剤が粉砕されて水に混ぜられ，安易に経管投与されていた実態を問題視した倉田なおみ氏が，1997年（平成9年）に錠剤を懸濁する方法を発表したことに始まる。のちに倉田氏は手順を改良し，薬剤をお湯に懸濁して経管投与する方法に改め「簡易懸濁法」と命名した。

　簡易懸濁法の目的は極めてシンプルで，経管投与であっても医薬品が本来の効果を保てるように製品毎の調剤方法と投与方法を適正化することにあった。

　投与方法の適正化に当たり，倉田氏の作業は，まず多くの薬剤を製剤毎に実験し，粉砕してもよい製剤・ダメな製剤，10分でお湯に懸濁できる製剤・できない製剤，経管投与でチューブを通過する製剤・しない製剤といった情報を整理することから始まった。2001年（平成13年）に書籍「内服薬 経管投与ハンドブック」[1]が発行され，経管投与患者に対する薬物投与の質が格段に高まった。したがって簡易懸濁法では粉砕をすべて否定はしておらず，粉砕して投与すべき薬剤も提示している。

　しかし，次々に開発され新たに販売される製品や日本中の臨床現場に対応していくためには個人の仕事では限界があった。そこで，同じ思いをもつ薬剤師が日本中から集まり，2007年（平成19年）に簡易懸濁法研究会[2]が設立された。本研究会は，医療現場で困っていた医師，薬剤師，看護師，介護士，患者

家族の救いの手となった。

皆で支える簡易懸濁法──日本服薬支援研究会の活動

❶ 簡易懸濁法の適否・配合変化などの情報整備

かつては粉砕した粉末の安定性や配合変化が問題視されることは少なかったが，簡易懸濁法が普及することで，薬剤間の配合変化が大きく取り上げられるようになった。配合変化が疑われる医薬品の組み合わせが多くの学会などで報告されるようになってきたが，今後も臨床現場では配合変化に目を光らせて情報を収集していく必要がある。

また，大学などと連携して配合変化の機序を解明，解決していくことが重要となる。さらにこれらの情報を企業にも提供，連携して簡易懸濁法の適否・配合変化のみならず，懸濁液のpHや溶液中の成分の安定性など，簡易懸濁法に必要な薬剤の情報を整備していくことが重要である。

現在の情報源としては，製薬企業のDI窓口，「内服薬 経管投与ハンドブック第4版」，日本服薬支援研究会の「簡易懸濁可否情報共有システム」がある。2019年からは各薬剤のインタビューフォームの備考欄で簡易懸濁法の情報を公に提供してよいことになっている。安心・安全な薬物療法が普通に行えるように，一日も早く全ての内服薬の添付文書やインタビューフォームにそれらの情報が掲載されることが待ち望まれる。

❷ 相談場所として──会員用メーリングリスト

1人薬剤師の施設などでは疑問点にぶつかったときには，相談相手もおらず途方にくれる。そんな時には，日本服薬支援研究会（旧・簡易懸濁法研究会）の会員用のメーリングリストを活用すると，どのような疑問点でも相談できる。

施設内に相談できる人がいなくても，日本服薬支援研究会には同じ目的をもった仲間がたくさんいる。病院薬剤師，保険薬局の薬剤師のみならず，医師，介護施設職員，企業の開発担当者，MR，大学職員，卸など多方面の会員がいるので広く情報を交換することができる。

❸ 知識と技術の向上を目指して──実技セミナーと認定制度

日本服薬支援研究会では，簡易懸濁法の正しい知識および正しい手技を学べ

るように日本全国各地で実技セミナーを開催している．さらに，2015年1月より指導者養成のため簡易懸濁法認定制度も開始されている（http://fukuyakushien.umin.jp/recognition/index.html）．

● マニュアルの整備

簡易懸濁法研究会のメンバーが中心となって構成した日本病院薬剤師会学術委員会学術第6小委員会が2013年に実施したアンケート調査では[3]，薬剤師が毎日病棟に行っている病院は79％と多く，うち54％は病棟薬剤業務を実施していたものの，経管投与患者への関与が少ないことなどによる薬学的管理の問題点が明確になった．同委員会では，活動の最終報告において経管投与患者に対する薬学的管理チェックシートと内服薬の経管投与時のマニュアルを作成している[4]．これが経管投与患者に対する薬学的管理の初めてのマニュアルとなり，以後，病棟薬剤師はこれらを有効に使い，悩むことなく効率的に経管投与患者に対する薬学的管理が行えるようになった．今後，臨床現場からの声に合わせてこのマニュアルをさらにより良いものに改定していく必要がある．

間違った簡易懸濁法の広まりは，簡易懸濁法への誤解を広めるのみならず，今まで臨床現場で培ってきた大切な知識やノウハウを失い，患者の信頼も失うことになる．薬剤師の評価そのものに対しても悪い影響を及ぼす．薬剤師は正しい簡易懸濁法の知識・技術をもち，今後，超高齢社会において患者やその家族のために病棟・在宅で活躍することが望まれる．

文献

1) 藤島一郎 監，倉田なおみ 編：内服薬 経管投与ハンドブック 第4版，じほう，2020
2) 日本服薬支援研究会ホームページ：http://fukuyakushien.umin.jp/
3) 平成25年度学術委員会学術第6小委員会報告，日病薬誌，50（9）：1060-1064，2014
4) 平成26年度学術委員会学術第6小委員会報告，日病薬誌，51（10）：1157-1172，2015

（新井 克明）

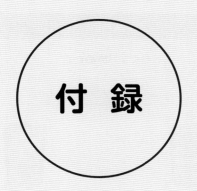

付録1　嚥下補助ゼリー　一覧[1]

会社名	龍角散	
商品名	おくすり飲めたね	
性状	ゼリー	
外観		
風味	いちご	ぶどう
内容量	200g	
原材料	還元麦芽糖水飴，エリスリトール，寒天／ゲル化剤（増粘多糖類），香料，甘味料（ステビア）	
	酸味料，色素	
		＋甘味料（アセスルファムK），乳酸カルシウム
成分（1本あたり） 熱量（kcal）	38	34
タンパク質(g)	0	
脂質（g）	0	
炭水化物（g）	26.5	26.6
糖類（g）	0	0
食塩相当量（mg）	73	103.6
pH	約 3.7	
備考	離乳中期（7～8か月）から使用可	

■ 嚥下補助ゼリー 一覧

龍角散				
おくすり飲めたね　スティックタイプ				らくらく服薬ゼリー
ゼリー				
いちご	ぶどう	チョコ	レモン
25g×6本		18g×6本	200g
エリスリトール，還元麦芽糖水飴，寒天／ゲル化剤（増粘多糖類），香料，甘味料（ステビア）			
酸味料，色素		ココアパウダー，ショ糖脂肪酸エステル	酸味料，色素，乳酸カルシウム
	乳酸カルシウム		
5	5	4	34
0		0	0
0		0	0
4		3	31.4
0	0	0	0
11	12	9	140
約3.7		約7.0	約3.7
離乳中期（7～8か月）から使用可		1回1本使用	離乳中期（7～8か月）から使用可

311

付録1 嚥下補助ゼリー 一覧[1]

会社名	龍角散	ニュートリー
商品名	らくらく服薬ゼリー スティックタイプ	ペースト状のオブラート
性状	ゼリー	
外観		
風味	レモン	プレーン, いちご
内容量	25g×6本	150g
原材料	エリスリトール, 還元麦芽糖水飴, 寒天／ゲル化剤（増粘多糖類）, 香料, 甘味料（ステビア）, 乳酸カルシウム, 酸味料, クチナシ色素	ゲル化剤（増粘多糖類）, 酸味料, 香料, 甘味料（ステビア）
成分（1本あたり） 熱量（kcal）	4.5	6
タンパク質（g）	0	
脂質（g）	0	
炭水化物（g）	4	2
糖類（g）	0	0.3（糖質 0.8g）
食塩相当量（mg）	16	100
pH	約 3.7	約 3.8[2]
備考		粉末や粉が飲みにくい方, 食物繊維 1.2g 含有, カリウム 7mg 含有

1）：各嚥下補助ゼリーの製品案内および各企業のホームページより情報を入手

■ 嚥下補助ゼリー 一覧

	白十字			和光堂	
	ゼリーオブラート おくすりレンジャー			お薬じょうず服用ゼリー	
	フルーツパック	スイーツパック			
	ゼリー				顆粒タイプ（用時溶解）
	いちご, ぶどう メロン	カラメルプリン	チョコ	りんご	いちご
	30g 3種×2本	30g 2種×3本		150g	3g×12包
	寒天，ゲル化剤（増粘多糖類），香料，色素，酸味料，果糖ぶどう糖液，いちご果汁，ぶどう果汁，メロン果汁	寒天，ゲル化剤（増粘多糖類），香料，色素，クエン酸ナトリウム，砂糖		還元麦芽糖水飴，エリスリトール，ゲル化剤（増粘多糖類），香料，酸味料，甘味料（ステビア，スクラロース，アセスルファムK）	増粘剤加工（でん粉），果糖，香料，リン酸ナトリウム
		+ショ糖脂肪酸エステル，乳酸カルシウム	ココアパウダー		
	25～27	30		20	12
	0				
	0				
	6.3～6.8	7.3		15	2.9
	果糖を含む	砂糖を含む		0	0
	6.6～9.1	30.7，19.1		93	31
	糖分含有（糖尿病患者への使用は医師に要相談）				溶解後：ゲル状

2）：徳島文理大学・薬学部にてpHを測定（HORIBA D-51，電極9681S-10D）

付録1　嚥下補助ゼリー　一覧[1]

会社名	モリモト医薬	
商品名	eジュレオレンジ	eジュレオレンジCP
形状	ゼリー	
外観		
風味	オレンジ	
内容量	5mL×10包	120g
原材料	甘味料（キシリトール，還元麦芽糖水飴,，砂糖），増粘多糖類，酸味料，香料，乳酸カルシウム，保存料（安息香酸ナトリウム，安息香酸），着色料（食用黄色5号）	
成分（1本あたり） 熱量（kcal）	2.9	（100gあたり）49.0
成分（1本あたり） タンパク質（g）	0	0
成分（1本あたり） 脂質（g）	0	0
成分（1本あたり） 炭水化物（g）	0.8	（100gあたり）12.8
成分（1本あたり） pH	3.8[2]	

	モリモト医薬			
	eジュレオレンジ ST	eジュレオレンジ GP	eジュレグレープ	eジュレグレープ CP
	ゼリー			
	オレンジ		グレープ	
	21mL×10包	500g	6g×10包	120g
	甘味料（キシリトール, 還元麦芽糖水飴,, 砂糖），増粘多糖類，酸味料，香料，乳酸カルシウム，保存料（安息香酸ナトリウム，安息香酸），着色料（食用黄色5号）		甘味料（エリスリトール, 還元麦芽水飴），増粘多糖類，酸味料，香料，乳酸カルシウム，香料	
	12.2	（100gあたり）49.0	0.9	（100gあたり）14.8
	0	0	0	0
	0	0	0	0
	3.4	（100gあたり）12.8	0.8	（100gあたり）12.8

付録

付録 2-1　医療材料一覧：経鼻胃チューブの材質と先端形状

代表的な販売企業	ニプロ			
販売例	栄養カテーテル	EVA 経腸栄養カテーテル	シリコーン経腸栄養カテーテル	コーフローフィーディングチューブ
材質（可塑剤）	ポリ塩化ビニル（TOTM）	エチレン酢酸ビニル	シリコーンゴム	ポリウレタン
先端形状	側孔／造影ライン／マーカー	吐出口／おもり	吐出口／おもり	側孔／スタイレット
先端留置先	胃	十二指腸・空腸	十二指腸・空腸	胃・十二指腸・空腸
おもり（材質）・オリーブの有無	×	○（ステンレス）	○（ステンレス）	○（タングステン，5Fr. は樹脂）
スタイレットの有無	×	×	×	○

代表的な販売企業	トップ	
販売例	栄養カテーテル	ネオフィードフィーディングチューブ
材質（可塑剤）	ポリ塩化ビニル（TOTM）	ポリ塩化ビニル（DEHP）
先端形状		
先端留置先	胃	胃・腸
おもり（材質）・オリーブの有無	×	○（ステンレス）
スタイレットの有無	×	○

ToTM：トリメリット酸トリ-2-エチルヘキシル
DEHP：フタル酸ジ-2-エチルヘキシル

■ 医療材料一覧：経鼻胃チューブの材質と先端形状

ジェイ・エム・エス		日本コヴィディエン			
EDチューブ（PVC）	EDチューブ（PVCフリー）	EDチューブ	ニューエンテラルフィーディングチューブ	ニュートリフローフィーディングチューブ	
ポリ塩化ビニル（DEHPおよびTOTM）	ポリウレタン	無可塑剤ポリ塩化ビニル	無可塑剤ポリ塩化ビニル	ポリウレタン	
胃・十二指腸・空腸		胃・小腸	胃・小腸	胃・十二指腸・空腸	
◯（ステンレス，タングステン）		◯（ステンレス）	◯（樹脂）	◯（ステンレス）	
◯		×	◯	◯	

付録 2-2　医療材料一覧：注入器

代表的な販売企業	ニプロ	ジェイ・エム・エス
製品例	ニプロカテーテル用シリンジ	ジェイフィード注入器
内容量規格	1mL，2.5mL，5mL，10mL，20mL，30mL，50mL	1mL，2.5mL，5mL，10mL，20mL，30mL，50mL，100mL
先端キャップの有無	キャップ付き製品あり	キャップ付き製品あり
構成図例	○ 30mL，50mL　横口以外（ガスケット／外筒／押子） ○ 30mL，50mL　横口（ガスケット／外筒／押子）	（外筒／ガスケット／押子／注入器キャップ）
筒先の位置	中央： 1mL，2.5mL，5mL，10mL，20mL，30mL，50mL 横口：30mL，50mL	中央：全規格

■ 医療材料一覧：注入器

トップ	テルモ
ネオフィード®シリンジ	テルモカテーテルチップシリンジ
1mL、2.5mL、5mL、10mL、20mL、30mL、50mL	3mL、5mL、10mL、20mL、30mL、50mL
キャップ別売	キャップ付き製品あり
(筒先、外筒、ガスケット、押子)	○ 50mL (ガスケット、外筒、押し子、筒先) ○ 30mL以下（カテーテルチップアダプター組み付けタイプ） (カテーテルチップアダプター、ガスケット、外筒、押し子、筒先)
中央：全規格	中央：全規格

（各社添付文書を参考に作成）

付録3　粘度調整食品一覧

世代	成分	代表的商品	製造販売	特徴
第1	でん粉	トロメリン顆粒	ニュートリー	もったりとしたとろみ とろみをつけるのに量が必要
第2	でん粉 増粘多糖類	トロメリンEX トロミアップエース	ニュートリー 日清オイリオ	少量でとろみが出る とろみが白く濁る
第3	増粘多糖類 デキストリン	トロメリンV つるりんこQuickly トロメイク ソフティア1SOL トロミーナ トロミアップエース ネオハイトロミール	ニュートリー クリニコ 明治 ニュートリー ウエルハーモニー 日清オイリオ フードケア	もったり感がなく，のどごしがよい 白くにごりにくく，とろみが安定

	商品名	会社	成分	形状	とろみ付き時間	使用量 100mL（水，お茶）
第3	つるりんこQuickly	クリニコ	デキストリン，キサンタンガム，乳酸カルシウム，クエン酸三ナトリウム	粉末（顆粒）	2分程度	1～4g
第3	トロメイク	明治	デキストリン 増粘多糖類 pH調整剤	粉末	2～3分	1～3.5g
第3	ソフティア1SOL	ニュートリー	デキストリン 増粘多糖類	粉末	すぐに溶ける	1～2g
第3	トロミーナレギュラータイプ	ウエルハーモニー	デキストリン 増粘多糖類 pH調整剤	粉末	すぐに溶ける	1～3.7g
第2	トロミアップエース	日清オイリオ	デキストリン でん粉 増粘多糖類	粉末	1～2分程度	0.5～2g

■ 粘度調整食品一覧

	商品名	会社	成分	形状	とろみ付き時間	使用量 100mL (水, お茶)
第3	ネオハイトロミールNEXT	フードケア	デキストリン 増粘多糖類	粉末	数十秒	1〜3g
第1	トロメリン顆粒	ニュートリー	デキストリン 加工デンプン	粉末 (顆粒)	多量を加えると溶けにくい	2.4〜7.1g
第3	トロミスマイル	ヘルシーフード	デキストリン 増粘多糖類	粉末	2〜3分	0.8〜3g
第3	サナスロート	サナス	デキストリン 増粘多糖類	粉末 (顆粒)	溶解性高い	1〜3g
第3	とろみ名人	サラヤ	デキストリン 増粘多糖類	粉末	1〜2分	1.5〜5g
第3	とろみファイン	キューピー	デキストリン, 増粘多糖類, クエン酸ナトリウム	粉末	3分程度	2〜3.5g

付録4　簡易懸濁時のpH情報

注：本付録表は2008年の実測値であるため、複数薬剤を同時に崩壊・懸濁する際の配合変化の目安とすること。
　　酸性とアルカリ性を示す薬剤の混合は避ける。

青：酸性（< pH5），白：中性（5 ≦ pH ≦ 8），赤：アルカリ性（> pH8）

商品名	一般名	実測値の平均pH
ATP腸溶錠20mg「AFP」	アデノシン三リン酸二ナトリウム水和物	3.6
PL配合顆粒	サリチルアミド・アセトアミノフェン・無水カフェイン・プロメタジンメチレンジサリチル酸塩	5.1
S・M配合散	タカジアスターゼ・生薬配合剤	8.4
SG配合顆粒	イソプロピルアンチピリン・アセトアミノフェン・アリルイソプロピルアセチル尿素・無水カフェイン	6.2
SPトローチ0.25mg「明治」	デカリニウム塩化物	6.5
アーチスト錠1.25mg	カルベジロール	8.4
アーチスト錠10mg	カルベジロール	7.7
アーチスト錠20mg	カルベジロール	7.2
アーテン錠（2mg）	トリヘキシフェニジル塩酸塩	6.7
アイトロール錠20mg	一硝酸イソソルビド	7.9
アカルディカプセル1.25	ピモベンダン	2.5
アクトスOD錠30	ピオグリタゾン塩酸塩	3.1
アクトス錠15	ピオグリタゾン塩酸塩	3.4
アコレート錠20mg	ザフィルルカスト	7.1
アザルフィジンEN錠500mg	サラゾスルファピリジン	4.1
アスパラカリウム散50%	L-アスパラギン酸カリウム	4.7
アスペノンカプセル10	アプリンジン塩酸塩	6.5
アスペノンカプセル20	アプリンジン塩酸塩	6.6
アスベリン散10%	チペピジンヒベンズ酸塩	6.5
アセチルスピラマイシン錠200	スピラマイシン酢酸エステル	8.8
アゼプチン錠1mg	アゼラスチン塩酸塩	8.9
アダプチノール錠5mg	ヘレニエン（キサントフィル脂肪酸エステル混合物）	7.9
アダラートL錠10mg	ニフェジピン	6.3
アダラートL錠20mg	ニフェジピン	6.6
アダラートカプセル10mg	ニフェジピン	5.6
アダラートカプセル5mg	ニフェジピン	5.4
アタラックス-Pカプセル25mg	ヒドロキシジンパモ酸塩	6.4

※実験方法：55℃のお湯に1錠・1カプセルまたは1包を崩壊・懸濁し、10分後にpHを測定（n=2-3）。
　　ただし、10分間で懸濁しない薬剤は、コーティング破壊後に崩壊・懸濁

■ 簡易懸濁時の pH 情報

青：酸性（＜ pH5），白：中性（5 ≦ pH ≦ 8），赤：アルカリ性（＞ pH8）

商品名	一般名	実測値の平均 pH
アテレック錠 10	シルニジピン	6.7
アドソルビン原末	天然ケイ酸アルミニウム	7.8
アドナ散 10%	カルバゾクロムスルホン酸ナトリウム水和物	7.9
アドナ錠 30mg	カルバゾクロムスルホン酸ナトリウム水和物	6.8
アビリット細粒 10%	スルピリド	9.1
アベロックス錠 400mg	モキシフロキサシン塩酸塩	4.7
アマリール 1mg 錠	グリメピリド	7.0
アミサリン錠 125mg	プロカインアミド塩酸塩	6.2
アムロジン OD 錠 10mg	アムロジピンベシル酸塩	5.8
アムロジン錠 2.5mg	アムロジピンベシル酸塩	7.7
アムロジン錠 5mg	アムロジピンベシル酸塩	7.9
アモバン錠 10	ゾピクロン	7.7
アリセプト D 錠 5mg	ドネペジル塩酸塩	5.6
アリセプト錠 3mg	ドネペジル塩酸塩	5.6
アルサルミン細粒 90%	スクラルファート水和物	3.7
アルダクトン A 錠 25mg	スピロノラクトン	7.8
アルドメット錠 250	メチルドパ水和物	4.0
アルファロールカプセル 0.25μg	アルファカルシドール	5.0
アルファロールカプセル 1μg	アルファカルシドール	4.9
アレグラ OD 錠 60mg	フェキソフェナジン塩酸塩	4.8
アレグラ錠 60mg	フェキソフェナジン塩酸塩	3.7
アレビアチン散 10%	フェニトイン	7.0
アレビアチン錠 100mg	フェニトイン	6.9
アレロック錠 2.5	オロパタジン塩酸塩	5.2
アローゼン顆粒	センノシド A，B	5.7
現：アロチノロール塩酸塩錠 5mg［DSP］ 旧名：アルマール錠 5	アロチノロール塩酸塩	5.6
アロチノロール塩酸塩 10mg［DSP］	アロチノロール塩酸塩	6.0
アンプラーグ錠 100mg	サルポグレラート塩酸塩	3.2
アンブロキソール塩酸塩 OD45mg［ZE］	アンブロキソール塩酸塩	4.2
アンブロキソール塩酸塩徐放 OD45mg［ZE］	アンブロキソール塩酸塩	4.1
イーケプラ錠 500mg	レベチラセタム	5.8
イスコチン錠 100mg	イソニアジド	6.8
イトリゾールカプセル 50	イトラコナゾール	5.2
インデラル錠 10mg	プロプラノロール塩酸塩	6.8

青：酸性（< pH5），白：中性（5 ≦ pH ≦ 8），赤：アルカリ性（> pH8）

商品名	一般名	実測値の平均 pH
インフリーカプセル 100mg	インドメタシン ファルネシル	5.1
ウブレチド錠 5mg	ジスチグミン臭化物	6.3
ウラリット-U 配合散	クエン酸カリウム・クエン酸ナトリウム水和物	5.5
ウラリット配合錠	クエン酸カリウム・クエン酸ナトリウム水和物	5.6
ウルソ錠 100mg	ウルソデオキシコール酸	5.8
エクア錠 50mg	ビルダグリプチン	8.8
エクセグラン錠 100mg	ゾニサミド	6.8
エクセラーゼ配合顆粒	サナクターゼ配合剤	6.6
エナラプリル M 錠 5「EMEC」	エナラプリルマレイン酸塩	3.6
エナラプリルマレイン酸塩錠 5mg「日医工」	エナラプリルマレイン酸塩	3.7
エバステル錠 10mg	エバスチン	5.7
エパデール S300	イコサペント酸エチル	6.7
エビスタ錠 60mg	ラロキシフェン塩酸塩	4.8
エブランチルカプセル 15mg	ウラピジル	5.7
エホチール錠 5mg	エチレフリン塩酸塩	6.3
エリスロシン錠 200mg	エリスロマイシンステアリン酸塩	7.2
エリスロマイシン錠 200mg「サワイ」	エリスロマイシン	7.9
塩酸プロカルバジンカプセル 50mg「中外」	プロカルバジン塩酸塩	4.9
オイグルコン錠 1.25mg	グリベンクラミド	6.5
オイグルコン錠 2.5mg	グリベンクラミド	7.3
オーグメンチン配合錠 250RS	クラブラン酸カリウム・アモキシシリン水和物	6.8
オノンカプセル 112.5mg	プランルカスト水和物	6.6
オパルモン錠 5μg	リマプロスト アルファデクス	6.9
オメプラゾン錠 20mg	オメプラゾール	6.1
オラセフ錠 250mg	セフロキシム アキセチル	6.6
ガスコン錠 40mg	ジメチコン	6.6
ガスター D 錠 10mg	ファモチジン	7.6
ガスター D 錠 20mg	ファモチジン	7.4
ガスター錠 10mg	ファモチジン	8.0
ガスモチン錠 5mg	モサプリドクエン酸塩水和物	5.0
ガスロン N 錠 2mg	イルソグラジンマレイン酸塩	6.0
カソデックス錠 80mg	ビカルタミド	6.9

※実験方法：55℃のお湯に 1 錠・1 カプセルまたは 1 包を崩壊・懸濁し，10 分後に pH を測定（n=2-3）。
　　　　　ただし，10 分間で懸濁しない薬剤は，コーティング破壊後に崩壊・懸濁

■ 簡易懸濁時の pH 情報

青：酸性（< pH5），白：中性（5 ≦ pH ≦ 8），赤：アルカリ性（> pH8）

商品名	一般名	実測値の平均 pH
カナマイシンカプセル 250mg「明治」	カナマイシン一硫酸塩	7.4
カプトリル-R カプセル 18.75mg	カプトプリル	3.0
カプトリル錠 12.5mg	カプトプリル	5.9
カリメート散	ポリスチレンスルホン酸カルシウム	5.7
カルスロット錠 10	マニジピン塩酸塩	3.4
カルスロット錠 20	マニジピン塩酸塩	3.2
カルスロット錠 5	マニジピン塩酸塩	3.8
カルタン錠 500	沈降炭酸カルシウム	9.2
カルデナリン錠 0.5mg	ドキサゾシンメシル酸塩	6.5
カルデナリン錠 2mg	ドキサゾシンメシル酸塩	6.9
カルビスケン錠 5mg	ピンドロール	9.5
カロナール錠 200	アセトアミノフェン	6.3
キネダック錠 50mg	エパルレスタット	5.3
キプレス錠 10mg	モンテルカストナトリウム	9.1
グラクティブ錠 50mg	シタグリプチンリン酸塩水和物	5.4
グラケーカプセル 15mg	メナテトレノン	5.8
クラビット錠 250mg	レボフロキサシン水和物	7.2
クラビット錠 100mg	レボフロキサシン水和物	7.0
グラマリール錠 25mg	チアプリド塩酸塩	6.4
クラリシッド・ドライシロップ 10% 小児用	クラリスロマイシン	10.8
クラリシッド錠 200mg	クラリスロマイシン	9.2
クラリス錠 200	クラリスロマイシン	9.4
グランダキシン錠 50	トフィソパム	7.8
グリチロン配合錠	グリチルリチン酸一アンモニウム・グリシン・DL-メチオニン	6.9
グリミクロン錠 40mg	グリクラジド	5.6
グルファスト錠 5mg	ミチグリニドカルシウム水和物	6.4
クレストール錠 5mg	ロスバスタチン	6.2
クレメジン細粒分包 2 g	球形吸着炭	5.9
ケイキサレート散	ポリスチレンスルホン酸ナトリウム	6.3
ケーワン錠 5mg	フィトナジオン	5.2
ケフラールカプセル 250mg	セファクロル	5.4
ケフラール細粒小児用 100mg	セファクロル	4.4
ケフレックスカプセル 250mg	セファレキシン	5.5
コートリル錠 10mg	ヒドロコルチゾン	9.4
コスパノンカプセル 40mg	フロプロピオン	5.6

青：酸性（＜pH5），白：中性（5 ≦ pH ≦ 8），赤：アルカリ性（＞pH8）

商品名	一般名	実測値の平均pH
コランチル配合顆粒	ジサイクロミン塩酸塩・乾燥水酸化アルミニウムゲル・酸化マグネシウム	8.7
コルヒチン錠 0.5mg「タカタ」	コルヒチン	6.9
サアミオン錠 5mg	ニセルゴリン	8.5
サイトテック錠 200	ミソプロストール	7.0
サイレース錠 1mg	フルニトラゼパム	7.6
ザイロリック錠 100	アロプリノール	6.5
ザジテンカプセル 1mg	ケトチフェンフマル酸塩	6.2
サプレスタカプセル 10mg	アラニジピン	6.0
サワシリンカプセル 250mg	アモキシシリン水和物	5.5
サワシリン錠 250	アモキシシリン水和物	5.6
現：酸化マグネシウム「NP」原末 旧名：重質カマグG 330mg	酸化マグネシウム	10.1
酸化マグネシウム錠 330mg「ケンエー」	酸化マグネシウム	10.6
ザンタック錠 150	ラニチジン塩酸塩	6.2
ザンタック錠 75	ラニチジン塩酸塩	6.2
サンリズムカプセル 50mg	ピルシカイニド塩酸塩水和物	6.5
ジアスターゼ	ジアスターゼ	6.2
ジェイゾロフト錠 50mg	セルトラリン塩酸塩	6.6
シグマート錠 5mg	ニコランジル	5.6
ジゴシン錠 0.125mg	ジゴキシン	6.8
ジゴシン錠 0.25mg	ジゴキシン	6.7
ジスロマック錠 250mg	アジスロマイシン水和物	8.8
シナール配合顆粒	アスコルビン酸・パントテン酸カルシウム	2.8
ジフルカンカプセル 100mg	フルコナゾール	6.4
シプロキサン錠 200mg	塩酸シプロフロキサシン	4.3
ジャヌビア錠 50mg	シタグリプチンリン酸塩水和物	5.7
重曹末 10g	炭酸水素ナトリウム	8.1
食塩	塩化ナトリウム	6.3
ジルテック錠 10	セチリジン塩酸塩	3.2
シングレア錠 10mg	モンテルカストナトリウム	9.2
現：シンバスタチン錠 5mg「EMEC」 旧名：リポラM錠 5	シンバスタチン	7.3
シンメトレル細粒 10%	アマンタジン塩酸塩	5.2
シンメトレル錠 100mg	アマンタジン塩酸塩	6.8

※実験方法：55℃のお湯に1錠・1カプセルまたは1包を崩壊・懸濁し，10分後にpHを測定（n=2-3）．
　ただし，10分間で懸濁しない薬剤は，コーティング破壊後に崩壊・懸濁

青：酸性（＜pH5），白：中性（5 ≦ pH ≦ 8），赤：アルカリ性（＞pH8）

商品名	一般名	実測値の平均 pH
シンメトレル錠 50mg	アマンタジン塩酸塩	7.4
ストロメクトール錠 3mg	イベルメクチン	7.6
スピロペント錠 10μg	クレンブテロール塩酸塩	7.2
スルカイン錠 100mg	ピペリジノアセチルアミノ安息香酸エチル	8.9
ゼスラン錠 3mg	メキタジン	8.8
セチロ配合錠	ダイオウ・センナ配合剤	10.4
セディール錠 10mg	タンドスピロンクエン酸塩	4.6
セパミット-R カプセル 20	ニフェジピン	5.6
セファドール錠 25mg	ジフェニドール塩酸塩	3.9
セファランチン錠 1mg	セファランチン・イソテトランドリン・シクレアニン・ベルバミン	7.3
セフスパンカプセル 50mg	セフィキシム水和物	3.3
セフゾンカプセル 100mg	セフジニル	3.8
セフゾンカプセル 50mg	セフジニル	3.7
セルシン散 1%	ジアゼパム	5.0
2mg セルシン錠	ジアゼパム	7.1
5mg セルシン錠	ジアゼパム	7.6
セルニルトン錠	セルニチンポーレンエキス	6.2
セルベックスカプセル 50mg	テプレノン	6.2
セレクトール錠 100mg	セリプロロール塩酸塩	7.3
セレジスト錠 5mg	タルチレリン水和物	7.3
セレスタミン配合錠	ベタメタゾン・d-クロルフェニラミンマレイン酸塩	6.2
セレネース錠 0.75mg	ハロペリドール	7.7
セロクエル 25mg 錠	クエチアピンフマル酸塩	6.4
セロクラール錠 20mg	イフェンプロジル酒石酸塩	7.0
セロケン錠 20mg	メトプロロール酒石酸塩	6.2
ソセゴン錠 25mg	塩酸ペンタゾシン（添加物：ナロキソン塩酸塩）	6.0
ソラナックス 0.4mg 錠	アルプラゾラム	7.8
ソランタール錠 100mg	チアラミド塩酸塩	4.4
ダイアート錠 30mg	アゾセミド	7.3
ダイアモックス錠 250mg	アセタゾラミド	6.2
タガメット錠 200mg	シメチジン	9.5
タケプロン OD 錠 15	ランソプラゾール	4.3
タケプロン OD 錠 30	ランソプラゾール	4.2
タケプロンカプセル 15	ランソプラゾール	6.0

青：酸性（＜ pH5），白：中性（5 ≦ pH ≦ 8），赤：アルカリ性（＞ pH8）

商品名	一般名	実測値の平均 pH
タナトリル錠 5	イミダプリル塩酸塩	3.8
タミフルカプセル 75	オセルタミビルリン酸塩	5.4
タムスロシン塩酸塩 OD 錠 0.2mg「サワイ」	タムスロシン塩酸塩	7.5
ダラシンカプセル 150mg	クリンダマイシン塩酸塩	5.6
タリビッド錠 100mg	オフロキサシン	7.1
ダントリウムカプセル 25mg	ダントロレンナトリウム水和物	9.5
タンボコール錠 50mg	フレカイニド酢酸塩	6.4
現：チアプリド錠 25mg「サワイ」 旧名：チアプリム錠 25	チアプリド塩酸塩	6.7
現：チクロピジン塩酸塩錠 100mg「日医工」 旧名：ニチステート錠 100mg	チクロピジン塩酸塩	3.7
チラーデン S 錠 50μg	レボチロキシンナトリウム水和物	9.4
ディオバン錠 40mg	バルサルタン	4.0
テオドール錠 50mg	テオフィリン	6.1
現：テオドール顆粒 20% 旧名：テオドール G20%	テオフィリン	7.1
テオフィリン徐放錠 200mg「日医工」	テオフィリン	5.9
テオロング錠 100mg	テオフィリン	6.9
テオロング錠 200mg	テオフィリン	7.0
テオロング錠 50mg	テオフィリン	7.2
デカドロン錠 0.5mg	デキサメタゾン	7.6
テグレトール錠 100mg	カルバマゼピン	6.8
テグレトール錠 200mg	カルバマゼピン	7.3
テシプール錠 1mg	セチプチリンマレイン酸塩	6.0
テトラミド錠 10mg	ミアンセリン塩酸塩	6.9
テノーミン錠 25	アテノロール	10.5
テノーミン錠 50	アテノロール	10.5
デパケン錠 100mg	バルプロ酸ナトリウム	6.8
デパス錠 0.5mg	エチゾラム	7.9
現：テプレノンカプセル 50mg「サワイ」 旧名：セフタックカプセル 50	テプレノン	6.4
テルネリン錠 1mg	チザニジン塩酸塩	6.6
テルミサルタン錠 40mg「タナベ」	テルミサルタン	9.6
ドグマチール細粒 50%	スルピリド	9.3
ドグマチール錠 50mg	スルピリド	9.2

※実験方法：55℃のお湯に 1 錠・1 カプセルまたは 1 包を崩壊・懸濁し，10 分後に pH を測定（n=2-3）。
　　　　　ただし，10 分間で懸濁しない薬剤は，コーティング破壊後に崩壊・懸濁

青：酸性（＜ pH5），白：中性（5 ≦ pH ≦ 8），赤：アルカリ性（＞ pH8）

商品名	一般名	実測値の平均 pH
ドパコール配合錠 L100	レボドパ・カルビドパ水和物	6.3
トフラニール錠 25mg	イミプラミン塩酸塩	6.5
ドラール錠 15	クアゼパム	7.1
トラベルミン配合錠	ジフェンヒドラミンサリチル酸塩・ジプロフィリン	5.9
ドラマミン錠 50mg	ジメンヒドリナート	7.2
トランサミンカプセル 250mg	トラネキサム酸	6.7
トリプタノール錠 10	アミトリプチリン塩酸塩	7.3
ドルナー錠 20μg	ベラプロストナトリウム	7.1
トレドミン錠 15mg	ミルナシプラン塩酸塩	7.5
ドンペリドン錠 10mg「EMEC」	ドンペリドン	6.8
ナイキサン錠 100mg	ナプロキセン	4.7
ナウゼリン OD 錠 10	ドンペリドン	6.8
ナウゼリン錠 10	ドンペリドン	7.2
ナウゼリン錠 5	ドンペリドン	6.9
ニトロール R カプセル 20mg	硝酸イソソルビド	5.5
ニトロペン舌下錠 0.3mg	ニトログリセリン	6.2
現：ニフェジピン CR 錠 10mg「日医工」 旧名：コリネール CR 錠 10	ニフェジピン	6.2
乳酸カルシウム	乳酸カルシウム水和物	7.1
乳糖		5.5
ニューロタン錠 25mg	ロサルタンカリウム	7.2
ネオフィリン原末	アミノフィリン水和物	8.2
ネキシウムカプセル 20mg	エソメプラゾールマグネシウム水和物	5.2
ネシーナ錠 12.5mg	アログリプチン安息香酸塩	6.6
ノイロトロピン錠 4 単位	ワクシニアウイルス接種家兎炎症皮膚抽出液	7.2
ノバミン錠 5mg	プロクロルペラジンマレイン酸塩	3.8
ノルバスク錠 2.5mg	アムロジピンベシル酸塩	8.1
ノルバデックス錠 10mg	タモキシフェンクエン酸塩	4.1
ハイゼット錠 25mg	ガンマオリザノール	8.4
ハイペン錠 200mg	エトドラク	5.1
バイロテンシン錠 5mg	ニトレンジピン	6.3
パキシル錠 10mg	パロキセチン塩酸塩水和物	7.7
バクタ配合錠	スルファメトキサゾール・トリメトプリム	5.7
バップフォー錠 10	プロピベリン塩酸塩	6.3
パナルジン錠 100mg	チクロピジン塩酸塩	4.1

青：酸性（＜pH5），白：中性（5 ≦ pH ≦ 8），赤：アルカリ性（＞pH8）

商品名	一般名	実測値の平均pH
現：バファリン配合錠A81 旧名：バファリン81mg錠	アスピリン・アルミニウム グリシネート・炭酸マグネシウム	4.9
バルサルタン錠40mg「ニプロ」	バルサルタン	4.6
ハルシオン0.25mg錠	トリアゾラム	7.5
バルトレックス錠500	バラシクロビル塩酸塩	4.8
ハルナールD錠0.2mg	タムスロシン塩酸塩	7.1
パントシン細粒50%	パンテチン	6.7
ビオフェルミンR錠	耐性乳酸菌	9.2
ビオフェルミン錠剤	ビフィズス菌	9.1
ビソルボン細粒2%	ブロムヘキシン塩酸塩	4.0
ビソルボン錠4mg	ブロムヘキシン塩酸塩	5.4
ビタノイリンカプセル25	フルスルチアミン塩酸塩・ピリドキサールリン酸エステル水和物・ヒドロキソコバラミン酢酸塩	4.7
ピタバスタチンCa錠2mg「NP」	ピタバスタチンカルシウム水和物	9.6
ピタバスタチンCa錠2mg「ケミファ」	ピタバスタチンカルシウム水和物	8.4
ピタバスタチンCa錠2mg「サワイ」	ピタバスタチンカルシウム水和物	10.1
ピタバスタチンカルシウム錠2mg「テバ」	ピタバスタチンカルシウム水和物	7.8
ピタバスタチンカルシウム錠2mg「日医工」	ピタバスタチンカルシウム水和物	7.8
ピタバスタチンCa2mg「明治」	ピタバスタチンカルシウム水和物	9.6
ヒダントールF配合錠	フェニトイン・フェノバルビタール	6.2
ビブラマイシン錠50mg	ドキシサイクリン塩酸塩水和物	3.0
ファスティック錠30	ナテグリニド	4.3
ファスティック錠90	ナテグリニド	4.2
現：ファモチジンOD錠10mg「テバ」 旧名：ガスポートD錠10mg	ファモチジン	7.3
現：ファモチジンOD錠20mg「テバ」 旧名：ガスポートD錠20mg	ファモチジン	7.4
ファロム錠200mg	ファロペネムナトリウム水和物	6.7
フェノバルビタール散10%「マルイシ」	フェノバルビタール	4.9
フェロミア顆粒8.3%	クエン酸第一鉄ナトリウム	6.2
フェロミア錠50mg	クエン酸第一鉄ナトリウム	6.3
フオイパン錠100mg	カモスタットメシル酸塩	6.0
フォリアミン錠	葉酸	4.6
ブスコパン錠10mg	ブチルスコポラミン臭化物	6.6

※実験方法：55℃のお湯に1錠・1カプセルまたは1包を崩壊・懸濁し，10分後にpHを測定（n=2-3）．
　ただし，10分間で懸濁しない薬剤は，コーティング破壊後に崩壊・懸濁

青：酸性（< pH5），白：中性（5 ≦ pH ≦ 8），赤：アルカリ性（> pH8）

商品名	一般名	実測値の平均pH
フマル酸ケトチフェン錠 1mg「EMEC」	ケトチフェンフマル酸塩	4.6
ブラダロン錠 200mg	フラボキサート塩酸塩	3.8
現：プラバスタチン Na 錠 5mg「ケミファ」 旧名：プラバスタン錠 5	プラバスタチンナトリウム	7.1
プラビックス錠 25mg	クロピドグレル硫酸塩	2.2
プラビックス錠 75mg	クロピドグレル硫酸塩	2.3
フランドル錠 20mg	硝酸イソソルビド	6.5
プリモボラン錠 5mg	メテノロン酢酸エステル	6.9
プリンペラン錠 5	メトクロプラミド	9.8
フルイトラン錠 2mg	トリクロルメチアジド	6.5
フルカムカプセル 27mg	アンピロキシカム	6.0
プルゼニド錠 12mg	センノシド A・B	6.3
プレタール OD 錠 100mg	シロスタゾール	6.8
プレドニゾロン散「タケダ」1%	プレドニゾロン	5.2
プレドニン錠 5mg	プレドニゾロン	6.8
ブロスター M 錠 10	ファモチジン	7.9
プロスタール L 錠 50mg	クロルマジノン酢酸エステル	6.6
プロセキソール錠 0.5mg	エチニルエストラジオール	5.3
ブロチゾラム M 錠 0.25「EMEC」	ブロチゾラム	6.8
プロノン錠 150mg	プロパフェノン塩酸塩	6.4
ブロプレス錠 4	カンデサルタン シレキセチル	6.1
ブロプレス錠 8	カンデサルタン シレキセチル	6.0
プロマック D 錠 75	ポラプレジンク	8.2
フロモックス錠 100mg	セフカペン ピボキシル塩酸塩水和物	3.4
ベイスン錠 0.2	ボグリボース	6.8
ベイスン錠 0.3	ボグリボース	6.9
ベサコリン散 5%	ベタネコール塩化物	6.1
ベザトール SR 錠 100mg	ベザフィブラート	4.4
ベネット錠 2.5mg	リセドロン酸ナトリウム水和物	6.5
ペプリコール錠 100mg	ベプリジル塩酸塩水和物	4.9
ペリアクチン錠 4mg	シプロヘプタジン塩酸塩水和物	7.2
ペルサンチン錠 12.5mg	ジピリダモール	6.7
ペルサンチン錠 25mg	ジピリダモール	7.1
ペルジピン Ｌ Ａ カプセル 40mg	ニカルジピン塩酸塩	4.5
ペルジピン錠 10mg	ニカルジピン塩酸塩	5.3
ペルジピン錠 20mg	ニカルジピン塩酸塩	4.9

青：酸性（＜ pH5），白：中性（5 ≦ pH ≦ 8），赤：アルカリ性（＞ pH8）

商品名	一般名	実測値の平均 pH
ヘルベッサー錠 30	ジルチアゼム塩酸塩	6.4
ベンザリン錠 5	ニトラゼパム	7.5
ホスミシン錠 500	ホスホマイシンカルシウム水和物	9.0
ボノテオ 1mg	ミノドロン酸水和物	4.3
ポラキス錠 3	オキシブチニン塩酸塩	6.7
ポララミン錠 2mg	d-クロルフェニラミンマレイン酸塩	6.1
ポリフル細粒 83.3%	ポリカルボフィルカルシウム	6.0
ポリフル錠 500mg	ポリカルボフィルカルシウム	5.5
ボルタレン SR カプセル 37.5mg	ジクロフェナクナトリウム	6.5
ボルタレン錠 25mg	ジクロフェナクナトリウム	7.2
ポンタールカプセル 250mg	メフェナム酸	6.5
マーズレン S 配合顆粒 0.67g	アズレンスルホン酸ナトリウム水和物・L-グルタミン	5.1
マーズレン S 配合顆粒 0.5g	アズレンスルホン酸ナトリウム水和物・L-グルタミン	5.5
マイスリー錠 5mg	ゾルピデム酒石酸塩	6.0
マグミット錠 330mg	酸化マグネシウム	10.5
ミオナール錠 50mg	エペリゾン塩酸塩	7.5
ミカルディス錠 20mg	テルミサルタン	9.0
ミカルディス錠 40mg	テルミサルタン	9.9
ミグリステン錠 20	ジメトチアジンメシル酸塩	7.4
ミニプレス錠 1mg	プラゾシン塩酸塩	7.4
ミノマイシン錠 50mg	ミノサイクリン塩酸塩	4.0
ミヤ BM 錠	酪酸菌（宮入菌）	9.3
ムコスタ錠 100mg	レバミピド	5.0
ムコソルバン錠 15mg	アンブロキソール塩酸塩	6.4
ムコダイン錠 250mg	L-カルボシステイン	2.8
ムコブリン錠 15mg	アンブロキソール塩酸塩	6.5
メイアクト MS 錠 100mg	セフジトレン ピボキシル	7.6
メイアクト MS 小児用細粒 10%	セフジトレン ピボキシル	5.8
メインテート錠 5mg	ビソプロロールフマル酸塩	7.0
メキシチールカプセル 50mg	メキシレチン塩酸塩	5.8
メジコン散 10%	デキストロメトルファン臭化水素酸塩水和物	6.2
メジコン錠 15mg	デキストロメトルファン臭化水素酸塩水和物	7.3
メタルカプターゼカプセル 100mg	ペニシラミン	5.5

※実験方法：55℃のお湯に1錠・1カプセルまたは1包を崩壊・懸濁し，10分後にpHを測定（n=2-3）．
ただし，10分間で懸濁しない薬剤は，コーティング破壊後に崩壊・懸濁

■ 簡易懸濁時の pH 情報

青：酸性（< pH5），白：中性（5 ≦ pH ≦ 8），赤：アルカリ性（> pH8）

商品名	一般名	実測値の平均 pH
メタルカプターゼカプセル 50mg	ペニシラミン	5.5
メチエフ散 10%	dl-メチルエフェドリン塩酸塩	4.9
メチコバール錠 500μg	メコバラミン	9.2
メトグルコ錠 250mg	メトホルミン塩酸塩	7.5
メトリジン錠 2mg	ミドドリン塩酸塩	6.1
メドロール錠 4mg	メチルプレドニゾロン	6.8
メネシット配合錠 100	レボドパ・カルビドパ水和物	6.3
メバロチン錠 5	プラバスタチンナトリウム	8.2
メプチン錠 50μg	プロカテロール塩酸塩水和物	6.9
メプチンミニ錠 2.5μg	プロカテロール塩酸塩水和物	7.8
メマリー OD 錠 5mg	メマンチン塩酸塩	5.1
メリスロン錠 6mg	ベタヒスチンメシル酸塩	3.5
モービック錠 5mg	メロキシカム	6.3
ユーロジン 2mg 錠	エスタゾラム	6.3
ユニフィル LA 錠 200mg	テオフィリン	6.8
ユベラ N カプセル 100mg	トコフェロールニコチン酸エステル	5.9
ユリノーム錠 50mg	ベンズブロマロン	6.8
ラキソベロン錠 2.5mg	ピコスルファートナトリウム水和物	6.7
ラシックス錠 20mg	フロセミド	4.1
ラシックス錠 40mg	フロセミド	4.1
ラックビー微粒 N	ビフィズス菌	9.0
ラニラピッド錠 0.1mg	メチルジゴキシン	6.7
ラミシール錠 125mg	テルビナフィン塩酸塩	3.3
現：ランソプラゾールカプセル 15mg「日医工」旧名：ランソラールカプセル 15	ランソプラゾール	5.2
リーゼ錠 5mg	クロチアゼパム	7.0
リズミック錠 10mg	アメジニウムメチル硫酸塩	6.6
リスモダン R 錠 150mg	ジソピラミドリン酸塩	6.0
リスモダンカプセル 100mg	ジソピラミド	11.0
リスモダンカプセル 50mg	ジソピラミド	10.6
リバロ錠 1mg	ピタバスタチンカルシウム水和物	7.3
リピトール錠 5mg	アトルバスタチンカルシウム水和物	9.4
リピトール錠 10mg	アトルバスタチンカルシウム水和物	9.4
リファジンカプセル 150mg	リファンピシン	6.2
リファンピシンカプセル 150mg「サンド」	リファンピシン	5.4
リボトリール錠 0.5mg	クロナゼパム	6.5

青：酸性（＜pH5），白：中性（5 ≦ pH ≦ 8），赤：アルカリ性（＞pH8）

商品名	一般名	実測値の平均pH
リポバス錠5	シンバスタチン	4.0
リマチル錠 100mg	ブシラミン	6.1
リン酸コデイン散 1%「ホエイ」	コデインリン酸塩水和物	5.8
リンデロン錠 0.5mg	ベタメタゾン	6.7
ルーラン錠 4mg	ペロスピロン塩酸塩水和物	5.8
ルジオミール錠 10mg	マプロチリン塩酸塩	6.7
ルボックス錠 25	フルボキサミンマレイン酸塩	5.8
レスミット錠 5	メダゼパム	9.8
レニベース錠 5	エナラプリルマレイン酸塩	7.0
レニベース錠 10	エナラプリルマレイン酸塩	7.0
レンドルミンD錠 0.25mg	ブロチゾラム	4.5
ロイコボリン錠 5mg	ホリナートカルシウム（別名：ロイコボリンカルシウム）	7.6
ロートエキス散「ホエイ」	ロートエキス	5.0
ロカルトロールカプセル 0.25	カルシトリオール	6.2
ロキソニン細粒 10%	ロキソプロフェンナトリウム水和物	6.9
ロキソニン錠 60mg	ロキソプロフェンナトリウム水和物	6.7
現：ロキソプロフェンナトリウム錠 60mg「日医工」 旧名：ロルフェナミン錠 60mg	ロキソプロフェンナトリウム水和物	7.5
ロコルナール錠 100mg	トラピジル	6.4
ロペミンカプセル 1mg	ロペラミド塩酸塩	6.9
ロペラミド錠 1mg「EMEC」	ロペラミド塩酸塩	7.2
ロルカム錠 2mg	ロルノキシカム	8.4
ワーファリン錠 1mg	ワルファリンカリウム	6.1
硫酸アトロピン末	アトロピン硫酸塩水和物	5.4

※実験方法：55℃のお湯に1錠・1カプセルまたは1包を崩壊・懸濁し，10分後にpHを測定（n=2-3）。
　　ただし，10分間で懸濁しない薬剤は，コーティング破壊後に崩壊・懸濁

簡易懸濁法マニュアル 第2版

定価　本体3,600円（税別）

2017年1月31日　初版発行
2021年9月30日　第2版発行

編　著　　倉田　なおみ　　石田　志朗
　　　　　くらた　　　　　いしだ　しろう

執　筆　　日本服薬支援研究会

発行人　　武田　信

発行所　　株式会社　じほう
　　　　　101-8421　東京都千代田区神田猿楽町1-5-15（猿楽町SSビル）
　　　　　電話　編集　03-3233-6361　販売　03-3233-6333
　　　　　振替　00190-0-900481
　　　　　＜大阪支局＞
　　　　　541-0044　大阪市中央区伏見町2-1-1（三井住友銀行高麗橋ビル）
　　　　　電話　06-6231-7061

©2021　　　　　　　　　　組版　レトラス　　印刷　（株）暁印刷
Printed in Japan

本書の複写にかかる複製，上映，譲渡，公衆送信（送信可能化を含む）の各権利は
株式会社じほうが管理の委託を受けています。

|JCOPY|＜出版者著作権管理機構　委託出版物＞
本書の無断複製は著作権法上での例外を除き禁じられています。
複製される場合は，そのつど事前に，出版者著作権管理機構（電話 03-5244-5088，
FAX 03-5244-5089，e-mail：info@jcopy.or.jp）の許諾を得てください。

万一落丁，乱丁の場合は，お取替えいたします。
ISBN 978-4-8407-5379-1